Johannes Tuchel/Reinold Schattenfroh
Zentrale des Terrors

Johannes Tuchel
Reinold Schattenfroh

Zentrale des Terrors

Prinz-Albrecht-Straße 8
Das Hauptquartier der Gestapo

Büchergilde Gutenberg

Lizenzausgabe für die Büchergilde Gutenberg
Frankfurt am Main, Olten, Wien
mit freundlicher Genehmigung
der Wolf Jobst Siedler Verlag GmbH, Berlin

© 1987 by Wolf Jobst Siedler Verlag GmbH, Berlin

Satz: Bongé & Partner, Berlin
Lithos: Rembert Faesser, Berlin
Druck und Buchbinder: May & Co., Darmstadt
Printed in Germany 1987

ISBN 3 7632 3340 7

Berlin, 15. Juni 1956: Die Sprengung der ehemaligen Gestapo-Zentrale.

Einleitung

Am 15. Juni 1956 um 11.20 Uhr werden in der Niederkirchnerstraße 8 im amerikanischen Sektor Berlins die Reste eines von den Spuren des Krieges gezeichneten, in seiner Bausubstanz jedoch intakten und noch immer repräsentativen Gebäudes dem Erdboden gleichgemacht. Ein alltäglicher Vorgang in der ehemaligen Reichshauptstadt, elf Jahre nach Ende des Krieges.

1956. Die »schlimmen Jahre«, Hungerwinter, Blockade, Luftbrücke, scheinen vorüber. In Berlin findet zum erstenmal wieder eine Funkausstellung statt, die Bauarbeiten für eine Stadtautobahn beginnen, das Aufbauprogramm läuft auf vollen Touren. Die Sprengung eines Hauses hart an der Sektorengrenze zu Ost-Berlin ist da nichts Besonderes. Man braucht Platz, die Stadt krempelt die Ärmel hoch.

»Niederkirchnerstraße«, das ist ein neues Straßenschild im Herzen der zerstörten Innenstadt, wenige Jahre alt. Der Name der kommunistischen Widerstandskämpferin Käthe Niederkirchner, die 1944 im Konzentrationslager Ravensbrück ermordet wurde, sagt den meisten nichts, macht kaum jemanden stutzen. Daß die Straße einmal anders hieß und daß hier, in eben jenem Gebäude mit der Hausnummer 8, eine Organisation saß, die systematisch den Tod von Millionen betrieb, wer weiß das damals noch, wer will es überhaupt wissen? Ein Name, der Symbol gewesen war für den Terror – Prinz-Albrecht-Straße 8 –, wurde ersetzt durch den Namen eines Opfers.

Prinz-Albrecht-Straße 8 – unter dieser Adresse herrschten Heinrich Himmler und Reinhard Heydrich mit ihrem Apparat, unter dieser Adresse kontrollierten sie sechs Jahre lang die deutschen Oppositionellen und weitere sechs Jahre halb Europa zwischen Nordkap und Sizilien. Unter dieser Adresse schließlich wurde die Vernichtung der europäischen Juden vorbereitet und gesteuert.

Dieses Gebäude also, die Zentrale des nationalsozialistischen Terrors, wird im Juni 1956 gesprengt. Wer die Sprengung anordnete, ist nicht mehr zu rekonstruieren. Die Akte, die hierüber Auskunft geben müßte, ist verschwunden. Was die Verwaltung im einzelnen zur Sprengung veranlaßte, bleibt im dunkeln; ein Motiv liegt nahe: Die Hauptstadt Berlin sucht sich der Symbole der nationalsozialistischen Vergangenheit zu entledigen. Die Zeit der Gewaltherrschaft ist vorbei. Neue Fronten sind entstanden, und gerade hier, an der Grenze zwischen West und Ost, fordert der »Kalte Krieg« seinen Tribut. Vor diesem Hintergrund ständiger Auseinandersetzungen ist es verständlich, daß die Sprengung in der Prinz-Albrecht-Straße niemanden interessiert. Ein Foto in der Zeitung, eine Notiz, der Neuaufbau geht weiter.

Auf dem Gelände der ehemaligen Prinz-Albrecht-Straße allerdings, auf dieser Brache an der Sektorengrenze, entsteht nichts, nicht einmal Bäume werden gepflanzt. Auch nach dem Bau der Mauer 1961 bleibt es hier öde. Es gibt Pläne, zaghafte und überdimensionale: eine Stadtautobahn, verbrämt Osttangente genannt, soll sich entlang der Mauer ziehen. Die Schnellstraße über das Gelände an der Niederkirchnerstraße würde der autogerechten Stadt, für die in diesen Jahren geplant wird, gut zu Gesicht stehen. Am Ende wird sie nicht gebaut. Die Stadt der Zukunft benötigt wohl doch nicht so viele Trassen.

Weitere zwanzig Jahre geschieht nichts. Das Gelände der früheren Gestapo bleibt öde; was man sieht, sind die Sandhaufen einer »Erdbewegungsfirma« zum Sortieren von Bauschutt. Berlin wird sich seiner Geschichte im Nationalsozialismus nur langsam bewußt. Im ehemaligen Oberkommando des Heeres in der Stauffenbergstraße entsteht 1952 ein Ehrenhof, 1967 wird hier eine Dauerausstellung eingerichtet. Die Hinrichtungsstätte Plötzensee, in der über zweitausend Gegner des Nationalsozialismus ermordet wurden, wird zur Gedenkstätte. Der Ort, an dem im Januar 1942 die Vernichtung der europäischen Juden koordiniert wurde, die Villa Am Großen Wannsee 56-58, rückt vorübergehend in das öffentliche Interesse. Hier, wo Reinhard Heydrich die Funktionselite des Dritten Reiches in den Massenmord und seine Maschinerie einweihte, soll ein Forschungszentrum entstehen. Der Bezirk Neukölln will das Gebäude jedoch weiterhin als Kinderheim nutzen, und so zieht sich der Senat zurück. Der politische Wille zur Erforschung der jüngsten deutschen Geschichte fehlt auch in den sechziger Jahren noch. Geschichte als Möglichkeit, die eigenen Grenzen abzustecken, wird nicht genutzt.

Sehr spät erweckt die Prinz-Albrecht-Straße als Zentrum des nationalsozialistischen Terrors Aufmerksamkeit. Der Umweg, den man nimmt, ist bezeichnend. Im Rahmen der Diskussion um die Erhaltung des Martin-Gropius-Baues und seine Nutzung für Großausstellungen fällt der Stadt plötzlich auf, daß es neben diesem Gebäude noch ein anderes gibt, eines mit düsterer Vergangenheit. Erste Spurensicherungen, das Interesse wächst. Vor allem Jüngere wollen wissen, was an diesem Ort geschah.

Ein »Aktives Museum« findet sich zusammen. Die Mechanismen des Terrors sollen aufgedeckt und dargestellt werden. Im Juni 1983 spricht sich das Abgeordnetenhaus für ein Mahnmal aus. Bei einem Architektenwettbewerb der Internationalen Bauausstellung wird ein Entwurf prämiiert, der ebenso gespenstisch wie konsequent anmutet: Das Gelände soll mit gußeisernen Platten versiegelt werden, auf denen Dokumente der Gestapo zu lesen sind. Als Wächter über diese Platten sind starr ausgerichtete Bäume vorgesehen. Im November 1984 beschließt der Senat, diesen Entwurf nicht zu verwirklichen; das Gelände soll für die 750-Jahr-Feier hergerichtet werden –

provisorisch. Ende 1986 kommt es zu Ausgrabungen auf dem Gelände, bei denen die Fundamente alter Luftschutzkeller und der Gefängniszellen bloßgelegt werden.

Auch dieses Buch ist eine Ausgrabung. Wir wissen noch viel zu wenig über die Geheime Staatspolizei. Dennoch soll der Versuch unternommen werden, einen Einstieg in ihre Geschichte zu finden. Der Weg führt von der Politischen Polizei und der Nutzung des Gebäudes in der Weimarer Republik hin zur Organisation der Geheimen Staatspolizei und des späteren Reichssicherheitshauptamtes. Die Bürokratie der Verfolgung sowie einzelne Aktionen der Gestapo gegen innenpolitische Gegner sollen dabei im Mittelpunkt stehen.

Das Gebäude in der Prinz-Albrecht-Straße 8 war nicht nur das Zentrum der bürokratischen Verfolgung, sondern zugleich auch Gefängnis für mehrere tausend Verfolgte. Diesen Opfern ist der zweite Teil des Buches gewidmet. Auch dies kann nur ein Anfang sein, da bis heute nur wenige Häftlinge namentlich bekannt sind. Eine Gesamtgeschichte der Geheimen Staatspolizei steht noch aus. Wenn wir mit diesem Buch dazu beitragen können, ein wenig Licht auf diese zentrale Institution der nationalsozialistischen Herrschaft zu werfen, und zu weiterer Beschäftigung anregen, wäre schon viel erreicht. Das Buch versteht sich mithin als Beitrag zu einer hoffentlich intensiv und entschlossen fortschreitenden Diskussion über die Bedeutung eines Ortes, der in der deutschen Geschichte eine so verhängnisvolle Rolle gespielt hat.

Die ersten Überlegungen entstanden innerhalb einer Arbeitsgruppe, die im Herbst 1983 am August-Bebel-Institut in Berlin gebildet wurde. Dazu gehörten, neben den beiden Autoren: Konrad Beck, Annerose Benecke, Silvia Diekmann, Barbara und Joachim Schieb sowie Karin Westermann. Die historische Bedeutung des Ortes war gerade in das Bewußtsein der Öffentlichkeit zurückgekehrt; die alten Namen Prinz-Albrecht-Straße und Kunstgewerbeschule wurden wieder geläufig. Man sprach vor allem von den »Folterkellern«, deren Reste man unter den Schuttbergen vermutete.

In dieser Situation ging die Arbeitsgruppe zunächst der Frage nach, wer in den Zellen inhaftiert gewesen und was mit den Opfern geschehen war. Von Sitzung zu Sitzung stellte man mit steigendem Erstaunen fest, wie viele Personen – bekannte und unbekannte – ihren Weg durch die Zellen hatten nehmen müssen. Einige hatten darüber bereits berichtet, andere waren trotz des zeitlichen Abstands von mehr als vierzig Jahren in der Lage und bereit, ihre Erfahrungen aufzuzeichnen. Das gesamte Material einschließlich der mehr als hundert Häftlingsberichte steht im August-Bebel-Institut zur Verfügung.

Die Beschäftigung mit den Opfern führte zwangsläufig zu einer Auseinandersetzung auch mit den Tätern. Hinzu kam die Frage, was vor 1933 in diesem Gebäude und seiner näheren Umgebung geschehen war.

Der Dank der Autoren gilt vor allem denen, die mit uns über ihre Haftzeit und ihre Erlebnisse in der Prinz-Albrecht-Straße 8 gesprochen haben und uns damit einen verloren geglaubten Teil der Vergangenheit zugänglich machten. Genannt seien an erster Stelle Karl Elgaß, Dr. Falk Harnack, Walter und Wally Höppner, Marianne Reiff, Edith Walz. Unser Dank gilt des weiteren den Mitgliedern der Arbeitsgruppe, ohne deren Hilfe die Häftlingsberichte bruchstückhaft geblieben wären. Hinweise und Anregungen gaben Prof. Dr. Wolfgang Scheffler (Berlin), Prof. Dr. Peter Steinbach (Passau), Hans-Rainer Sandvoß und Klaus Bästlein (Berlin), Dr. Heinz Boberach und Dr. Josef Henke (Bundesarchiv), Dr. Friedrich Henning (Geheimes Staatsarchiv) und Elke Kirschbaum (Mikrofilmarchiv des Fachbereichs Politische Wissenschaft der Freien Universität Berlin). Die Pläne der Prinz-Albrecht-Straße 8 zeichneten Brigitte Häntsch und Peter Arnke. Ihnen allen gilt unser herzlicher Dank.

Es wäre falsch, die Geschichte der nationalsozialistischen Verfolgungs- und Terrororganisation auf das Gebäude in der Prinz-Albrecht-Straße 8 zu beschränken. Die Dämonisierung eines Ortes ist ebenso wie die Dämonisierung von Personen oft nicht mehr als eine hilflose Reaktion. Stätten des nationalsozialistischen Terrors gab es überall. Und man darf einen wesentlichen Aspekt nicht aus dem Auge lassen: die Alltäglichkeit und Normalität der Verfolgung. Anpassungsbereitschaft und Willfährigkeit einerseits, die dauernde Angst vor der Gewalt andererseits, zwischen diesen beiden Polen pendelte sich der Terror ein. Der Wunsch der meisten Zeitgenossen, in Ruhe gelassen zu werden, Bequemlichkeit und mangelnde Zivilcourage und nicht zuletzt die begeisterte Zustimmung weiter Bevölkerungskreise zu vielen Zielen des Nationalsozialismus haben den Terror erst möglich gemacht.

Erster Teil

Von der Kunstgewerbeschule zum Geheimen Staatspolizeiamt

Das Gebäude der Kunstgewerbeschule in der Prinz-Albrecht-Straße 8, Aufnahme 1905. Im Hintergrund ist das Hotel Vier Jahreszeiten (später: Hotel Prinz Albrecht) zu sehen. Durch das Tor auf der rechten Seite wurden nach 1933 die Häftlinge zum Gefängniseingang im Südflügel gefahren.

Kapitel I

Die Kunstgewerbeschule 1905-1925

Das Grundstück

Das Grundstück Prinz-Albrecht-Straße 8 lag im Westen des alten Berlin, am Rand der historischen Friedrichstadt. Ursprünglich war dieses Viertel eine auf grüner Wiese planmäßig angelegte Stadterweiterung gewesen. Die preußischen Herrscher hatten Adel und gewerbetreibendes Bürgertum durch staatliche Hilfen, vielfach aber auch mit Druck und Zwang dazu gebracht, sich hier niederzulassen.[1] So waren ab 1723 auf dem weiten Areal an der Leipziger und Wilhelmstraße Palais und Bürgerhäuser entstanden, in denen Staats- und Hofbeamte aus den Adelsfamilien von der Groeben, Happe, Schwerin und Schulenburg, die morganatische Gattin Friedrich Wilhelms II., Gräfin Dönhoff, und verschiedene Prinzen aus dem Königshaus ebenso ansässig wurden wie die bürgerlichen Seiden- und Bronzefabrikanten, die Porzellanmanufaktur des Herrn Gotzkowsky, Rentiers, Offiziere oder, noch häufiger, deren Witwen und vor allem eine große Zahl von Kaufleuten und Handwerksmeistern. Die Gebäude standen überwiegend in geschlossener Randbebauung vorn an der Straße, dahinter erstreckten sich – wie in einem Straßendorf – Gartengrundstücke; adelige Besitzer gestalteten sie als Park aus, bei Bürgerhäusern wurden sie meist für Hof, Stall und Nutzgarten verwendet.

Ein besonders ansehnlicher Besitz adeligen Zuschnitts war das Grundstück Leipziger Straße 5-7. Es war in das Eigentum des preußischen Staates gelangt, der das an der Straßenfront errichtete Palais aufstocken ließ und dem Kriegsministerium als Amtssitz zuwies. Sein rückwärtiger Park war einer der größten des Viertels und dehnte sich fast vierhundert Meter nach Süden aus; ganz an seinem Ende sollte später die Kunstgewerbeschule entstehen.

Auch das unmittelbar angrenzende, querliegende Grundstück Wilhelmstraße 102 zeigte das gleiche Gestaltungsmuster: Vorn an der Straße das Palais, ein besonders prachtvoller, mit Ehrenhof versehener Bau, der 1737 für Baron de Vernezobre errichtet und 1830-1833 von Friedrich Schinkel für Prinz Albrecht von Hohenzollern umgebaut worden war;[2] dahinter der ausgedehnte Park, der bis zur Königgrätzer Straße – heute Stresemannstraße – reichte und als Berliner Sehenswürdigkeit galt; Menzel hat ihn zweimal gemalt. Als Prinz Albrecht 1872 starb und sein Besitz in andere Hände überging, behielten Palais und Park seinen Namen.

Nach der Reichsgründung begann man, von der Wilhelmstraße aus Querstraßen durch die Gartengrundstücke zu legen und sie als Bauland zu erschließen. So entstand bereits ab 1871 auf Betreiben einer Spekulationsgesellschaft die Voßstraße.[3] Einige Jahre später versuchte man das gleiche südlich der Leipziger Straße durch eine Verlängerung der Zimmerstraße; da außer dem betroffenen Park des Kriegsministeriums auch die benachbarten Grundstücke in Staatseigentum standen, erwartete man keine wesentlichen Schwierigkeiten. Im westlichen Teil, wo das Handelsministerium zuständig war, klappte auch alles nach Plan: Die Straße wurde angelegt, und an beiden Seiten wurden repräsentative öffentliche Gebäude errichtet: 1877-1881 das Kunstgewerbemuseum, 1880-1886 das Völkerkundemuseum und gegenüber 1892-1899 das Abgeordnetenhaus des Preußischen Landtags. Im östlichen Abschnitt dagegen weigerte sich das Kriegsministerium beharrlich, seinen Park durch die projektierte Straße – die inzwischen den Namen des verstorbenen Prinzen Albrecht erhalten hatte – zerteilen zu lassen, und verhinderte damit mehr als zwei Jahrzehnte lang den Zusammenschluß der beiden Straßenstümpfe zu einer durchgehenden Verbindung. Erst um 1900 lenkte das Ministerium ein und stellte das erforderliche Straßenland zur Verfügung. Sein Grundbesitz war nun in zwei ungleiche Teile zerschnitten: nördlich der Prinz-Albrecht-Straße das Hauptgrundstück mit Amtsgebäude und anschließendem Park, südlich ein Restgrundstück in den Maßen 110 mal 80 Meter. Dieses wurde noch einige Zeit ummauert gehalten und als Park genutzt, 1901 dann der Kunstgewerbeschule überlassen.

Die Umgebung

Um die Jahrhundertwende ließen sich die alten Bau- und Nutzungsstrukturen praktisch nur mehr an zwei Stellen als grüne Inseln in dem durch die Berliner Blockbebauung entstandenen Häusermeer erkennen: an der nördlichen Wilhelmstraße und im Bereich des Kriegsministeriums und des Prinz-Albrecht-Parks. Im übrigen waren die Straßen durchgehend mit vier- bis fünfstöckigen großstädtischen Neubauten gesäumt; am Tiergartenrand herrschten zwei- bis dreistöckige Villen vor. Dem Stil nach war diese Architektur das, was man heute »wilhelminisch« nennt. Ihre Spannweite reichte von den pathetischen Stilbauwerken der Gründerzeit bis zu den besten Bauten des Jahrzehnts vor dem Ersten Weltkrieg mit ihrem weitgehenden Verzicht auf Ornamentierung und einer deutlichen Tendenz zur Vereinfachung und Reduzierung. Der Wan-

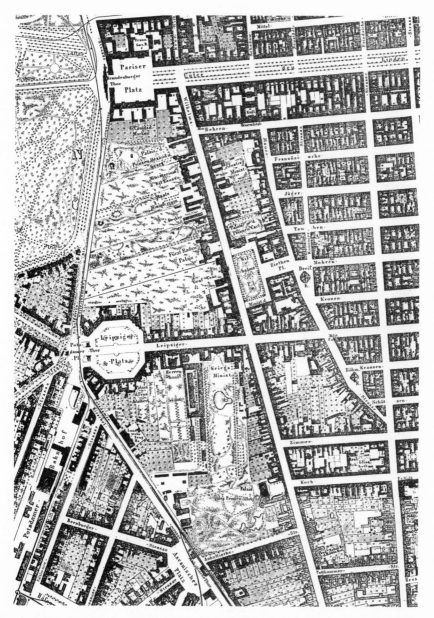

Situationsplan von der Haupt- und Residenzstadt Berlin, bearbeitet von Wilhelm Lie-
benow, Berlin 1867. Noch lange ist die Verbindung zwischen Königgrätzer (damals
noch Hirschel-Straße) und Wilhelmstraße nicht hergestellt. Der endgültige Durchbruch
durch die Gärten des Kriegsministeriums bis an die Zimmerstraße erfolgte erst um
1900.

del von pompösen Neorenaissance- und Neobarockformen zur fast wieder klassizistischen Haltung war natürlich nicht auf das Viertel zwischen Potsdamer, Leipziger und Friedrichstraße beschränkt, aber er trat hier mit besonderer Deutlichkeit hervor. Weniger die öffentlichen Bauten, die der Stilarchitektur stärker verpflichtet blieben, sondern weit mehr die neuen Geschäftshäuser ließen das Viertel im Bewußtsein der Zeitgenossen »moderner« erscheinen als andere Gegenden, etwa das historische Stadtzentrum, und vermittelten das Gefühl, hier schlage das Herz der neuen Reichshauptstadt.[4]

Dem architektonischen Stilwandel lag eine fundamentale Veränderung der gesellschaftlichen Funktion des Viertels zugrunde. Aus dem ruhigen Quartier am Rande der alten Stadt mit Wohngebäuden für Adel und Bürgertum war einer der wichtigsten zentralen Dienstleistungsbereiche der Reichshauptstadt geworden, der immer weitere Institutionen an sich zog. Hier grenzten aneinander: das Regierungsviertel, das Zeitungsviertel, das Verkehrszentrum am Potsdamer und Anhalter Bahnhof, das Geschäftsviertel entlang der Leipziger Straße und schließlich das von großbürgerlicher Kultur geprägte sogenannte Geheimratsviertel.

Das Regierungsviertel begann gleich nördlich der Prinz-Albrecht-Straße: Auf einer Strecke von knapp achthundert Metern lagen hier unmittelbar an oder in nächster Nähe der Wilhelmstraße das Preußische Staatsministerium (der Sitz des preußischen Ministerpräsidenten), acht der neun damals bestehenden preußischen Fachministerien, die Reichskanzlei und fünf Reichsämter.[5] Diese Massierung war so umfassend, daß der Ausdruck »Wilhelmstraße« in der Öffentlichkeit gleichbedeutend wurde mit der Reichsregierung und dem preußischen Kabinett.

Auch der preußische Landtag war in diesem Viertel untergebracht. Seine beiden Kammern erhielten um 1900 einen aufwendigen, fast 260 Meter tiefen Doppelbau zwischen Handels- und Kriegsministerium: für das Herrenhaus eine barocke Schloßanlage zur Leipziger Straße hin, für das Abgeordnetenhaus den schon erwähnten Spätrenaissancepalast an der Prinz-Albrecht-Straße, schräg gegenüber der Kunstgewerbeschule.

Will man sich eine Vorstellung davon machen, wo die Staatsgeschäfte des Deutschen Reiches betrieben und wo die wirklich wichtigen politischen Entscheidungen getroffen wurden, so wird man – sieht man ab von Reichstag und Generalstab – in erster Linie an diese wenigen, eng benachbarten Amtsgebäude des Regierungsviertels denken müssen. Hier rechts und links der Wilhelmstraße, praktisch in Sichtweite der Kunstgewerbeschule, wurden die Weichen gestellt für fast alle bedeutsamen innen- und außenpolitischen Entwicklungen seit der Reichsgründung. Der Reichskanzler, der mit ihm über Jahrzehnte in Personalunion verbundene preußische Ministerpräsident, die preußischen Minister und die Staatssekretäre des Reiches zeichneten hier, nach penibler Vorbereitung durch eine zahlenmäßig eng begrenzte Beamten-

Der Verkehrsmittelpunkt Berlins: Leipziger und Potsdamer Platz mit dem Potsdamer Bahnhof, um 1920.

elite, verantwortlich für den jährlichen Haushaltsentwurf, das Militärbudget, das Flottenbauprogramm, die Gesetzesvorlagen für Reichstag und Preußische Volksvertretung, die Festsetzung von Steuern und Zöllen, für Eisenbahn- und Kanalprojekte, den Ausbau der Universitäten, Bündnis- und Freundschaftsverträge.

Quer durch das Regierungsviertel lief die Leipziger Straße, die belebteste Geschäftsstraße Berlins, mit modernen Gaststätten, Warenhäusern und Spezialgeschäften. Wer sie von Westen her betrat, stieß als erstes auf das Warenhaus Wertheim, das »schönste Warenhaus der Welt – ein Ruhmestitel, den selbst die Amerikaner ihm neidlos zuerkennen«.[6] Die von Alfred Messel 1896 entworfene Fassade mit ihren Pfeilern und Glaswänden galt als Symbol des Fortschritts und war von großem Einfluß auf die Architektur der Epoche.[7]

Nach Westen hin begann das sogenannte Geheimratsviertel, das in den ersten Jahrzehnten des Kaiserreichs zur bevorzugten Wohngegend von Bankiers, Fabrikanten, Professoren und Künstlern wurde. Prunkvolle Häuser zeugten vom Selbstbewußtsein des wohlhabenden Bürgertums. Die gesuchteste Wohnlage befand sich am Rand des Tiergartens. Theodor Fontane, der in der Potsdamer Straße wohnte und dessen Romane zum großen Teil hier,

19

im alten Westen der Stadt, spielen, siedelte die Baronin Berchtesgaden in der Lennéstraße und den Grafen Barby am Kronprinzenufer an, und im »Stechlin« treiben die beiden stilvoll Konversation, wo der Ausblick wohl reizvoller sei. Während die unteren Schichten in den Mietskasernen der Arbeiterviertel im Norden und Osten der Stadt zusammengepfercht wurden, zog das luftige und luxuriöse Geheimratsviertel die Reichen und Vornehmen an: Allein 62 Millionäre aus der Berliner Bankenwelt hatten hier ihren Wohnsitz genommen.[8]

Unmittelbar an der Königgrätzer Straße beherrschten die beiden Riesenbauten des Anhalter und des Potsdamer Bahnhofs das Straßenbild. Das Gedränge und Geschiebe in diesen beiden Stationen war gewaltig: Am Anhalter Bahnhof trafen während des Sommers pro Tag bis zu 85 Fernzüge aus dem Süden mit bis zu hunderttausend Reisenden ein. Der Potsdamer Bahnhof war mit der neu entstandenen Ring- und Stadtbahn verbunden und diente überwiegend lokalem Verkehr. Über sechs Vorort- und zwei Ferngleise rollten täglich annähernd neunhundert Züge; auf der Ring- und Stadtbahn trafen sie während der Hauptverkehrszeiten im Abstand von zwei bis drei Minuten ein. Auch der Straßenverkehr mit Straßenbahnen, Droschken, Pferdefuhrwerken, Omnibussen und in steigendem Maße auch privaten Kraftwagen lief von allen Seiten auf den Potsdamer Platz zu und zwängte sich in Richtung Altstadt vor allem durch die Leipziger Straße. Sie entwickelte sich damals zur verkehrsreichsten Verbindungsstraße der Reichshauptstadt mit allein 28 Straßenbahnlinien.[9]

Für die Reisenden waren in der Nähe der beiden Bahnhöfe Dutzende von Hotels entstanden, nach Größe und Ausstattung oft wahre Paläste; die zeitgenössischen Adreßbücher verzeichnen allein für die Königgrätzer Straße mit Seitenstraßen knapp fünfzig. In der Anhalter Straße wies jede Hausnummer ein eigenes Hotel auf. Besonders aufwendig ging es am Potsdamer Platz zu, wo sich vier Großhotels nebeneinander ihren Standort gewählt hatten: »Esplanade«, »Fürstenhof«, »Bellevue« und »Palasthotel«.

Die beiden nobelsten Hotels lagen jedoch unmittelbar am Rande des Regierungsviertels: der »Kaiserhof« am Wilhelmsplatz und das »Hotel Adlon« am Pariser Platz. Der »Kaiserhof« war 1876 errichtet und mit dem Luxusmobiliar von zwei bankrotten Hotels aus Wien ausgestattet worden. Bei der Eröffnung hatte sich der Kaiser zwei Stunden lang durch das ganze Gebäude führen lassen und in den Prachtsalons zu seinem Sohn bemerkt: »Wir können's nicht so haben!«[10] Zu den gediegenen Hotels der zweiten Klasse zählte das »Hotel Vier Jahreszeiten« an der Prinz-Albrecht-Straße 9 Ecke Wilhelmstraße. Es nannte sich später »Hotel Prinz Albrecht« und leistete sich 1909 einen vollständigen Umbau im Geschmack des Jugendstils.

Überquerte man, von der Kunstgewerbeschule kommend, die Wilhelmstraße in östlicher Richtung, so betrat man das Zeitungsviertel.[11] Die drei großen Berliner Zeitungsverlage Mosse, Ullstein und Scherl hatten sich hier in dem Straßengeviert Zimmer-, Jerusalemer, Koch- und Friedrichstraße niedergelassen: eine in Deutschland einzigartige Konzentration. Mosses Glanzstück war das linksliberale »Berliner Tageblatt« unter seinem legendären Chefredakteur Theodor Wolff. Ullstein gab unter anderem die »Morgenpost«, die »Berliner Abendpost« und die »BZ am Mittag« heraus; 1914 übernahm der Verlag die »Vossische Zeitung«. Die »Berliner Illustrirte Zeitung« hatten die Ullsteins bereits vor dem Ersten Weltkrieg bis nahe an die Millionengrenze gebracht. Scherl schließlich war der Schöpfer des »Berliner Lokalanzeigers«, der 1883 herauskam. Daneben erschienen bei ihm so erfolgreiche Zeitschriften wie »Die Woche« und »Die Gartenlaube«.

Auch Parteizeitungen ließen sich im Zeitungsviertel nieder. Die SPD-Blätter, allen voran der »Vorwärts«, wurden am Sitz der Parteizentrale, die zunächst im Gebäude Lindenstraße 69 und ab 1910 in der Lindenstraße 3 untergebracht war, herausgegeben und gedruckt; die »Germania«, das offizielle Organ des Zentrums, war in der Nachbarschaft untergebracht. Insgesamt wurden um 1900 in Berlin etwa 1.100 periodische Druckschriften publiziert, darunter an die dreißig Tageszeitungen.[12]

Inmitten von Kommerz, Bürokratie und Publizistik bekam schließlich auch die Kultur ihre repräsentativen Plätze: das Museum für Völkerkunde, dessen Errichtung 1881-1886 zusammenfiel mit dem Erwerb der deutschen Kolonien, oder auch das Gebäude der Philharmonie an der Bernburger Straße, das Zentrum der bürgerlichen Musikkultur. Im Kasino des Architektenvereins, Wilhelmstraße 92/93, hielt 1906 Rudolf Steiner seine berühmte Vortragsserie, die sich über 130 Sitzungen erstreckte. Leichter geschürzte Unterhaltung – Kabaretts, Amüsier- und Nachtlokale – gab es an der Friedrichstraße und im »Café Piccadilly« am Potsdamer Platz, dessen Name allerdings gleich nach Kriegsausbruch 1914 dem »Café Vaterland« weichen mußte.[13]

Kunstgewerbemuseum und Kunstgewerbeunterricht

Ursprünglich war die spätere Kunstgewerbeschule nur ein Zweig, das heißt ein mit Unterrichtsaufgaben betrauter, organisatorisch fest eingebundener Teil des Kunstgewerbemuseums. Diese Einheit entsprach der ursprünglichen Idee des Kunstgewerbemuseums, die sich im letzten Viertel des 19. Jahrhunderts mit einer Welle von Neugründungen in allen deutschen Ländern durchsetzte und deren Realisierung eine der bemerkenswertesten Leistungen der Kulturpolitik des Wilhelminischen Zeitalters darstellte.[14]

Auslösende Ursache war eine internationale Niederlage gewesen: Auf den ersten vier Weltausstellungen in London und Paris zwischen 1851 und 1867 hatte sich gezeigt, daß die Erzeugnisse des deutschen Kunsthandwerks und der deutschen Kunstindustrie im Vergleich zu vielen ausländischen Produkten minderwertig waren; auf die Dauer würden sie gegenüber der Konkurrenz kaum eine Chance haben. Die betroffenen Branchen entschlossen sich daher zu einer breit angelegten, systematischen Umschulung ihrer Arbeitskräfte und regten zu diesem Zweck die Schaffung von Kunstgewerbemuseen nach englischem und österreichischem Vorbild an. Die tragende Idee dieser Bildungsoffensive steuerte der damals vorherrschende Historismus bei: Man war überzeugt, daß Handwerker und Industriearbeiter ihren gestalterischen Geschmack am besten durch möglichst genaues Abzeichnen anerkannter Produkte verbessern könnten. Die Wiedergeburt des deutschen Kunsthandwerks sollte sich vor allem an Meisterstücken vergangener Jahrhunderte orientieren. So entstand die Institution des Kunstgewerbemuseums mit ihren notwendig aufeinander bezogenen Bestandteilen »Mustersammlung« und »Unterrichtsanstalt«.

Für Preußen wurde diese Idee erstmals in Berlin verwirklicht, wo 1867 ein Verein aus Handwerkern, Industriellen, Kaufleuten, hohen Staatsbeamten und Künstlern eine Sammlung mit angeschlossener Unterrichtsanstalt unter der zunächst noch eingeschränkten Bezeichnung »Gewerbemuseum« gründete. Ab 1873 erhielt dieses Museum namhafte staatliche Zuschüsse und, nachdem es bis dahin in provisorischen Räumlichkeiten untergebracht war, 1877-1881 unter der Leitung von Gropius und Schmieden den imponierenden Neubau Prinz-Albrecht-Straße 7.[15]

Im Inneren des Gebäudes dominierte auf den ersten Blick die Mustersammlung. Aus sehr beschränkten Anfängen bei der Gründung im Jahr 1867 war dank privater Stiftungen, vor allem aber durch Schenkungen aus der Königlichen Kunstkammer und durch staatliche Ankäufe berühmter Privatsammlungen ein in Deutschland einzigartiger Bestand geworden. Beim Einzug in den Gropius-Bau umfaßte die Sammlung bereits 20.000 Nummern; sie wurde in den neuen Räumen so vollständig wie möglich aufgestellt.[16] Zur Mustersammlung gehörte zunächst auch die Kunstbibliothek mit damals 4.315 Bänden, 37 Zeitschriften, 13.000 Bildtafeln und 480 Originalentwürfen.

Aufgabe der Unterrichtsanstalt war es, das reiche Anschauungsmaterial der Sammlung für die praktische Schulung zu nutzen. Von den rund 80 Räumen des Museumsgebäudes (ohne Lichthof) waren nach dem ursprünglichen Plan 36, also 45 Prozent der verfügbaren Gesamtfläche für die Unterrichtsanstalt bestimmt. Als besonders anspruchsvoll darf man sich diesen Unterricht während der ersten Jahrzehnte allerdings nicht vorstellen. Aus Modellmappen und persönlichen Berichten ehemaliger Schülerinnen und Schüler ist zu erkennen, daß es sich überwiegend um mechanisches Kopieren von Details gehandelt haben muß, die als Schmuckornamente für die handwerkliche und industrielle Produktion eine Rolle spielten.

Beim Einzug in den Gropius-Bau gehörten dem Lehrkörper sechzehn Lehrkräfte unter Leitung des Historienmalers Ernst Ewald an; in der Mehrzahl waren sie Baumeister, daneben gab es Maler und Bildhauer. Sie unterrichteten fünfhundert Studenten. Das Studium setzte sich aus einer zweijährigen Vorschule und dem eigentlichen Kunstgewerbestudium zusammen, das drei bis vier Jahre in Anspruch nahm. Letzteres war eingeteilt in die für alle obligaten Vorklassen und die anschließend zur Wahl stehenden sechs Fachklassen für

– Möbel, Geräte, Gefäße
– Flachornamente, Weberei
– figürliche Dekoration
– Modellieren
– dekorative Malerei
– Ziselieren, Gravieren und ähnliches.

Da die Unterrichtsanstalt peinlich genaue Statistiken führte, sind wir auch über die Zusammensetzung der Studentenschaft näher informiert. Schon 1881 war jeder fünfte Student weiblichen Geschlechts. Dieser Anteil stieg bis zum Umzug in die Prinz-Albrecht-Straße 8 im Jahre 1905 auf 35 Prozent. Etwa die Hälfte der Studenten hatte nur die Volksschule besucht, der Rest die Realschule oder das Gymnasium.

Kurz vor der Jahrhundertwende setzte ein grundsätzlicher Wandel ein, der sowohl die Ziele als auch die Methoden des Unterrichts betraf. Mit ihm beginnt die eigentliche Blütezeit der nun eigenständig werdenden Kunstgewerbeschulen in Preußen. Dieser Umbruch ist in seiner zweiten Phase eng verbunden mit dem Wirken des preußischen Regierungsbaumeisters Hermann Muthesius und den Ideen des Deutschen Werkbundes.[17] Stilistisch läßt sich der Wandel als Ablösung des Historismus durch den neu entstehenden Jugendstil begreifen. Für den Unterricht bedeutete dies, daß die gesammelten Erzeugnisse handwerklicher Kunst aus früheren Jahrhunderten ihre Rolle als verbindliche Muster verloren. Die Studenten mußten nicht mehr Semester um Semester vor dem Lüneburger Tafelsilber oder italienischer Renaissancemajolika ornamentale Schmuckformen nachahmen, sondern zeichneten nun »nach der Natur«. Angesichts der vegetativ bewegten Formen des überall vordringenden Jugendstils bedeutete dies vor allem: Pflanzen, Pflanzen und nochmals Pflanzen. Bezeichnenderweise wurde an der Südseite des Neubaus auf dem Grundstück Prinz-Albrecht-Straße 8 ein eigenes Gewächshaus errichtet. Ziel des Unterrichts war auch nicht mehr das Anfertigen bloß schmückender Ornamente, sondern der Entwurf des Gesamten, das

»Gesamtkunstwerk«. Dementsprechend rückte die Architektur an die Spitze der Ausbildungsfächer. Aus dem Handwerksunterricht war künstlerische Ausbildung geworden.

Hand in Hand mit diesem Wandel ging die Forderung nach materialnaher Ausbildung. Dies wiederum setzte einen Unterricht in Werkstätten voraus. In der Tat wurden alle in dieser Zeit neuerrichteten Kunstgewerbeschulen großzügig mit eigenen Werkstätten ausgestattet, so auch die in der Prinz-Albrecht-Straße 8. Als hier im Oktober 1905 der Unterrichtsbetrieb aufgenommen wurde, hatten sich die Reformgedanken bereits vollständig durchgesetzt und praktisch die Abnabelung der Unterrichtsanstalt von der Mustersammlung herbeigeführt. Der Form nach entstand auf dem Nachbargrundstück zwar noch ein Erweiterungsbau des Kunstgewerbemuseums, im Kern war es aber schon eine eigenständige Einrichtung.

Das Gebäude

Um die Jahrhundertwende war das Kunstgewerbemuseum an die Grenzen seiner Kapazität gestoßen: Sowohl die Sammlungen als auch die Schülerzahlen und Unterrichtsstunden nahmen laufend zu, und es konnte nur eine Frage der Zeit sein, bis der Bau für die gemeinsame Unterbringung von Sammlung, Bibliothek und Unterrichtsanstalt nicht mehr ausreichen würde. Auch waren in den vorhandenen Räumen die Voraussetzungen für den modernen Werkstattunterricht nicht gegeben. Unter diesen Umständen gelang es dem Kultusministerium, die Errichtung eines Neubaus für Bibliothek und Unterrichtsanstalt auf dem unmittelbar angrenzenden Restgrundstück des preußischen Kriegsministeriums durchzusetzen. Die Bauzeit betrug dreieinhalb Jahre (1902-1905), der Kostenaufwand rund zwei Millionen Mark.[18]

Bei den Zeitgenossen erregte der Bau kein besonderes Aufsehen. Der Betrieb lief am 1. Oktober 1905 ohne größere Feierlichkeit an, die Tageszeitungen behandelten das Ereignis im Lokalteil.[19] Fachzeitschriften wie das »Zentralblatt der Bauverwaltung«[20] oder die »Kunstgewerbliche Rundschau« berichteten zwar ausführlicher und mit Aufnahmen und Planskizzen, aber ohne Überschwang. Man konnte allenfalls gedämpftes Lob herauslesen, und dieses Lob bezog sich eher auf die technische Ausstattung als auf die künstlerische Gestaltung. Der Beitrag der »Kunstgewerblichen Rundschau« schloß patriotisch-nichtssagend: »So stellt die neue Unterrichtsanstalt mit dem Kgl. Kunstgewerbemuseum alles in allem eine deutsche Errungenschaft dar, welche sowohl technisch und architektonisch, wie überhaupt als Lehrinstitut anderen Einrichtungen zum Vorbild dienen kann«.[21]

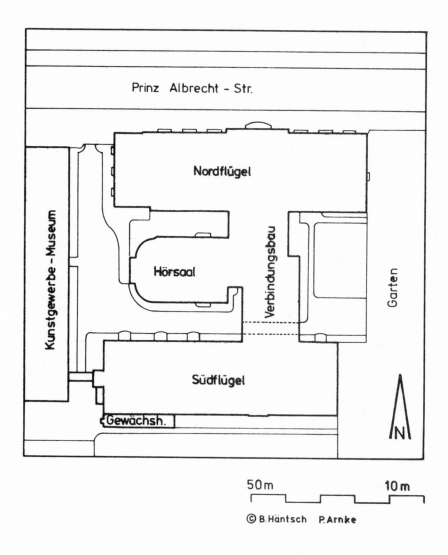

Für das zurückhaltende Urteil gab es verschiedene Gründe. Zum einen mußte die gewählte architektonische Lösung – ein moderner Nutzbau im Gewand eines barocken Stadtpalastes – schon damals als konventionell gelten, auch wenn der zeitgenössische Trend zur Vereinfachung spürbar wurde; im Grunde wandelte der Entwurf nur ein gängiges Gestaltungsmuster ab, das in Berlin an vielen Stellen und im Deutschen Reich hundertfach anzutreffen war.[22] Zum anderen fiel die Errichtung des Gebäudes mitten in den großen Bauboom nach der Jahrhundertwende, der vor allem die Reichshauptstadt mit einer ganzen Reihe monumentaler Bauwerke überzog: das »Jahrhundertwerk« des Neuen Domes (1893-1905), die Hochschule der freien Künste am Steinplatz (1898-1902), das schon erwähnte Herrenhaus des preußischen Landtags an der Leipziger Straße (eröffnet 1904), das Kaiser-Friedrich-Museum (1897-1904) oder die preußische Staatsbibliothek (Baubeginn 1903). Hinzu kamen mindestens ein halbes Dutzend Gerichtspaläste von zum Teil riesigen Dimensionen und städtische Großprojekte wie das Rudolf-Virchow-Krankenhaus (1899-1906), das Charlottenburger Krankenhaus (1904 eröffnet) oder das Märkische Museum (1901-1908).

Bei dem Neubau an der Prinz-Albrecht-Straße 8 handelte es sich, zumindest dem äußeren Umfang nach, um eine durchaus imponierende Anlage. Sie setzte sich aus drei Haupttrakten zusammen: einem Nordflügel an der Prinz-Albrecht-Straße, einem Südflügel an der Grenze zum Park des benachbarten Prinz-Albrecht-Palais und einem Verbindungsflügel mit dem nach Westen vorgebauten Hörsaal. Die Fassade zur Prinz-Albrecht-Straße präsentierte sich in kühlem französischem Barock: das Erdgeschoß aus gequadertem Sandstein; darüber drei sparsam gegliederte Obergeschosse mit auffällig breiten und hohen Fenstern; als Abschluß ein wuchtiges, steiles Mansardendach. Der Mittelteil des Daches sprang leicht vor und endete in einem mit Figurenschmuck versehenen Giebel. Das eher klein geratene Eingangstor war von Säulen und einem schwungvollen Sims eingefaßt; darauf thronten zwei überlebensgroße Steinfiguren in historischen Kostümen: eine Stickerin und ein Kunsttöpfer.

Ging man durch die Seiteneinfahrt in den Hof, bot sich ein völlig anderes Bild. Hier herrschten Zweckmäßigkeit und rationale Nutzung des vorhandenen Raumes: Die drei Flügel waren durch große Fenster unterteilt, der Schmuck beschränkte sich – abgesehen von den gequaderten Sandsteinen – auf flache, in den Verputz eingebrachte Formen. Aus den vier palastähnlichen Geschossen der Fassadenseite waren hier acht geworden, um die Magazine der Bibliothek unterbringen zu können. Nur der in die Mitte des Hofes vorspringende Hörsaal machte eine Ausnahme: ein kleiner, sehr lebendig gegliederter Rundbau mit wuchtigen barocken Attributen, der wie ein fremdartiges Überbleibsel aus einer anderen Stilepoche wirkte. Zum Südflügel hin verstärkte sich der nüchterne, fast fabrikmäßige Eindruck, den die ganze Anlage hervorrief: Was für uns heute auf den ersten Blick wie Garagentore aussieht, waren die Bildhauerateliers, die zum Transport der schweren Steinblöcke mit den Wagen vom Hof aus erreichbar sein mußten.

Die eigentliche Bedeutung des Baues war bildungspolitischer Natur. Dem kunstgewerblichen Unterricht in Berlin war nunmehr ein nach damaligen Maßstäben idealer Rahmen geboten. Insgesamt weist der Bauplan von 1905 zwischen Erdgeschoß und drittem Stock etwa 130 Räume auf, davon allein 50 nach Fachrichtungen eingeteilte Klassenräume und Werkstätten. Erwähnt seien mehrere Aufenthaltsräume für die Schülerinnen und Schüler – nicht nur

Portal der Kunstgewerbeschule, Aufnahme 1905. »Über dem Hauptportale sind nach Modellen des Bildhauers O. Richter eine Stickerin und ein Kunsttöpfer dargestellt. Darüber verkörpern zwei Putten in launiger Auffassung das selbstbewußte Genie und den minderbegabten Durchschnittsschüler« (Zeitgenössischer Kommentar).

nach Geschlechtern getrennt, sondern auch auf verschiedenen Etagen –, ein großer Lesesaal der Kunstbibliothek, eine zentrale Halle, die als Ausstellungsraum für Schülerarbeiten gedacht war, und der Hörsaal mit 444 Plätzen für öffentliche Vorträge. Eine Besonderheit bildete das Mansardengeschoß mit seinen hohen, durch Oberlichte beleuchteten Räumen, die vor allem zur Unterbringung der Malklassen und der Ziselierwerkstätten dienten. Letztere waren hierher gelegt, »um das Haus tunlichst frei von Dämpfen und störenden Geräuschen zu halten«.[23] Von Anfang an war ein Teil der Räume als Ateliers bestimmt; auf diese Weise hoffte man namhafte Künstler für die Schule zu gewinnen.

Unten: Innenhof der Kunstgewerbeschule mit dem Hörsaal im Vordergrund. In diesem Hörsaal übergab Hermann Göring am 20. April 1934 die preußische Geheime Staatspolizei an Heinrich Himmler. Himmler nutzte den Hörsaal in den folgenden Jahren immer wieder als Ort für grundsätzliche Reden an die Mitarbeiter der Geheimen Staatspolizei.
Rechts: Eingang zum Hörsaal der Kunstgewerbeschule. Im Hintergrund sind die Türen und Fenster der zum Hof liegenden, sieben Meter hohen Bildhauerateliers zu erkennen, die in den zwanziger Jahren zu Garagen und Mitte der dreißiger Jahre dann zu einem Teil des Hausgefängnisses umgebaut wurden.

Die Blüte der Kunstgewerbeschule

Nachdem der jahrzehntelange Direktor der Unterrichtsanstalt, Ernst Ewald, ein noch ganz im Historismus befangener Kunstmaler, aus Altersgründen ausgeschieden war, berief das Kultusministerium 1906 zu seinem Nachfolger den Architekten Bruno Paul.[24] Unter Pauls Leitung entwickelte sich die Kunstgewerbeschule zu einer Stätte, die auf fast alle Gebiete der zeitgenössischen angewandten Kunst ausstrahlte. Architektur, Möbel und Stoffe, Fotografie, Werbung und modernes Produktdesign, Schriftkunst und Buchgestaltung – kaum ein Feld, auf dem Künstler aus seiner Unterrichtsanstalt nicht bahnbrechend oder zumindest anregend gewirkt hätten. Paul selbst stellte bereits im Jahr seiner Berufung nach Berlin eines der ersten Arbeitermöbelprogramme vor;[25] später entwarf er die Museumsbauten in Dahlem und 1929/30 das Kathreinerhaus an der Potsdamer Straße, den ersten Stahlskelettbau in Berlin. Andere bedeutende, teilweise international bekannte Lehrer an der Kunstgewerbeschule waren der vor allem durch seine Entwürfe für die Berliner U-Bahn hervorgetretene Architekt Alfred Grenander, der Grafiker Emil Orlik, der Pflanzenfotograf Karl Bloßfeldt, der Grafiker und Schriftkünstler Otto Eckmann, der Buchkünstler Emil Rudolf Weiß.[26]

Die Ausbildung muß in den Jahren bis zum Ersten Weltkrieg unvergleichlich freier und anregender gewesen sein als in der Anfangszeit der Kunstgewerbeschule. Unter den Schülern finden sich später berühmt gewordene Namen wie George Grosz, Karl Hubbuch und Renée Sintenis; auch der 1914 gefallene Sohn von Käthe Kollwitz war Schüler an der Unterrichtsanstalt gewesen.[27] Die Studenten erhielten vielfach Gelegenheit, ihr Können praktisch zu erproben, vor allem bei den jährlichen »freien Wettbewerben«, die von Industriefirmen für modernes Design ausgeschrieben und mit Preisen honoriert wurden. Auch die grafisch höchst reizvollen Umschläge der Jahresberichte stammten von Schülern.

Nach 1918 wurde das Lebensgefühl hektischer und aggressiver. Wie sehr sich die wilden zwanziger Jahre von der betulichen Wohlanständigkeit der Vorkriegszeit unterschieden, läßt sich am Wandel der in ganz Berlin bekannten traditionellen Atelierfeste in der Kunstgewerbeschule ablesen. Über sie heißt es 1905 anläßlich der Inbetriebnahme des Neubaus in der »Kunstgewerblichen Rundschau«: »Oft veranstaltet der Verband auch eigene Feste und Vergnügungen, die einen frei künstlerischen Charakter tragen. Erst kürzlich sah ich am schwarzen Brett der Anstalt ein anziehendes, von einem Schüler entworfenes Plakat zu einem ›Kostümfest in Violet‹, welches heute wahrscheinlich schon zur Zufriedenheit aller Beteiligten verlaufen sein wird...«[28]

Zwanzig Jahre später spielten sich die Atelierfeste folgendermaßen ab: »Da gab es zum Beispiel die großen Feste, die unsere Schule veranstaltete. ›Stakugemu‹ hieß das eine, ›Prialbstra‹ das andere – Abkürzungen der Namen unseres Museums und der Straße, in welcher es stand... Nach einigen solchen Festen gewöhnte ich mich schon daran, daß im ehrenwerten Gebäude unserer Hochschule mit unerhörter Mühe und für Geld alles auf den Kopf gestellt wurde, daß die Schüler der Dekorationsmaler-Klasse die Wände mit grellen Farben, verrückten Mustern, eindeutigen Aktbildern bemalten, daß schon Wochen vor der Feier alles Kulissen baute, Kostüme entwarf und schneiderte, daß dann am Tage des Festes jede Etage des großen Hauses sich in eine Menge von Bars, Buffets, Tanzböden verwandelte, daß alles von der Musik modischer Jazzbands beherrscht, von der lebenslustigen Menge in bunten Phantasiekostümen überflutet wurde. (Es war verpönt, mit den Kostümen etwas darzustellen; die traditionellen Themen, wie die Carmens, die Mandarins, die Rokokodamen und -herren, waren nicht zu sehen; in ›Prialbstra‹ und ›Stakugemu‹ gab es nur, was es in Wirklichkeit nicht gab.) Und dann waren da noch Dinge, von welchen nur Eingeweihte wußten, die sich im Gebäude auskannten, den Weg zu den Ateliers fanden, in welchen wir tagsüber studierten, sich im Stockfinstern durchtasteten bis zu den Matratzen, die sonst nur für Aktmodelle bestimmt waren, in diesen Nächten aber knapp für die Paare ausreichten, die noch vor Morgendämmerung ans Ziel gelangen wollten«.[29]

Kapitel II

Ein trauriges Zwischenspiel

Das Ende der selbständigen Kunstgewerbeschule 1924/25

Unmittelbar nach der Inflation setzte in Reich und Ländern ein Personalabbau in einem bis dahin nicht vorstellbaren Ausmaß ein. Die preußische Regierung verpflichtete durch »Verordnung zur Verminderung der Personalausgaben der öffentlichen Verwaltung« vom 8. Februar 1924 das verarmte Land, innerhalb kürzester Zeit ein Viertel seiner Beamtenstellen einzusparen. Nur durch eine derartige Roßkur glaubte man den staatsbedrohenden Defiziten begegnen zu können.

Am gleichen Tag teilte das Kultusministerium dem Direktor der Unterrichtsanstalt schriftlich mit, daß diese im Rahmen des Abbauprogramms zur

Atelier in der Prinz-Albrecht-Straße 8 in den zwanziger Jahren.

Erzielung von »ins Gewicht fallenden Einsparungen« räumlich und organisatorisch mit der Hochschule für bildende Künste vereinigt und in deren Gebäude an der Hardenbergstraße verlegt werden müsse. Zwei Monate später war die Unterrichtsanstalt eine bloße Abteilung der Hochschule geworden. Das praxisorientierte Programm der alten Anstalt hatte zwar formal durchaus noch Nachwirkungen: So nahm die Hochschule den auf die Verschmelzung der beiden Einrichtungen hinweisenden neuen Namen »Hochschule für freie und angewandte Kunst« an – der Direktor der Kunstgewerbeschule, Bruno Paul, wurde sogar Rektor der neuen Hochschule, ein Beweis für die Wertschätzung seiner Fähigkeiten –, aber von der Ausstrahlung der einstigen Kunstgewerbeschule war von nun an kaum mehr etwas zu spüren.

Ein zweifelhaftes Geschäft

Nach dem Auszug der Kunstgewerbeschule bot die zuständige preußische Bau- und Finanzdirektion Berlin die freigewordenen Räume privaten Interessenten an. Am 19. März 1925 schloß sie mit der Richard Kahn GmbH, einer Holdinggesellschaft, die besonders im Bereich der metallverarbeitenden Branche aktiv war, einen Mietvertrag über alle Räume »mit Ausnahme des Wohnflügels und des zugehörigen Gartenteils sowie des Hörsaal- und Bibliothekanbaus« für die Zeit vom 1. Juni 1925 bis zum 31. März 1933. Der vereinbarte Mietzins betrug 170.000 Reichsmark, später 160.000 Reichsmark jährlich.[1] Eine Sonderregelung bestand für die 42 Ateliers im Mansardengeschoß, die nach wie vor an einzelne Professoren vermietet bleiben sollten. Für die Vergabe freigewordener Ateliers wurde eine eigene Kommission an der Hochschule der Künste eingerichtet, die ihr Votum offenbar an die preußische Bau- und Finanzdirektion weiterzugeben hatte.[2] Der Vollzug der Mietverträge lag – zumindest in den späteren Jahren – bei der Richard Kahn GmbH.[3] Zu den Studenten, die hier vor 1933 arbeiteten, gehörten der Bildhauer Kurt Schumacher (1942 Häftling im Hausgefängnis) und der spätere Schriftsteller Peter Weiss.

Die Kahn GmbH ließ, um das Gebäude möglichst effektiv für die geplanten Geschäfts- und Bürozwecke nutzen zu können, auf eigene Kosten Umbaumaßnahmen durchführen. Die großen Klassenräume im ersten, zweiten und dritten Geschoß wurden geteilt und mit Trennwänden versehen; so entstanden aus einem Klassenraum vier, fünf oder sogar sechs Büroräume.[4] In mindestens drei der Bildhauerateliers im Südflügel, die bis Oktober 1925 hatten geräumt werden müssen, ließ die Firma Kahn Zwischendecken einziehen; die untere Hälfte wurde als Garagen, die obere Hälfte als Büros genutzt.

1935 mußte die Gestapo beim Umbau der Garagen zu Haftzellen nur noch Zwischenwände einbauen.[5]

Als der Kahn-Konzern in wirtschaftliche Schwierigkeiten geriet, platzten die Pläne zur Eigennutzung des Gebäudes; jetzt suchte man dringend nach geeigneten Untermietern. Zu den Künstlern und Architekten in den Ateliers des Mansardengeschosses gesellten sich bald Handelsfirmen, kleinere Kunsthandwerksbetriebe und – eine administrative Delikatesse – Behörden, die mit dem Mieter der preußischen Bau- und Finanzdirektion kostspielige Untermietverträge abschlossen. Der erste behördliche Untermieter war das Finanzamt Friedrichstadt, das sich schon im November 1925 Büroräume im Umfang von 2.200 m² für sieben Jahre sicherte.[6] Ihm folgte das Arbeitsgericht, das in seinem Dienstgebäude in der Zimmerstraße unter unerträglicher Raumnot litt. Ein Reporter des »Berliner Tageblatts« schilderte anschaulich das Gedränge im Verhandlungsraum; fensterlose Damentoiletten, die zugleich als Kohlenvorratsraum dienten, mußten mittels eines Loches in der Wand über die angrenzende Gerichtskanzlei entlüftet werden. Schließlich zog auch noch das Katasteramt Charlottenburg mit Teilen seiner Behörde in die Prinz-Albrecht-Straße.

Es verwundert nicht, daß diese Konstellation Verärgerung hervorrief und als Mißwirtschaft der Verantwortlichen angesehen wurde. Am 18. Februar 1930 schrieb der Präsident des Finanzamtes Berlin an die preußische Bau- und Finanzdirektion: »Durch Mietvertrag vom 28. November 1925 habe ich von der R. Kahn GmbH im Hause Prinz Albrechtstr. 8 rund 2.200 qm Büroraum für die Zeit vom 1. April 1926 bis zum 31. Mai 1933 zur Unterbringung des Finanzamtes Friedrichstadt zum Mietpreise von jährlich 102.820 RM angemietet. Die Firma Kahn hat daneben einen Teil des Gebäudes an das Pr. Arbeitsgericht vermietet, wofür ihr der Betrag von 54.000 RM gutgeschrieben wird ... Den Rest der Räume hat die Firma an 28 Untermieter abgegeben. Die Kahn-Gesellschaft selbst zahlt für das ganze Gebäude an den Preußischen Staat eine Jahresmiete von 160.000 RM«.[7] Auch die Preußische Oberrechnungskammer kritisierte in ihrem Jahresbericht diese Praxis, ohne allerdings die preußische Bau- und Finanzdirektion und das Gebäude in der Prinz-Albrecht-Straße 8 zu nennen. Der preußische Finanzminister als Hausherr verteidigte die niedrige Miete für die Firma Kahn mit dem Hinweis auf die hohen Umbaukosten – und dabei blieb es.

Ein weiterer Verlust entstand dem preußischen Staat bei den Ateliers, da ein Teil der Künstler die Mietbelastung nicht tragen konnte. Bereits 1926 ermäßigte deshalb der preußische Fiskus den Mietzins um insgesamt 10.000 Reichsmark; die Firma Kahn gab die Erleichterung anteilig an die Atelierinhaber weiter. Die Weltwirtschaftskrise traf diesen Personenkreis erneut mit besonderer Härte. 1931 berichtete die inzwischen in »Inverges. m.b.H.« umbenannte Firma Kahn: »Vorhanden sind 42 Ateliers, davon sind 4 Ateliers

z. Zt. frei und noch nicht wieder besetzt. Von den vermieteten Ateliers sind 23 Mieter mit der Zahlung im Rückstand«.[8] So ließ die preußische Bau- und Finanzdirektion für den Zeitraum vom 1. April 1932 bis 31. März 1933 zweiunddreißig Ateliermietern einen Mietzuschuß in Gesamthöhe von 8.000 Reichsmark zugute kommen.

Am 31. Oktober 1932 wurde über das Vermögen der »Inverges. m.b.H.« der Konkurs eröffnet. Die Zeitungen sprachen von einem Fehlbetrag zwischen acht und zehn Millionen Reichsmark. Auch dieses schmähliche Ende war ein Verlustgeschäft für den preußischen Staat. Die »Inverges. m.b.H.« hinterließ unbezahlte Wasser- und Stromrechnungen und kam auch ihren Renovierungsverpflichtungen nicht mehr nach. Mehrere zehntausend Mark mußten von der preußischen Staatskasse übernommen werden.

Am 31. März 1933 lief der Mietvertrag der »Inverges m.b.H.« ab. Ein Beamter in der preußischen Bau- und Finanzdirektion hatte am 13. Februar 1933 aufgelistet, wieviel Quadratmeter dem preußischen Staat vom 1. April 1933 an zur Verfügung standen.[9] Danach ergab sich folgendes Bild:

	vermietet	unvermietet
Kellergeschoß	650,00 qm	–
Erdgeschoß	2.651,38 qm	–
I. Stockwerk	462,40 qm	1.243,29 qm
II. Stockwerk	–	1.869,00 qm
III. Stockwerk	1.708,31 qm	–
Mansardengeschoß	1.130,00 qm	–
zusammen	6.602,09 qm	3.112,29 qm

Demnach standen »für Staatszwecke« ab 1. April 1933 über 3.000 m² zur Verfügung. Ein Interessent hatte sich schon gemeldet: der Generaldirektor der Staatlichen Museen. Am 24. November 1932 schrieb er an die preußische Bau- und Finanzdirektion: »Auf eine dortige mündliche Anfrage erwidere ich bezüglich der künftigen Verwendung des Hauses Prinz-Albrecht-Straße 8 sehr ergeben, daß die Museumsverwaltung entscheidenden Wert auf die Wiedergewinnung des Gebäudes legen muß. Sowohl für die asiatische Abteilung, von deren Beständen z.Zt. über 90 % in primitivster Weise in Dahlem magaziniert sind, wie für die Sammlung f. Deutsche Volkskunde, deren Unterbringung in der Klosterstraße immer unhaltbarer wird, bedeutet die Überweisung geradezu eine Lebensfrage. Gebraucht werden die sämtlichen Räume mit Ausnahme allein der Ateliers«.[10]

Im Frühjahr 1933 kam es zu einer Auseinandersetzung zwischen der neuen Staatsgewalt und den Künstlern in der Prinz-Albrecht-Straße. Anlaß hierzu war eines der Atelierfeste, deren Ablauf mit Sicherheit nicht mit dem nationalsozialistischen Begriff von Kunst und Moral übereinstimmten. Die Künstler wurden ziemlich unsanft aufgefordert, ihre Ateliers umgehend zu räumen.

INVERGES
Industrielle Verwaltungs-Gesellschaft m. b. H.

Fernsprecher
B4 Kurfürst 8784-26

Ju/L.

BERLIN W 10, den
KÖNIGIN-AUGUSTA-STRASSE 47

Der von der Preussischen Bau- und Finanzdirektion zu Berlin der Inverges Industrielle Verwaltungs-
Gesellschaft m.b.H. gewährte Mietnachlass von RM. 8000.-
für das Haus Prinz Albrechtstr.8 in Berlin, und für die
Zeit vom 1. April 1932 bis 31. März 1933 wurde in folgender Weise für die gleiche Mietperiode auf die Atelier-
Untermieter umgelegt:

Atelier Nr.	Name d.Untermieters	Anteilig.Mietnachlass RM.
46	Koss Johanna (Frl.)	284,60
73	Sutkowski Walter	234,95
77	Martin-Miller Gustav	335,65
416	Graziani Anatol	508,20
418	Schiffner Johannes	431,60
428	Blum Fr.F.	220,95
429	Wenck Helene (Frl.	195,70
434	Schmidt-Kabuhl Erich	298.-
439	Thiel Fritz	359.-
443	Fischer Ilse (Frl.)	216,20
445	Grabley Arthur	300,25
446	Stopp Max	158,80
447	Koch-Mühlemann Leopold	138,10
449	Dittmann Heinrich	359.-
450	Hahm Martin	276,20
456	Brunotte Carl	82,90
457	Moldenhauer Otto	188,20
464	Meckelburger H.	200,25
465	Kruse Wilh.u.Lemke Waldemar	248,50
469	Karge Walter	196,50
470	Hartmann Paulbezw.Casper,Inge	182,95
473	Beucke Werner	182,90
474	Hitzberger Otto	179,60
477	Heinrich,Otto	186,20
478	Pfankuch Gert	503,80
481	Hucke Fritz	283,10
484	Heermann Erich	276,20
485	Lemke Walter E.	276,20
488	Dahie Adolf	276,20
489	Haase-Jastrow Kurt	276,20
491	Gruson Paul	268,10
492	Rau Heinrich	183.-
		Summe RM. 8000.-

Trotz seiner schlechten Finanzlage versuchte der preußische Staat immer wieder, den
Künstlern in den Ateliers der Prinz-Albrecht-Straße 8 zu helfen. Die Liste über die Miet-
zuschüsse zeigt, wie viele Künstler in den Jahren 1932 und 1933 hier lebten und arbeiteten.

Das zeitliche Zusammentreffen des Ablaufs des Mietvertrages mit der Firma Kahn und der Hinauswurf der Künstler führte also dazu, daß dem preußischen Staat Anfang April ein repräsentatives Bürogebäude im Regierungsviertel wieder voll zur Verfügung stand. Daß man die Nutzung dieses Gebäudes den Staatlichen Museen überlassen könnte, wurde von den Verantwortlichen wohl kaum ernsthaft erwogen.

Nachdem Hermann Göring das Amt des preußischen Innenministers zunächst kommissarisch übernommen hatte, wurde er am 11. April 1933 preußischer Ministerpräsident und zugleich preußischer Innenminister. Das Gebäude in der Prinz-Albrecht-Straße 8 gab ihm die Möglichkeit, den beabsichtigten Ausbau einer ihm zur Verfügung stehenden Polizei in der Nähe seines Amtssitzes durchzuführen, und davon machte er Gebrauch. Gegenüber dem Gebäude des preußischen Landtages entstand eine neue Behörde, deren Geschichte uns im folgenden beschäftigen wird: Die Stätte der Kunst – auch die staatliche Kunstbibliothek mußte bald weichen; ihre Bestände wurden im Lichthof des Kunstgewerbemuseums gelagert – wurde zum Zentrum der systematischen Verfolgung aller tatsächlichen und vermeintlichen Gegner des Regimes.

Kapitel III

Die Politische Polizei in der Weimarer Republik

Jeder historische Prozeß ist mit den Verhältnissen der vorangegangenen Perioden verflochten. Das trifft auch auf die Entstehung des Amtes der Geheimen Staatspolizei zu: Die Gestapo war keine Schöpfung aus dem Nichts, sondern wurde durch stufenweise Umgestaltung vorhandener Einrichtungen aufgebaut. Für ein Verständnis dieses Prozesses ist es zweckmäßig, einen Blick auf Organisation und personelle Zusammensetzung der Polizei in der Weimarer Republik insgesamt und dann der Politischen Polizei im besonderen zu werfen.

Die drei Zweige der Polizei

Wenn zur Zeit des Kaiserreichs und der Weimarer Republik in Preußen das Wort »Polizei« amtlich gebraucht wurde, so faßte es drei Zweige polizeilicher Tätigkeit zusammen:
– Schutzpolizei
– Kriminalpolizei
– Verwaltungspolizei.[1]
Schutz- und Kriminalpolizei wurden auch gemeinsam als Sicherheitspolizei bezeichnet. Die verwendeten Ausdrücke entstammten der preußischen Verwaltungssprache. In den übrigen deutschen Ländern waren teilweise andere Bezeichnungen gebräuchlich – so hieß die Schutzpolizei in Bayern Schutzmannschaft, in Baden Sicherheitsdienst –, der Sache nach galt die gleiche Dreiteilung aber auch dort.[2]

Der *Schutzpolizei* oblag die traditionell wichtigste Aufgabe jeder Polizeiorganisation: die Aufrechterhaltung der öffentlichen Sicherheit und Ordnung. Nachdem die aus einem militärischen Kampfverband entstandene und auch mit schweren Waffen ausgerüstete Sicherheitspolizei wegen der Bestimmungen des Versailler Vertrages hatte aufgelöst werden müssen, wurde die Schutzpolizei ab 1923 vom preußischen Innenminister neu aufgebaut und nur mehr mit leichten Waffen ausgerüstet. Äußerlich unterschied sie sich von der früheren »blauen« Sicherheitspolizei durch die nun grünen Uniformen einschließlich der neuen Kopfbedeckung, des Tschakos.

Im Gegensatz zur königlichen Schutzmannschaft aus der Zeit vor 1918, die sich hauptsächlich aus altgedienten Unteroffizieren des Heeres rekrutiert hatte, war die Schutzpolizei der zwanziger Jahre eine ausgesprochen junge Mannschaft: Anwärter für den Wachtmeisterdienst durften nicht älter als 20 bis 22 Jahre sein und wurden grundsätzlich zunächst nur für eine Dienstzeit von zwölf Jahren eingestellt. Die Ausbildung orientierte sich weitgehend an militärischen Vorstellungen: Drill, Schießübungen, Training im Häuser- und Straßenkampf. Die Verhinderung revolutionärer Umstürze galt als eine der Hauptfunktionen der Schutzpolizei.

In den ersten sechs Dienstjahren gehörten die jungen Wachtmeister sogenannten Bereitschaften an, die in festen Unterkünften untergebracht waren – der Ausdruck »Kaserne« wurde peinlich vermieden, obwohl er den Sachverhalt durchaus korrekt wiedergegeben hätte –, später wurden sie auch im Revierdienst eingesetzt. Wer nach zwölf Dienstjahren nicht in eine höhere, unkündbare Funktion des Revierdienstes übernommen war, schied aus; er bekam eine nicht unbeträchtliche Abfindung oder den sogenannten Berechtigungsschein, der eine bevorzugte Übernahme in eine andere Beamtenstelle ermöglichte.[3]

Die Offizierslaufbahn stieg in militärischen Dienstgraden vom Leutnant bis zum Oberst auf. Anwärter hatten im allgemeinen das Abitur; daneben gab es die Möglichkeit des Aufstiegs aus der Wachtmeisterlaufbahn. Während die Wachtmeister überwiegend aus bäuerlichen oder kleinbürgerlichen Verhältnissen stammten, gehörten die Offiziere den bürgerlichen Schichten, vereinzelt auch dem Adel an; eine größere Anzahl war aus der Reichswehr übernommen worden, manche hatten zuvor schon in der kaiserlichen Armee gedient oder in Freikorps gekämpft.[4] Eine politische Überprüfung fand bei der Einstellung von Offizieren nicht statt, erst recht nicht bei den Mannschaften. Die Offiziere in den Oberstenrängen waren im allgemeinen überzeugte Republikaner, einige sogar mit kämpferischer Haltung. Im übrigen war man eher nationalkonservativ und »Vernunftdemokrat«.

Die *Kriminalpolizei* befaßte sich – wie heute – mit der Aufdeckung und Verfolgung von Straftaten. Auch hier gab es zwei Laufbahnen, die der Kriminalsekretäre und die der Kriminalkommissare.[5] In die untere Laufbahn wurden hauptsächlich ehemalige Angehörige der Schutzpolizei aufgenommen, die obere war vor allem für freie Anwärter mit Abitur zugelassen; daneben gab es auch hier wieder Aufstiegsmöglichkeiten für hervorragend bewährte Beamte der unteren Laufbahn, ebenso für Polizeioffiziere. Sieht man die von Graf gesammelten Lebensläufe durch, so wird allerdings deutlich, daß die Akademiker eindeutig in der Mehrzahl waren.[6] Nach dem Stellenplan des preußischen Staatshaushaltes kamen auf einen Beamten der höheren Laufbahn zehn Beamte aus der Sekretärslaufbahn.

Die Kriminalkommissare besaßen ein ausgesprochenes Selbstbewußtsein:

Berittene Schutzpolizisten auf dem Potsdamer Platz, Aufnahme um 1928.

Sie empfanden sich als hochgradige Spezialisten auf dem Gebiet der Verbrechensbekämpfung, und der Weltruf, den die Berliner Kriminalpolizei damals genoß, bestärkte sie wohl in ihrem Glauben.[7]

Der Zweig der *Verwaltungspolizei* nahm eine Fülle von Zuständigkeiten wahr, die heute aus der Polizei herausgelöst und Fachbehörden übertragen sind. Diese Zuständigkeiten machten die Polizei zur praktisch wichtigsten Verwaltungsinstanz: Wer ein Bauwerk errichten, eine Gaststätte betreiben, eine Dampfmaschine aufstellen, brennbare Flüssigkeiten lagern wollte, wer Straßenbahnen, Hoch- und Untergrundbahnen, Omnibusunternehmen, öffentliche Theater und Apotheken betreiben wollte, wer immer irgend etwas wollte, der brauchte hierzu eine polizeiliche Genehmigung oder Konzession. Dem jeweiligen Ressort entsprechend sprach man auch von Gewerbepolizei, Baupolizei, Wegepolizei und so weiter. Die Polizei jedenfalls erschien als sachkundige und zuverlässige Instanz, die sicherstellte, daß keine Gefahren für die Allgemeinheit entstanden. Allerdings ging die Polizei zuweilen sehr selbstherrlich mit solchen Befugnissen um. So waren sogar die Straßenbenennung und Hausnumerierung der Polizei vorbehalten, weil dies angeblich der Sicherung der Verkehrsverhältnisse diente. Aus der Aufgabe, Gefahren abzuwehren, war die bloße Aufrechterhaltung äußerer Ordnung geworden.[8]

Zu den Befugnissen der Verwaltungspolizei gehörte auch der Erlaß sogenannter »Polizeiverordnungen«: auf lokaler Ebene als Ortspolizeiverordnung, auf der Ebene eines Land- oder Stadtkreises als Kreispolizeiverordnung und für das Gebiet eines Regierungsbezirkes als Landespolizeiverordnung. Diese Polizeiverordnungen enthielten allgemein gehaltene Verbote zum Zweck der Gefahrenabwehr, etwa des Badens an bestimmten Stellen, des Einleitens von Abwasser in Flüsse und Seen, des Bauens ohne polizeiliche Erlaubnis. Übertretungen wurden mit einer Geldbuße geahndet, über die Verhängung der Buße entschied die Verwaltungspolizei selbst.

In den preußischen Polizeibehörden waren die drei Polizeizweige im allgemeinen unter einer einheitlichen Oberleitung zusammengefaßt. So unterstanden dem Polizeipräsidenten von Berlin sowohl die gesondert organisierte Schutzpolizei als auch die Fachabteilungen der Kriminal- und Verwaltungspolizei mit zum Teil gemeinsamem Unterbau. Zahlenmäßig überwog in Preußen die Schutzpolizei: Auf sie entfielen von allen preußischen Polizeikräften etwa zwei Drittel, während jeweils rund 15 Prozent zur Kriminal- und Verwaltungspolizei gehörten.[9]

Aufgaben und Organisation der Politischen Polizei

Bereits um die Mitte des 19. Jahrhunderts hatte es am Berliner Polizeipräsidium ein eigenes Büro für politische Angelegenheiten gegeben, worunter man damals vor allem die Presse- und Vereinsaufsicht verstand. Nach den beiden Attentaten auf Kaiser Wilhelm I. im Jahr 1878 wurde der Dienstzweig mit zusätzlichen Kompetenzen und Finanzmitteln ausgestattet. Die neue Dienststelle war nicht nur für Berlin zuständig, sondern sammelte Material aus allen Teilen Preußens und tauschte es mit den Regierungen der anderen deutschen Länder und auch mit ausländischen Polizeistellen aus. Obwohl das Sozialistengesetz 1890 nicht mehr verlängert wurde, blieb die Dienststelle bestehen und weitete sich sogar aus. Ab 1892 erschien sie im Staatshaushalt als eigene Abteilung, 1899 wurde ihr eine »Zentralstelle zur Bekämpfung der anarchistischen Bewegung« wiederum mit Zuständigkeit für das gesamte Deutsche Reich angegliedert. Während des Ersten Weltkrieges arbeitete sie eng mit den Militärbehörden zusammen, die mit Ausrufung des Belagerungszustandes die vollziehende Gewalt übernommen hatten.[10]

Die Revolution im November 1918 bedeutete das Ende der Abteilung. Bereits am 8. November hatten die Beamten im Hof des Polizeipräsidiums alle Akten über die Verfolgung von Sozialisten aus Furcht vor Repressalien verbrannt. Der neue Polizeipräsident Emil Eichhorn löste die Abteilung offiziell auf. Allerdings erkannten er und sein Nachfolger Eugen Ernst, der in früheren Jahren als Vorsitzender der Berliner Sozialdemokratie selbst wiederholt die Abschaffung der Politischen Polizei gefordert hatte, daß die Kompetenzen nach wie vor, wenn auch modifiziert, wahrgenommen werden mußten. Hierfür berief man zunächst Mitglieder der Arbeiter- und Soldatenräte, später fielen die Zuständigkeiten an verschiedene Stellen im Polizeipräsidium zurück. Die administrativen Aufgaben sammelten sich bei der Abteilung I und wurden zur Untergliederung I A zusammengefaßt, die im Lauf der Zeit wieder zur selbständigen Abteilung wurde.[11]

1928 entschloß sich das preußische Innenministerium aufgrund von Vorschlägen, die der Berliner Polizeivizepräsident Bernhard Weiß ein Jahr zuvor in seinem Buch »Polizei und Politik« unterbreitet hatte, die Politische Polizei durch Einführung einer einheitlichen Organisationsstruktur in ganz Preußen zu stärken. Das Innenministerium ordnete die Errichtung eigener Abteilungen für die Politische Polizei an allen staatlichen Polizeipräsidien und -direktorien an und legte deren Gliederung und Zuständigkeiten genau fest.[12]

Den neuen Abteilungen wurde die Aufgabe der Bekämpfung von Gefahren und Störungen auf folgenden Gebieten übertragen:
- Verfassungsfragen, Wahlen
- Pressewesen
- Vereins- und Versammlungswesen
- Staatsschutz (Hochverrat und andere Bestrebungen gegen Bestand und Sicherheit des Staates, Unruhen)
- Spionageabwehr (Landesverrat)
- Waffen- und Sprengstoffangelegenheiten.

Zur Erfüllung dieser Aufgaben stattete das preußische Innenministerium die Politische Polizei mit Verwaltungs-, Strafverfolgungs- und nachrichtendienstlichen Kompetenzen aus, drei Funktionen, die heute begrifflich klar unterschieden und teilweise auch organisatorisch getrennt werden.

Die Zuständigkeiten für administrative Verbote und sonstige Eingriffe stützten sich zunächst auf das Republikschutzgesetz von 1922,[13] später auf dessen Neufassung von 1930[14] und in den Krisenjahren 1931/32 vor allem auf zahlreiche Notverordnungen.[15]

Diese ermächtigten die Polizei in sehr viel weiterem Umfang, als dies heute der Fall ist, zu scharfen Eingriffen im Bereich des Vereins- und Versammlungswesens. Zu dem sich ständig erweiternden Katalog der zulässigen Maßnahmen gehörten Versammlungs- und Uniformverbote, Kontrolle der Satzungen politischer Vereine oder die Schließung von Versammlungslokalen. 1931 und 1932 galten in Preußen oft monatelang generelle Versammlungsverbote, die nur kurzfristig und in begrenztem Umfang aufgehoben wurden. Weitreichend waren auch die Eingriffsmöglichkeiten gegenüber der Presse. Nach dem Mord an Rathenau entschloß man sich, im Rahmen der Republikschutzvorschriften »die Schimpffreiheit einzuschränken«.[16] Die

Behörden konnten bei Verstößen nicht nur einzelne Nummern beschlagnahmen und einziehen, sondern darüber hinaus für eine begrenzte Zeit Verbote aussprechen, die streng genommen nicht mehr der Gefahrenabwehr dienten, sondern disziplinierenden Charakter trugen: bei Tageszeitungen zunächst bis zu vier, später acht Wochen, bei Zeitschriften bis zu sechs Monaten. 1931 ergingen im Gebiet des deutschen Reiches insgesamt 224 derartige Presseverbote, 1932 sogar 294.[17]

Während Republikschutzgesetze und Notverordnungen die Politische Polizei zu massiven Eingriffen in die Presse-, Vereins- und Versammlungsfreiheit ermächtigten, ließen sie die persönliche Freiheit des einzelnen unangetastet. Hier galten die rechtsstaatlichen Bindungen der Strafprozeßordnung und des preußischen Polizeiverwaltungsgesetzes: Festgenommene Personen mußte die Polizei spätestens am folgenden Tage dem Haftrichter vorführen oder freilassen.

Allerdings gab es neben den Notverordnungen mit näher bestimmten *Eingriffen* aufgrund von Art. 48, Abs. 2 Reichsverfassung auch noch die Möglichkeit einer allgemeinen, wenn auch vorübergehenden *Außerkraftsetzung* der sieben wichtigsten Grundrechte. Man nannte diese besondere Maßnahme »Ausnahmezustand«. Auch er wurde jeweils durch eine Notverordnung des Reichspräsidenten angeordnet, für die sich in Anlehnung an den Wortlaut der Reichsverfassung eine stereotyp wiederkehrende Formel eingebürgert hatte: »Die Artikel 114, 115, 117, 118, 123, 124 und 153 der Verfassung des Deutschen Reiches werden bis auf weiteres außer Kraft gesetzt. Es sind daher Beschränkungen der persönlichen Freiheit, des Rechts der freien Meinungsäußerung einschließlich der Pressefreiheit, des Vereins- und Versammlungsrechts, Eingriffe in das Brief-, Post-, Telegraphen- und Fernsprechgeheimnis, Anordnungen von Haussuchungen und von Beschlagnahmen sowie Beschränkungen des Eigentums auch außerhalb der sonst hierfür bestimmten gesetzlichen Grenzen zulässig«.[18] Im Ausnahmezustand waren deshalb Inhaftierungen durch die Exekutive auch über längere Dauer (Schutzhaft) möglich.

Reichspräsident Ebert ordnete zwischen 1920 und 1923/24 mehrfach einen derartigen Ausnahmezustand an. Unter Hindenburg kam es während der siebeneinhalb Jahre seiner Amtszeit bis zum Beginn der nationalsozialistischen Herrschaft nur einmal zur gleichen Situation, nämlich beim Preußenschlag am 20. Juli 1932. Wie immer man diese Fälle beurteilen mag – das Vorgehen gegen Sachsen und Thüringen im Oktober 1923 war verfassungsrechtlich zweifelhaft, der Preußenschlag am 20. Juli 1932 mit Sicherheit ein Verfassungsbruch –, so ist doch nicht zu verkennen, daß von den Möglichkeiten der Schutzhaft nur zurückhaltend Gebrauch gemacht wurde. Das dürfte vor allem damit zusammenhängen, daß die Vollzugsgewalt im Ausnahmezustand stets einem dem Reichspräsidenten unmittelbar verantwortlichen

Reichswehr in der Wilhelmstraße am 20. Juli 1932. An diesem Tag setzte Reichskanzler Franz von Papen mit Billigung des Reichspräsidenten Paul von Hindenburg die preußische Regierung unter Otto Braun in einer staatsstreichartigen Aktion ab.

Reichskommissar übertragen wurde, von dem angenommen werden konnte, daß er möglichst rasch wieder normale Verhältnisse herbeiführen und den Ausnahmezustand damit überflüssig machen wollte.

Bezeichnenderweise wurden beim Preußenschlag am 20. Juli 1932 die Kompetenzen des Reichskommissars sogar aufgespalten und auf zwei Notverordnungen verteilt: Die eine ermächtigte Reichskanzler von Papen, die preußische Regierung ihres Amtes zu entheben und selbst deren Dienstgeschäfte zu übernehmen; die andere übertrug dem Reichswehrminister die vollziehende Gewalt unter Außerkraftsetzung der genannten sieben Grundrechte.[19] Die zweite Notverordnung wurde bereits nach einer Woche aufgehoben,[20] während die Ermächtigung des Reichskanzlers bestehen blieb.

Die *Strafverfolgungsfunktion* der Politischen Polizei bezog sich auf die Fälle der sogenannten »politischen Kriminalität«: Straftaten gegen den Bestand des Staates oder die öffentliche Ordnung, wie Hochverrat, Landesverrat, Demonstrationsdelikte, Waffen- und Sprengstoffverbrechen und ähnliches, oder auch allgemeine Straftaten, wie Körperverletzung oder Beleidigung, wenn sie aus politischen Motiven begangen wurden. Die Politische Polizei war hier, wie auch sonst, in Verbindung mit der Staatsanwaltschaft und als deren Hilfsorgan bei der Ermittlung zuständig. Ob im Einzelfall die Politische oder die Kriminalpolizei eingeschaltet wurde, hing von den ersten, oft falschen Informationen ab. So wurde eines der politisch aufwühlendsten Delikte zu Anfang der dreißiger Jahre, der Anschlag auf den SA-Führer Horst Wessel, zunächst als rein private Auseinandersetzung behandelt und daher nicht von der Politischen, sondern von der Kriminalpolizei bearbeitet – die den Sachverhalt übrigens rasch aufklärte.

Infolge bürgerkriegsähnlicher Auseinandersetzungen ab 1930 stieg die Zahl der politischen Straftaten steil an. Wie die von Graf erwähnten zeitgenössischen Dokumente zeigen, wurden am Ende der Weimarer Republik bei der Politischen Polizei im Berliner Polizeipräsidium täglich rund 80 Festgenommene eingeliefert.[21] Auch für sie galten selbstverständlich die strikten rechtsstaatlichen Garantien: Nach Feststellung der Personalien und Vernehmung zur Sache mußten sie alsbald, spätestens am folgenden Tag wieder entlassen werden, sofern nicht ein Richter Untersuchungshaft anordnete.

Schließlich hatte die Politische Polizei die besondere Aufgabe, systematisch Informationen über staatsfeindliche Bestrebungen zu sammeln und auszuwerten (*nachrichtendienstliche Funktion*). Heute ist diese Aufgabe von der Polizei getrennt und dem »Verfassungsschutz« übertragen.[22]

Der Runderlaß des preußischen Innenministeriums klassifizierte die nachrichtendienstliche Tätigkeit seinerzeit zurückhaltend als »Beobachtung«. In Wirklichkeit bemühte sich die Politische Polizei um systematische Überwachung unter Einsatz aller verfügbaren Mittel. Man wertete Reden, Presseveröffentlichungen und Versammlungsberichte aus, sammelte amtliche Informationen, observierte verdeckt Personen und Organisationen und versuchte auch, Spitzel und V-Leute anzusetzen. Über die Wirksamkeit dieser Bemühungen gehen die Meinungen allerdings erheblich auseinander. Nach Graf[23] sprechen die erhaltenen Unterlagen für einen guten Informationsstand der Politischen Polizei in Preußen; über geheime Interna von KPD und NSDAP sei man ziemlich genau unterrichtet gewesen. Der frühere Vizepräsident am Polizeipräsidium Berlin, Friedensburg, beurteilte die Erfolge sehr viel zurückhaltender: »Noch heute erbittert es mich, daran zu denken, daß mein dringender Auftrag, während eines vierzehntägigen Berlin-Besuchs von Adolf Hitler die von ihm besuchten Personen und die von ihm verfolgten Ziele festzustellen, völlig, aber auch völlig ohne Ergebnis geblieben ist. Die Polizeibeamten, soweit sie politisch überhaupt guten Willens waren, klebten an primitiven Arbeitsweisen und glaubten, mittels Portierbefragungen, Erkundigungen beim Einwohnermeldeamt und Einsatz von Vertrauensleuten die gewichtigsten und schwierigsten Aufgaben lösen zu können. Ich habe mir damals ein höchst ungünstiges Urteil über alle Geheimdienste gebildet, und alle Erfahrungen der Folgezeit ... haben dieses ungünstige Urteil nur bestärkt«.[24]

Was nun die Zuordnung der Politischen Polizei zu einem der drei Polizeizweige betraf, so hätte sie ihrer personellen Zusammensetzung nach einen Teil der Kriminalpolizei bilden müssen. Rund 90 Prozent ihrer Beamten gehörten den Kriminalsekretär- bzw. Kriminalkommissar-Laufbahnen an, der Rest bestand aus verwaltungspolizeilichen Beamten. Auch galten die Arbeit bei der Strafverfolgung und die nachrichtendienstlichen Aufgaben als genuin kriminalpolizeiliche Vollzugstätigkeit. Wenn das preußische Innenministerium die Politische Polizei dennoch verbindlich der Verwaltungspolizei zuordnete, so zeigt sich darin die Bedeutung der administrativen Kompetenzen.[25] Einen weiteren Hinweis auf die Gewichtsverteilung gibt das vom Innenministerium vorgesehene Organisationsmodell für die Politische Polizei: Demnach bestand der Kern der Abteilung aus Verwaltungsdezernaten, denen eine weisungsgebundene kriminalpolizeiliche »Exekutive (Außendienst)« zugeteilt war. Wie man aus erhaltenen Geschäftsverteilungsplänen unschwer erkennen kann, lagen die mit den Dezernaten verbundenen Führungsaufgaben weitgehend in den Händen der Verwaltungsbeamten, während der Außendienst Kriminalpolizeibeamten vorbehalten blieb.

Reich und Länder

Ebenso wie heute war auch in der Weimarer Republik die Polizeigewalt grundsätzlich den Ländern vorbehalten. Das Reich verfügte über keine eigenen Polizeikräfte (abgesehen von dem zahlenmäßig und auch politisch unbedeutenden Reichswasserschutz). Allerdings konnte der Reichstag die Befugnisse der Politischen Polizei gesetzlich regeln; hinzu trat das umfassende Notverordnungsrecht des Reichspräsidenten gemäß Artikel 48 der Reichsverfassung.

Zum Teil stammten die gesetzlichen Grundlagen noch aus dem Kaiserreich, etwa die Strafbestimmungen über Hochverrat, Landesverrat und Demonstrationsdelikte oder das Pressegesetz von 1874 und das Vereinsgesetz von 1907. Wesentliche Erweiterungen in strafrechtlicher und administrativer Hinsicht brachten die bereits erwähnten Republikschutzgesetze von 1922 und 1930 sowie die zahlreichen vom Reichspräsidenten erlassenen Notverordnungen der Jahre 1931 und 1932.

Wegen ungleichmäßiger Anwendung dieser reichsrechtlichen Vorschriften kam es immer wieder zu heftigen Konflikten zwischen Reichsregierung und Länderregierungen. Im wesentlichen hatten sie ihren Grund in unterschiedlichen Einschätzungen der Gefahren des Rechtsextremismus. Bereits das Republikschutzgesetz von 1922 ermächtigte deshalb den Reichsminister

Verhaftung auf offener Straße in Berlin, Aufnahme um 1930.

des Innern, den Landesbehörden Weisungen für Presseverbote und die Auflösung verfassungsfeindlicher Vereinigungen zu erteilen; im Streitfall war
eine gerichtliche Entscheidung vorgesehen. Diese Weisungsbefugnis des
Reichsinnenministeriums wurde vom zweiten Republikschutzgesetz 1930
übernommen; einige Notverordnungen weiteten sie später noch aus.

Im Krisenjahr 1932 ging der Reichspräsident auf Drängen von Reichskanzler Brüning dazu über, selbst Maßnahmen im Bereich der Politischen Polizei
durch Notverordnung reichsweit auszusprechen. So löste er am 13. April
1932 SA und SS und am 3. Mai 1932 die kommunistische Gottlosenorganisa-
tion auf. Es folgten allgemeine Versammlungsverbote. Schon Ende Juni
begann selbst der Reichsminister des Innern damit, unter Berufung auf eine
Notverordnungsermächtigung im eigenen Namen reichsweite Versammlungsverbote zu erlassen. Damit hatte das Reich zum ersten Mal exekutive
Polizeibefugnisse an sich gezogen, und die Länder nahmen dies angesichts
der turbulenten Verhältnisse hin.

Wirft man einen Blick auf das damalige Verhältnis der Länder untereinander, so zeigt sich, daß sie nach Größe und Bedeutung sehr viel stärker diver-
gierten als die heutigen Bundesländer.[26] Unter den 17 Ländern, die es 1929
nach einigen Zusammenschlüssen innerhalb des Deutschen Reiches noch
gab, rangierte Preußen mit über 60 Prozent der Bevölkerung und der Fläche
des Deutschen Reiches unangefochten an erster Stelle; am anderen Ende der

Skala stand Schaumburg-Lippe mit nur knapp 50.000 Einwohnern. Von den dazwischen liegenden 15 Ländern waren 8 kleiner als das heute kleinste Bundesland Bremen. Jedes Land hatte seine eigene Polizei, deren Stärke mit der Landesgröße korrespondierte. So entfielen von den 140.000 Polizeibeamten, die der Versailler Friedensvertrag dem Deutschen Reich insgesamt zugestand, über 90.000 auf das Land Preußen. Der preußische Innenminister verkörperte eine der wichtigsten Machtpositionen im Deutschen Reich.

Der Behördenaufbau der preußischen Polizei

Als großer Flächenstaat hatte Preußen seine allgemeine innere Verwaltung in Form einer fünfstufigen Pyramide organisiert, die sich nach dem Ersten Weltkrieg folgendermaßen zusammensetzte:[27]

Nur die Verwaltung der größeren Städte war anders organisiert: In Groß-Berlin waren die Kompetenzen von Regierungsbezirk, Kreis- und örtlicher Verwaltung, also insgesamt drei Verwaltungsstufen, zusammengefaßt, in den 112 Stadtkreisen die zwei Stufen der Kreis- und Ortsverwaltung.

Die Polizei war in diese Behördenpyramide im großen und ganzen eingefügt. Leiter der Polizeibehörde war stets der oberste Beamte der jeweiligen Verwaltungsstufe; wenn er in dieser Eigenschaft handelte, fügte er seiner allgemeinen Amtsbezeichnung lediglich die besondere Polizeibehörde hinzu, etwa »Der Regierungspräsident als Landespolizeibehörde«.

Polizeibehörden	Behördenleiter
Zentrale Polizeibehörden	Minister
	(Oberpräsident)
Landespolizei	Regierungspräsident
Kreispolizei	– Landrat (Landkreise)
	– Bürgermeister (Stadtkreise)
Ortspolizei	– Bürgermeister
	(kreisangehörige Städte)
	– Vertretungsorgan nach näherer
	gesetzlicher Bestimmung (sonstige
	Gemeinden)

Die Oberpräsidenten waren in diesem traditionellen Schema ursprünglich nicht als Polizeibehörden mit eigenen Entscheidungsbefugnissen vorgesehen.[28] Das Republikschutzgesetz und ebenso die zahlreichen Notverordnungen von 1931 an übertrugen ihnen jedoch bedeutsame eigene Polizeizuständigkeiten, vor allem im Pressewesen; eine besondere Behördenbezeichnung bürgerte sich hierfür nicht ein.

In den Städten und Gemeinden überschnitt sich die streng hierarchisch gestufte Polizeiverwaltung mit der ganz anders gearteten bürgerschaftlichen Selbstverwaltung. Dieses Recht zur Erledigung der eigenen Angelegenheiten durch selbstgewählte Vertreter und Gremien, wobei dem Staat nur eine Rechtskontrolle zustand, war den Kommunen seit Jahrzehnten kraft Gesetzes eingeräumt; bei den Städten ging es bis auf die vielgerühmten Reformen des Freiherrn vom Stein zurück. In Polizeifragen hatte nach preußischer Auffassung eine solche Selbstverwaltung allerdings nichts zu suchen. Die Polizei blieb staatliche Angelegenheit auch dort, wo man aus praktischen Gründen auf die lokalen Verwaltungsstrukturen zurückgreifen mußte. Hierfür hatte man in Preußen zwei Modelle entwickelt.

Im einen Fall hatte ein gewählter Beamter der Stadt oder Gemeinde, in der Regel der Bürgermeister, die Polizei als staatliche Angelegenheit im Auftrag und nach Weisung der vorgesetzten Staatsbehörde wahrzunehmen. Die Kommune sorgte zwar selbst für Einstellung, Ausrüstung und Unterhalt der Polizeikräfte; Ausbildung und Organisation aber wurden von den übergeordneten staatlichen Polizeibehörden geregelt. Man sprach bei diesem Modell – etwas ungenau – von »Gemeindepolizei«. Beim zweiten Modell wurden die Polizeiaufgaben einer eigenen, allein für diese Aufgabe eingerichteten Staatsbehörde übertragen: dem »Staatlichen Polizeipräsidium«, bei kleinerem Umfang auch »Staatliches Polizeidirektorium« genannt. Hier waren die städtischen Organe restlos ausgeschaltet. Das gesamte Personal, vom Präsidenten bis zum kleinsten Sekretär, bestand aus Staatsbediensteten. Die Leitung (Polizeipräsident, Polizeivizepräsident, Kommandeur der Schutzpolizei) wurde von der Staatsregierung ernannt; ihre Wahl war ein hochpolitischer Vorgang. Diese Organisationsform garantierte ein Höchstmaß an Einheitlichkeit und zentralem staatlichem Einfluß.

Staatliche Polizeipräsidien, ursprünglich eine Ausnahme, wurden bis zum Ende der Weimarer Zeit in Großstädten zur Regel. Für die königliche Residenzstadt Berlin war ein staatliches Polizeipräsidium bereits 1809 eingerichtet worden;[29] rund zwanzig weitere Großstädte folgten bis zum Ende des Kaiserreiches. Die republikanischen Regierungen in Preußen setzten diese Entwicklung fort, obwohl die SPD in kommunalpolitischen Programmen immer wieder »die Übertragung der Ortspolizei auf die Gemeinde zur Verwaltung in eigener Zuständigkeit« gefordert hatte.[30] In den turbulenten Anfangsjahren der Republik schien es jedoch ratsam, eine möglichst straff organisierte, staatlich gelenkte Polizei zur Verfügung zu haben. So kam es, daß unter den sozialdemokratischen Innenministern nach 1920 zahlreiche Gemeindepolizeien in staatliche Polizeipräsidien umgewandelt wurden.

Häufig kam der Dualismus von staatlicher Polizei und kommunaler Selbstverwaltung bereits in der Architektur zum Ausdruck. So war etwa in Berlin das staatliche Polizeipräsidium in dem gewaltigen, eher streng und abweisend wirkenden Gebäudekomplex am Alexanderplatz untergebracht, die gewählte Stadtvertretung knapp 500 Meter davon entfernt im sogenannten »Roten Rathaus«, einem Gebäude, das sich stilistisch an kommunalen Prachtbauten der italienischen Renaissance orientierte.

Es ist sicher nicht übertrieben, wenn man den Gegensatz zwischen staatlicher Polizei und städtischer Selbstverwaltung als einen der gesellschaftlichen und politischen Fundamentalkonflikte der zweiten Hälfte des 19. Jahrhunderts bezeichnet. In ihm spiegelte sich die Machtverteilung zwischen königlicher Obrigkeit und liberalem, nach Eigenständigkeit strebendem Bürgertum. Die Geschichte Berlins ist voll von brisanten Eingriffen der staatlichen Polizei in das, was heute unzweifelhaft zur städtischen Selbstverwaltung gehört. So war der Hobrechtsche Entwicklungsplan von 1862 eine Entscheidung der Polizei, so waren die Bauordnungen von 1876, 1881 und 1895, die vielleicht noch stärker in das Baugeschehen eingriffen, staatliche Polizeiverordnungen und nicht kommunale Vorschriften.[31] Gleiches gilt für zahlreiche andere Grundfragen der Verkehrsentwicklung, der Energieversorgung oder der Regelung sanitärer Verhältnisse.

Gegen Ende der Kaiserzeit verlor der Gegensatz zwischen staatlicher Polizei und Stadtverwaltung allmählich an Schärfe. Hinsichtlich der Verwaltung zeigte sich dies darin, daß man dazu überging, Teilgebiete der Verwaltungspolizei aus den staatlichen Polizeipräsidien an die Bürgermeister zu übertra-

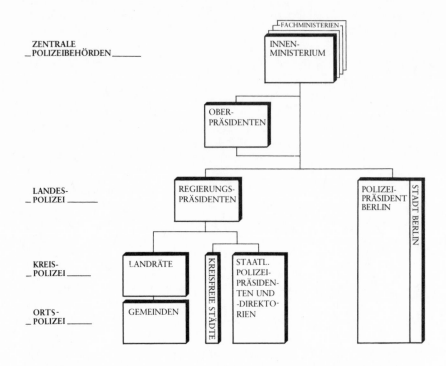

gen, die allerdings staatliche Weisungen zu befolgen hatten. In der Weimarer Zeit setzte sich diese Entwicklung fort. Wo Gemeindepolizeien in staatliche Polizeiverwaltungen umgewandelt wurden, beließ man Teilbereiche der Verwaltungspolizei in der Verantwortung des Bürgermeisters. Dennoch kam es auch weiterhin zu Konflikten.

Wie aus dem Schaubild deutlich wird, bearbeiteten die zentralen Polizeibehörden (Ministerien) ebenso wie Oberpräsident, Regierungspräsident und Landrat Polizeiangelegenheiten ausschließlich am Schreibtisch. Sie konnten zwar verwaltungspolizeiliche Verbote erlassen – insbesondere auch im Bereich der Politischen Polizei –, und sie konnten nachgeordnete Polizeibehörden zu Exekutivmaßnahmen anweisen, aber ihnen fehlte das Personal, um selbst unmittelbar zu ermitteln oder einzugreifen. Den Landräten stand als Aushilfe die Gendarmerie zur Verfügung, eine für das flache Land eingerichtete besondere Polizeiorganisation. Deren Personalbestand und Ausrüstung waren allerdings, verglichen mit den großen Städten, ausgesprochen schwach – ein Defizit, das ab 1925 zur Errichtung der Landeskriminalpolizei und der entsprechenden Organisation auch für die Politische Polizei führte.

Die wichtigste Schaltstelle der polizeilichen Behördenpyramide, gerade in

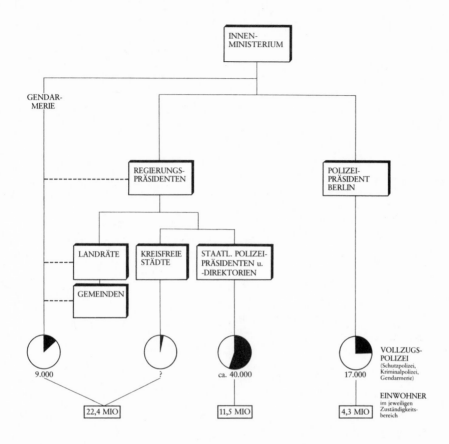

INNEN-
MINISTERIUM

GENDAR-
MERIE

REGIERUNGS-
PRÄSIDENTEN

POLIZEI-
PRÄSIDENT
BERLIN

LANDRÄTE

KREISFREIE
STÄDTE

STAATL. POLIZEI-
PRÄSIDENTEN u.
-DIREKTORIEN

GEMEINDEN

9.000

?

ca. 40.000

17.000

VOLLZUGS-
POLIZEI
(Schutzpolizei,
Kriminalpolizei,
Gendarmerie)

EINWOHNER
im jeweiligen
Zuständigkeits-
bereich

22,4 MIO

11,5 MIO

4,3 MIO

Fragen der Politischen Polizei, war natürlich das Innenministerium. Hier fielen – in der Regel aufgrund eines vorangegangenen Kabinettsbeschlusses – alle brisanten Entscheidungen. Mit einer kurzen Ausnahme war das Amt des Innenministers zwischen 1918 und 1932 von Politikern der SPD besetzt, am wirkungsvollsten durch Carl Severing.

Zur Bearbeitung der Polizeiangelegenheiten stand dem preußischen Innenminister eine eigene Polizeiabteilung zur Verfügung, die bis 1924 von dem späteren Staatssekretär Wilhelm Abegg (zum linken Flügel der DDP gehörend) und anschließend von Erich Klausener (Zentrum) geleitet wurde. Die Besetzung zeigt das Bemühen, die drei zur Weimarer Koalition zählenden Parteien (SPD, Zentrum, DDP) an der Ausübung der politischen Macht zu beteiligen. Innerhalb der Polizeiabteilung bestand eine eigene Gruppe, die zuständig war für Fragen der Politischen Polizei. Leiter des Referats zur Beobachtung linksradikaler Parteien war Regierungsrat Rudolf Diels, später erster Chef der Gestapo; dem Referat zur Beobachtung rechtsradikaler Aktivitäten gehörte Robert Kempner an, nach 1945 stellvertretender US-Hauptankläger bei den Nürnberger Prozessen.

Was die Oberpräsidenten und Regierungspräsidenten betraf, so war es eines der Hauptziele der »Demokratisierung der Verwaltung«[32] unter Severing und Grzesinski, diese Ämter, zu deren Aufgaben auch die Leitung beziehungsweise Beaufsichtigung der entsprechenden Polizeibehörden gehörte, mit republiktreuen Persönlichkeiten zu besetzen. Dies hatte zur Folge, daß am Ende sämtliche Oberpräsidenten ehemalige Berufspolitiker waren.[33] Für das Amt des Regierungspräsidenten wurden in stärkerem Maße Fachqualifikation und ebenso ein klares Bekenntnis zur republikanischen Staatsform gefordert. Der zweite Punkt lief praktisch auf parteipolitische Bindungen hinaus. Die angemessene Berücksichtigung aller in Betracht kommenden Parteien war daher eine ständige, keineswegs unproblematische Forderung.[34]

Außerordentlich bedeutsam für das Funktionieren des Polizeiapparates waren schließlich die 44 staatlichen Polizeipräsidenten, an ihrer Spitze der von Groß-Berlin. Sie gehörten überwiegend der SPD an und waren im allgemeinen nicht aus der Beamtenlaufbahn aufgestiegen, sondern, nach langjähriger Tätigkeit als Partei- oder Gewerkschaftssekretäre und Politiker, als »Parteibuchbeamte« ausgewählt worden. In der Öffentlichkeit wurde dies vielfach kritisiert. Die Auswahl der Polizeipräsidenten nach politischen Kriterien erwies sich jedoch als Garantie für republikanische Zuverlässigkeit. Im allgemeinen konnte sich die preußische Regierung auf die unzweideutige Haltung der Polizeipräsidenten ebenso wie auf die der Ober- und Regierungspräsidenten fest verlassen.

Die Ermordung Walther Rathenaus am 24. Juni 1922 führte nicht nur zum raschen Erlaß des Republikschutzgesetzes noch im gleichen Jahr, sondern schärfte auch das Bewußtsein dafür, daß der schwerfällige fünfstufige Behördenaufbau und die sehr ungleichmäßige Polizeiausstattung auf lokaler Ebene für eine wirksame Bekämpfung des organisierten Verbrechens nicht mehr ausreichten.

Innenminister Severing schuf daher 1925 zunächst das System der »Landeskriminalpolizei« (der Ausdruck »Landes-« bedeutete hier, wie stets in der preußischen Verwaltung, eine überregionale Zuständigkeit auf der Ebene des Regierungspräsidenten). Er richtete bei 22 staatlichen Polizeipräsidien Landeskriminalpolizeistellen ein; bis zum Ende der Republik stieg ihre Zahl auf insgesamt 35. Sie hatten zwei Funktionen:

– Systematisches Berichtswesen. Alle Ortspolizeibehörden waren verpflichtet, der Landeskriminalpolizeistelle von »Straftaten, welche die öffentliche Sicherheit besonders beeinträchtigen«, genau zu berichten.

– Überörtliche Verbrechensverfolgung. Die Landeskriminalpolizeistellen konnten sich im Auftrag des Regierungspräsidenten jederzeit in die Ermittlungen genannter Straftaten einschalten.

Außerdem wurde beim Polizeipräsidenten von Berlin eine übergeordnete Stelle, das Landeskriminalpolizeiamt, als zentrale Sammelstelle für die bei den Landeskriminalpolizeistellen eingegangenen Informationen geschaffen.[35] Zugleich konnte sich das Landeskriminalamt bei Fällen von Schwerstkriminalität in die Ermittlungen einschalten. Damit war eine flächendeckende Erfassung durch kriminalpolizeiliche Fachleute und mit modernen Methoden für das Land Preußen sichergestellt. Schließlich war das Landeskriminalpolizeiamt befugt, Richtlinien für einheitliche Ausbildung, Fortbildung und Ausrüstung der Beamten bei allen Stellen der Landeskriminalpolizei festzulegen. Hierdurch sollte ein gemeinsamer hoher Standard der Kriminalpolizei garantiert werden.

Als der preußische Innenminister 1928 an allen staatlichen Polizeipräsidien und -direktionen eigene Abteilungen für die Politische Polizei errichtete, übertrug er die Grundsätze der Landeskriminalpolizei auch auf diesen neuen Organisationsbereich: Überall wo eine Landeskriminalpolizeistelle bestand, hatte auch die entsprechende Abteilung für die Politische Polizei innerhalb des Regierungsbezirks für systematische Sammlung der Informationen zu sorgen und auf Anforderung überörtlich die Bearbeitung schwieriger Fälle zu übernehmen; zentrale Informationssammelstelle wurde die Abteilung für die Politische Polizei am Polizeipräsidium in Berlin.[36] So entstand in dem ausgedehnten Flächenstaat mit seinen Tausenden von Orts- und mehr als 600 Kreispolizeiverwaltungsbehörden ein Netz von rund 30 leistungsfähigen und verläßlichen Regionalzentren für die Politische Polizei auf der Ebene von Regierungsbezirken.

Das Polizeipräsidium in Berlin

Mit rund 22.000 Beamten war das Berliner Polizeipräsidium der Weimarer Zeit die bei weitem größte Polizeibehörde des gesamten Deutschen Reiches.[37] Nach heutigen Maßstäben mag diese Zahl nicht überwältigend wirken: So stehen dem Polizeipräsidenten im westlichen Teil der Stadt mit knapp 2 Millionen Einwohnern (gegenüber mehr als 4 Millionen im Groß-Berlin der Weimarer Republik) gegenwärtig rund 17.000 Beamte zur Verfügung, wobei die Aufgaben der früheren Verwaltungspolizei (seinerzeit rund 4.000 Polizeibeamte) zum großen Teil nicht mehr in die Zuständigkeit der Polizei gehören, sondern von Fachbehörden übernommen wurden.

Die Größe der Berliner Behörde entsprach ihrer politischen Bedeutung. Die Aufrechterhaltung von Sicherheit und Ordnung in der Reichshauptstadt war eine Aufgabe von nationalem Rang. Wie bereits dargelegt, vereinigte der

Drei sozialdemokratische Polizeipräsidenten in Berlin: Albert Grzesinski, Carl Severing, Karl Zörgiebel.

Berliner Polizeipräsident als einziger in Preußen die polizeilichen Befugnisse des Regierungspräsidenten, der Kreisbehörden und der Ortsbehörden in einer Hand und besaß darüber hinaus – durch das Landeskriminalpolizeiamt – landesweite Kompetenzen, in Sonderfällen sogar reichsweite Funktionen.

Das Amt des Berliner Polizeipräsidenten war eine politische Spitzenstellung. Von 1919 bis 1932 wurde es, ähnlich wie das Innenministerium, stets mit erfahrenen Politikern der SPD besetzt. Sie waren jahrelang als hauptamtliche Gewerkschafts- und Parteifunktionäre tätig gewesen und hatten nach 1918 politische Ämter übernommen. Zwei waren preußische Innenminister gewesen: Eugen Ernst und Albert Grzesinski. Drei gehörten außerdem zum Zeitpunkt ihrer Ernennung dem preußischen Landtag an;[38] Grzesinski spielte bis Januar 1933 sogar eine Schlüsselrolle in der SPD-Fraktion.

Das Amt des Berliner Polizeivizepräsidenten war traditionell einem bewährten Laufbahnbeamten aus der Deutschen Demokratischen Partei (DDP) vorbehalten. Sowohl Ferdinand Friedensburg – nach dem Krieg Mitglied der CDU und 1946-1951 zweiter Bürgermeister der Stadt – als auch

54

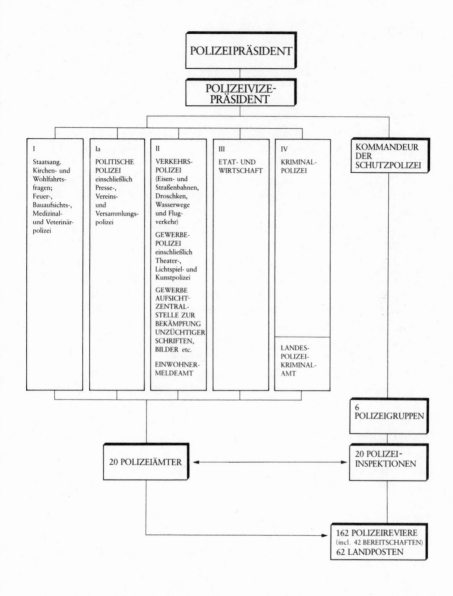

Weiß erwiesen sich als kämpferische Republikaner, die sich insbesondere nicht scheuten, auch gegen rechte Feinde der Demokratie entschieden vorzugehen, eine in der damaligen Beamtenschaft seltene Haltung. Bezeichnenderweise erzwangen 1927 Reichspräsident von Hindenburg und Reichswehrminister Groener gemeinsam die Versetzung Friedensburgs, weil er Diktaturpläne der Alldeutschen öffentlich gemacht und verfolgt hatte –

Pläne, bei denen auch der Reichspräsident ins Zwielicht geriet – und ebenso Machenschaften der »Schwarzen Reichswehr« aufdeckte, ohne sich dabei durch »nationale« Interessen behindern zu lassen.[39] Sein Nachfolger Weiß wurde als besonders hartnäckiger Gegner der Berliner NSDAP unter Goebbels bekannt.[40]

Polizeipräsident und Polizeivizepräsident hatten ihren Amtssitz im Präsidiumsgebäude am Alexanderplatz. Unter ihrer Leitung gliederte sich die Berliner Polizei in zwei große Organisationsblöcke mit jeweils eigenem Unterbau:

1. *Die Schutzpolizei,* die mit rund 15.000 uniformierten Polizeibeamten einschließlich 500 Polizeioffizieren den Hauptteil des Berliner Polizeiapparates bildete. Sie war in vier Stufen organisiert: An der Spitze der Kommandeur der Schutzpolizei mit Sitz in der Oberwallstraße 56, darunter sechs Polizeigruppen, dann je eine Polizeiinspektion für jeden der 20 Stadtbezirke sowie eine Inspektion für berittene Polizei; schließlich über 160 Reviere und 60 Landposten. Den Polizeiinspektionen unterstellt waren auch 42 sogenannte Bereitschaften mit je 120 Mann in festen Unterkünften, die hauptsächlich für den Fall von Unruhen und andere Großeinsätze zur Verfügung standen.

2. *Die Verwaltungs- und Kriminalpolizei.* Unter der Präsidiumsspitze gab es fünf nach Sachgebieten abgegrenzte Zentralabteilungen; auf der Ebene der Stadtbezirke 20 Polizeiämter, die mit den Polizeiinspektionen der Schutzpolizei zusammengelegt waren. Wichtige Fälle wurden von den Zentralabteilungen, weniger bedeutende Angelegenheiten von den Polizeiämtern bearbeitet.

Die *Politische Polizei* bestand nur aus der Zentralabteilung I A mit rund 300 Beamten; einen dezentralisierten Unterbau in den Polizeiämtern oder gar Polizeirevieren hatte sie nicht. Im Vergleich mit anderen Zentralabteilungen samt nachgeordneten Stufen (die Abteilung IV, Kriminalpolizei, zählte z.B. 2.600 Beamte) war sie eine ausgesprochen kleine Organisation. Intern gliederte sich die Politische Polizei entsprechend dem vom Innenministerium vorgesehenen Schema in neun Dezernate und den Außendienst mit vier Inspektionen. Die Dezernatsleiter waren in der Regel höhere Verwaltungsbeamte, meist mit juristischer Ausbildung. Der Außendienst setzte sich dagegen fast ausschließlich aus Kriminalbeamten zusammen, und 90 Prozent der Beamten der Berliner Politischen Polizei waren im Außendienst tätig. So zeigt sich auch hier, daß die Politische Polizei der Weimarer Zeit ihrem Personalbestand nach kaum etwas anderes war als eine kriminalpolizeiliche Sonderabteilung.

Staatsschutz und Politische Polizei in den letzten Jahren der Weimarer Republik

Die letzten Jahre der Weimarer Republik waren durch ständige, teilweise äußerst heftige Auseinandersetzungen um die Frage gekennzeichnet, nach welchen Grundsätzen die Staatsgewalt gegen die bürgerkriegsähnlichen Auseinandersetzungen auf den Straßen und die Gefahr eines gewaltsamen Umsturzes eingesetzt werden sollte. Zeitweilig drängten solche Konflikte selbst die existentiellen wirtschaftlichen und sozialpolitischen Probleme in den Hintergrund.

Die preußische Regierung Braun nahm für sich in Anspruch, ihre polizeilichen Mittel stets mit gleicher Entschiedenheit gegen staatsfeindliche Angriffe von rechts und von links einzusetzen; in den letzten Jahren der Weimarer Republik bedeutete dies eine ständige Konfrontation sowohl mit Nationalsozialisten als auch mit Kommunisten. Schon sprachlich trat das Bemühen um einheitliche, formal gleichmäßige Behandlung deutlich hervor: Seit 1930 wurde die gemeinsame Erwähnung von Nationalsozialisten und Kommunisten und ihre Zusammenfassung in einem Begriffspaar zur immer wiederkehrenden Formel.

Nationalsozialisten und Deutschnationale beschuldigten die Politische Polizei jedoch, sie gehe einseitig gegen die »nationale Opposition« vor und begünstige die Kommunisten, während umgekehrt die KPD im Bann ihrer Formel vom Sozialfaschismus der Sozialdemokratie gerade die preußische Polizei als Handlanger des Kapitals und Helfershelfer der Rechten beschimpfte. [41] Mit fortschreitendem Verfall der Weimarer Republik trat die Forderung einflußreicher konservativer und reaktionärer Kreise hervor, die Gleichsetzung von Nationalsozialisten und Kommunisten müsse aufhören und durch einen klaren Trennungsstrich zwischen atheistisch-marxistischen, dem Klassenkampf huldigenden Gruppen und nationalen, letztlich um das Gemeinwohl des Volkes ringenden Kräften ersetzt werden. [42]

Das Präsidialkabinett Brüning neigte grundsätzlich zwar den Auffassungen der preußischen Regierung zu, im einzelnen Konfliktfall aber erzwangen Brüning und seine Minister, häufig auf Drängen des Reichspräsidenten von Hindenburg, immer wieder Abstriche bei Aktionen und Entscheidungen der preußischen Polizei gegen Nationalsozialisten und Angehörige der »nationalen Opposition«.

Im Dezember 1931 regte der SPD-Vorsitzende Otto Wels das Verbot eines Interviews Hitlers mit einer amerikanischen Rundfunkgesellschaft an. [43] Polizeipräsident Albert Grzesinski griff den Gedanken auf; sein Entwurf hatte folgenden Wortlaut:

An Herrn Adolf Hitler   »Berlin 11.12.1931

Es ist zu meiner Kenntnis gelangt, dass Sie erneut Vertreter ausländischer Zeitungen empfangen und ihnen Erklärungen abgeben wollen, die eine schwere Gefährdung der öffentlichen Sicherheit und Ordnung bedeuten. Gemäß § 14 des Polizeiverwaltungsgesetzes vom 1.7.1931 verbiete ich Ihnen die Abgabe der beabsichtigten Erklärungen und werde dieses Verbot gegebenenfalls durch Anwendung unmittelbaren Zwangs durchführen.«

Ergänzend hieß es:

»Zugleich weise ich Sie, da Ihr Verhalten den öffentlichen Frieden nicht sichert und den Bestand des Staates gefährdet, als lästigen Ausländer von Landespolizei wegen aus Preußen aus. Die Ausweisung wird durch unmittelbaren Zwang durchgeführt«.[44]

Obwohl der preußische Ministerpräsident Otto Braun auf telefonische Anfrage Grzesinskis der Ausweisung zustimmte, hatte der preußische Innenminister Severing Bedenken, daß die Reichsregierung und besonders der Reichspräsident sich dieser Maßnahme widersetzen würden. Auf telefonische Anweisung Severings mußte Grzesinski nicht nur die Ausweisung Hitlers zurückhalten, sondern durfte auch das Verbot seines Auftretens vor der ausländischen Presse nicht aussprechen. Der Versuch, den Nationalsozialismus an einer entscheidenden Stelle anzugreifen, scheiterte an der Uneinigkeit der demokratischen Kräfte. Als Hitler am 26. Februar 1932 in Braunschweig zum Regierungsrat ernannt wurde und damit die deutsche Staatsbürgerschaft erhielt, war die Gelegenheit, ihn auszuweisen, endgültig vorbei.

Gezielte Maßnahmen gegen die Nationalsozialisten allein wurden von der gesamten Rechten stets als einseitiges Vorgehen mit parteipolitischer Schlagseite gebrandmarkt. Als z.B. Reichspräsident von Hindenburg am 13. April 1932, nach Vorlage umfangreichen Belastungsmaterials durch die preußische Regierung und Reichskanzler Brüning, endlich SA und SS durch eine Notverordnung verbot, bestürmten ihn Deutschnationale und Militärs, nun in gleicher Weise auch mit dem Reichsbanner zu verfahren. Reichskanzler Brüning und Reichsinnenminister Groener weigerten sich standhaft, bei einer solchen »Verzerrung des Begriffs der Unparteilichkeit« (Braun) zu Lasten eines eindeutig auf dem Boden der Verfassung stehenden Verbandes mitzuwirken, besiegelten damit aber das rasche Ende ihres Kabinetts.

Die Nationalsozialisten machten bei ihren Auseinandersetzungen mit der Polizei einen propagandistisch durchaus wirkungsvollen Unterschied. Ihre

Angriffe konzentrierten sie mit Haß und Infamie auf die Spitzen der Polizeibehörden. Ein berüchtigtes Beispiel stellen die antisemitischen Attacken von Joseph Goebbels gegen den Vizepräsidenten am Berliner Polizeipräsidium Weiß dar.[45] Die laufenden Zusammenstöße mit den unteren Rängen der Polizei behandelte man dagegen eher als Erfahrungen mit einer fehlgeleiteten, verrotteten Bürokratie. Im »Angriff« gab es hierzu eine ständige Kolumne unter der Überschrift »Achtung Gummiknüppel«.

Die Kommunisten auf der anderen Seite bezogen ihre klassenkämpferische Kritik auf alle Ränge der Polizei. Hierbei mögen auch soziale und sozialpsychologische Gründe eine Rolle gespielt haben: Polizisten aus Arbeiterfamilien waren eine Seltenheit. Schießereien zwischen Kommunisten und Polizei häuften sich, und es kann nicht verwundern, daß dies Rückwirkungen auf beide Seiten hatte. Offensichtlich verbreitete sich in der Schlußphase der Republik unter den Polizeikräften die Stimmung, daß Kommunisten eine wesentlich größere Gefahr als Nationalsozialisten darstellten und daß schärferes Vorgehen gegen sie durchaus angebracht war.

Das Ende der republikanischen Polizei

Nach der verheerenden Niederlage bei der Landtagswahl am 24. April 1932 erlahmte die Kraft der preußischen Regierung. Die politischen Spannungen verschärften sich außerordentlich, als Reichspräsident von Hindenburg das Kabinett Brüning zum Rücktritt zwang und den reaktionär-rechten von Papen zum neuen Reichskanzler ernannte. Papen strebte offen die Zusammenarbeit mit den Nationalsozialisten an und suchte zugleich nach einer Möglichkeit, die Sozialdemokraten aus der preußischen Exekutive zu verdrängen. Eine seiner ersten Vorleistungen an die Nationalsozialisten bestand in der Aufhebung des SA- und SS-Verbots am 16. Juni 1932, was eine Welle blutiger Auseinandersetzungen auf den Straßen, vor allem zwischen Kommunisten und Nationalsozialisten, auslöste; die Intensität der Zwischenfälle steigerte sich, je näher der Termin für die Reichstagswahlen am 31. Juli 1932 heranrückte.[46]

Als Reichskanzler von Papen am 20. Juli 1932 mit Hilfe einer Notverordnung des Reichspräsidenten die preußische Regierung staatsstreichartig absetzte und als Staatskommissar selbst das Amt des preußischen Ministerpräsidenten übernahm, versuchte er, diesen Verfassungsbruch in perfider Verdrehung der Verantwortung für die bürgerkriegsnahe Situation durch Anspielungen auf eine angebliche Kommunistenfreundlichkeit der preußischen Polizeiführung zu rechtfertigen. In der öffentlich bekanntgemachten

Begründung der Notverordnung hieß es:»In den übrigen deutschen Ländern, in denen die Polizeibehörden straff geleitet werden, besteht keine Befürchtung, daß kommunistische Umtriebe Erfolg erzielen. Die Reichsregierung bedauert lebhaft, daß die Voraussetzungen für Preußen nicht in dem notwendigen Umfang zutreffen, obgleich die örtlichen Polizeiorgane durch Einsatz von Person und Leben der Beamten sich bemüht haben, der offenbar von langer Hand vorbereiteten Unruhen Herr zu werden. In Preußen hat die Reichsregierung die Beobachtung machen müssen, daß Planmäßigkeit und Zielbewußtsein der Führung gegen die kommunistische Bewegung fehlen.«[47]

Noch deutlicher wurde die Absicht, eine unterschiedliche Behandlung von Nationalsozialisten und Kommunisten zu erzwingen, in einer am gleichen Tage gehaltenen Rundfunkansprache Papens:»Ich stehe nicht an, in aller Offenheit zu erklären, daß es die sittliche Pflicht einer jeden Regierung ist, einen klaren Trennungsstrich zwischen den Feinden des Staates, den Zerstörern unserer Kultur und den um das Gemeinwohl ringenden Kräften unseres Volkes zu ziehen. Weil man sich in maßgebenden politischen Kreisen nicht dazu entschließen kann, die politische und moralische Gleichsetzung von Kommunisten und Nationalsozialisten aufzugeben, ist jene unnatürliche Frontenbildung entstanden, die die staatsfeindlichen Kräfte des Kommunismus in eine Einheitsfront gegen die aufstrebende Bewegung der NSDAP einreiht ...«[48]

Als besonders gefährlich wurden die Kontakte zwischen Staatssekretär Abegg und kommunistischen Reichstagsabgeordneten sowie eine Rede des Berliner Polizeipräsidenten Grzesinski angesehen, der die Kommunisten angesichts der kritischen Situation zur Zurückhaltung und Mäßigung aufgefordert hatte.

Ernst Heilmann, der damalige SPD-Fraktionsvorsitzende im preußischen Landtag, sprach zu Recht von einem»Staatsstreich gegen die preußische Polizei«. Von Papen begnügte sich auch keineswegs damit, Minister und leitende Ministerialbeamte in den einstweiligen Ruhestand zu versetzen, sondern entfernte ebenso polizeiliche Spitzenbeamte, die der gewünschten Umorientierung im Wege stehen könnten. Die wichtigste republikanische Bastion war das Polizeipräsidium Berlin. Präsident Grzesinski, Vizepräsident Weiß und der Kommandeur der Schutzpolizei Heimannsberg wurden noch am Vormittag des 20. Juli 1932 ihrer Ämter enthoben und, als sie sich weigerten, freiwillig auszuscheiden, verhaftet und in die Offiziersstrafanstalt eingeliefert. Erst nachdem sie auf weitere Amtsausübung schriftlich verzichtet hatten, wurden sie wieder entlassen. Weitere sieben Polizeipräsidenten, zahlreiche Vizepräsidenten, Polizeioberste, Pressereferenten folgten; an ihre Stelle traten im allgemeinen nationalkonservative, parteifreie Fachbeamte.[49] Im Amt blieb das dem Zentrum angehörende oder noch weiter rechts stehende Führungspersonal.[50]

Die Säuberung wurde durch alle Ebenen der Behördenpyramide bis weit in die unteren Ränge ausgedehnt: Wer als Sozialdemokrat, Mitglied der Staatspartei oder sonst ausgewiesener Republikaner ein politisch sensibles Amt innehatte, wurde auf andere Dienstposten mit unpolitischen Aufgaben abgeschoben oder durch Änderung der Geschäftsverteilung kaltgestellt.

Ein anschauliches Beispiel hierfür geben die Vorgänge in der Politischen Abteilung des Berliner Polizeipräsidiums:[51]

- Ihr Leiter Goehrke, Mitglied der Staatspartei, kam in die Abteilung II (Fremdenamt) und wurde durch den national-konservativ eingestellten Dezernatsleiter von Werder ersetzt, der als Angehöriger desselben studentischen Corps den Mitgliedern des Papenkabinetts besonders verbunden war.
- Von den übrigen sieben Dezernatsleitern wurden die vier der Sozialdemokratie angehörenden ebenfalls in andere, unpolitische Abteilungen des Polizeipräsidiums oder in die Provinz abgedrängt.
- Im Außendienst kam es zu geringeren Veränderungen, da dort die Führungspositionen ohnehin überwiegend in der Hand rechtsstehender älterer Kriminalbeamten waren. Der ausgeprägt konservative Leiter, Kriminaldirektor Scherler, behielt sein Amt, ebenso die beiden Inspektionsleiter Furth und Bonatz, die bereits in Verbindung zu den Nationalsozialisten standen. Der Leiter der Inspektion II (linksradikale Parteien und Organisationen, Russen und Polen), Heller, war zwar Mitglied der DDP, trat im August 1932 aber aus und konnte im Amt bleiben. Nur der Sozialdemokrat Kriminalpolizeirat Dr. Stumm von der Inspektion III (rechtsradikale Parteien und Organisationen) mußte an das lokale Polizeiamt Lichtenberg-Friedrichshain wechseln und wurde durch einen NS-Sympathisanten ersetzt.

Auch die weitere Annäherung der preußischen Polizei an nationalsozialistische Positionen kam rasch zustande. Am 27. Juli 1932, vier Tage vor der entscheidenden Reichstagswahl, wurde das Verbot einer Mitgliedschaft von Beamten in der NSDAP aufgehoben; für die KPD blieb es selbstverständlich bei der alten Regelung.[52] Innerhalb kürzester Zeit bildete sich am Polizeipräsidium Berlin eine Arbeitsgemeinschaft, der allein im Bereich der Schutzpolizei 200 Mitglieder und Sympathisanten der NSDAP angehört haben sollen.[53] Ab Mitte August wurden auch die Sozialdemokratische Partei und das Reichsbanner in die politische Überwachung einbezogen.[54]

Der Haß der Nationalsozialisten auf die Repräsentanten der republikanischen Polizei saß tief. Als sie im Juni 1933 die ersten Ausbürgerungen vornahmen, waren unter den betroffenen Personen auch Polizeipräsident Grzesinski und Polizeivizepräsident Weiß.

Hermann Göring und Heinrich Himmler, vor 1933. Mit der Einsetzung Görings zum kommissarischen preußischen Innenminister bringen die Nationalsozialisten 1933 die größte bewaffnete Macht nach der Reichswehr unter ihre Kontrolle. Heinrich Himmler beginnt zur gleichen Zeit seine Karriere als kommissarischer Polizeipräsident von München. 1936 wird er als »Reichsführer-SS und Chef der Deutschen Polizei im Reichsministerium des Innern« zu einem der mächtigsten Männer des Dritten Reichs; die Übernahme des Reichsinnenministeriums 1943 ist die letzte Konsequenz des Himmlerschen Machtkalküls.

Kapitel IV

Stufen der Machtentfaltung 1933-1945

Erste »Säuberungen«

Am Mittag des 30. Januar 1933 ernannte Reichspräsident Paul von Hindenburg den Führer der Nationalsozialistischen Deutschen Arbeiterpartei, Adolf Hitler, zum Reichskanzler in einem »Kabinett der nationalen Konzentration«. Mit Wilhelm Frick (Reichsinnenministerium) und Hermann Göring (Reichsminister ohne Geschäftsbereich) traten nur zwei Nationalsozialisten ins Reichskabinett ein. Im übrigen gehörte ihm eine Mehrheit von Parteilosen und DNVP-Mitgliedern an.

Vizekanzler Franz von Papen wurde gleichzeitig zum neuen Reichskommissar für Preußen ernannt, Hermann Göring zum kommissarischen preußischen Innenminister. Görings neue Amtsstellung war für die Sicherung und den Ausbau der nationalsozialistischen Herrschaft von grundlegender Bedeutung; denn als preußischer Innenminister wurde er oberster Chef aller Polizeikräfte dieses größten deutschen Landes, und er zögerte keinen Tag, den ihm unterstellten Machtapparat entschlossen einzusetzen. Ein massiver nationalsozialistischer Personalschub und rücksichtsloses Vorgehen gegen politische Gegner waren die direkten Folgen.

Unmittelbar nach seinem Amtsantritt berief Göring den NSDAP-Abgeordneten im preußischen Landtag, SS-Gruppenführer Kurt Daluege als »Kommissar z.b.V.« in sein Ministerium und beauftragte ihn, alle Polizeibeamten politisch zu überprüfen. Aufgrund der Personalakten des Ministeriums und des Berliner Polizeipräsidiums, dank eigener Informationen – Daluege war u.a. Mitglied des Polizeiuntersuchungsausschusses im preußischen Landtag – und vertraulicher Hinweise aus der Beamtenschaft machte er Vorschläge, welche Beamte entfernt und welche nationalsozialistische Bewerber in die Polizei eingeschleust werden sollten.

An Stelle des Leiters der Polizeiabteilung im Innenministerium, Erich Klausener, der in das Reichsverkehrsministerium versetzt wurde, trat Ludwig Grauert, ein führender Funktionär der Arbeitgeberverbände der rheinischen Eisen- und Stahlindustrie (parteilos, ab 1. Mai 1933 Mitglied der NSDAP).

Die Polizeipräsidien der Großstädte wurden einer erneuten Säuberung in mehreren Wellen unterzogen, diesmal unter nationalsozialistischen Vorzeichen. Bereits am 15. Februar versetzte die preußische Regierung 13 Polizeipräsidenten in den einstweiligen Ruhestand und ernannte 9 neue; weitere Umbesetzungen folgten.[1] Auch Polizeipräsidenten, die nach dem Preußenschlag betont republikanische Amtsinhaber abgelöst hatten, erlebten nun das gleiche Schicksal. Im Unterschied zur ersten Säuberungswelle waren die neuen Polizeipräsidenten nicht mehr Fachbeamte, sondern dem Nationalsozialismus ergebene Außenseiter. Überwiegend kamen SA- und SS-Führer zum Zug. Zu den markanten Ausnahmen zählte das Polizeipräsidium in Berlin, das mit Admiral a.D. von Levetzow, einem 62jährigen Monarchisten, besetzt wurde, der die Weimarer Republik abgelehnt und so eine gemeinsame Basis mit der NSDAP gefunden hatte. Levetzow war ein konservatives Aushängeschild und wurde bei wichtigen Entscheidungen bald übergangen. Als er gegen den SA-Terror in den »wilden« Konzentrationslagern vorgehen wollte und Göring ihm dies untersagte, reagierte Levetzow formalistisch und behandelte die Angelegenheit schlicht als nicht mehr zu seinem Amtsbereich gehörig.

Das »Gesetz zur Wiederherstellung des Berufsbeamtentums« vom 7. April 1933 gab die rechtliche Handhabe, auch Veränderungen in den mittleren und unteren Rängen durchzusetzen. Insgesamt wurden bis zum Jahresende 1.500 Polizeibeamte entlassen oder in den Ruhestand versetzt; dem standen weit über 3.000 Neueinstellungen gegenüber.

Ohne Rücksicht auf verfassungsmäßige Garantien und rechtsstaatliche Traditionen verwandelte Göring die preußische Polizei innerhalb kürzester Zeit in ein Machtinstrument, das sich für politische Unterdrückungsmaßnahmen hervorragend eignete. Nicht die Wiederherstellung der bürgerlichen Ruhe und Ordnung, sondern die Ausschaltung des politischen Gegners war das – bald auch öffentlich eingestandene – Ziel.

Polizeimajor Wecke, einer der wenigen alten Nationalsozialisten unter den Polizeibeamten, wurde beauftragt, eine motorisierte, schwer bewaffnete Sondereinheit, die »Landespolizeigruppe Wecke z.b.V.«, aufzustellen, von Göring selbst als »erste Garde der neuen Schutzpolizei« bezeichnet. Sie stand vor allem für Spezialeinsätze mit besonderer politischer Bedeutung zur Verfügung.

Im sogenannten »Schießerlaß« vom 17. Februar 1933 verlangte Göring von der Polizei das »beste Einvernehmen« mit »nationalen Verbänden«, das heißt SA, SS und Stahlhelm; gleichzeitig peitschte er die Beamten zu rücksichtslosem Schußwaffengebrauch gegen »Staatsfeinde« auf.

Der Erlaß vom 22. Februar 1933 ordnete schließlich den Einsatz von Angehörigen der SA, der SS, des Stahlhelms und des deutschnationalen Kampfrings als Hilfspolizisten an. Für die Politische Polizei wurden nach den ergänzenden Durchführungsbestimmungen vom 21. April und 7. Juni 1933 nur noch SS-Kräfte eingesetzt.

SA-Männer werden Ende Februar 1933 als »Hilfspolizisten« verpflichtet.

Nachdem in der Nacht vom 27. auf den 28. Februar 1933 der Reichstag in Brand gesetzt worden war, erließ der Reichspräsident am nächsten Morgen die Notverordnung »zum Schutz von Volk und Staat«.[2] Die sogenannte Reichstagsbrandverordnung hob die für den bürgerlichen und demokratischen Rechtsstaat grundlegenden Freiheitsgarantien in den Art. 114, 115, 117, 118, 123, 124 und 153 der Weimarer Verfassung auf und beseitigte damit insbesondere die verfassungsmäßigen Sicherungen gegen willkürliche Verhaftungen. »Es sind daher Beschränkungen der persönlichen Freiheit, des Rechts der freien Meinungsäußerung, einschließlich der Pressefreiheit, des Vereins- und Versammlungsrechts, Eingriffe in das Brief-, Post-, Telegraphen- und Fernsprechgeheimnis, Anordnungen von Haussuchungen und von Beschlagnahmen sowie Beschränkungen des Eigentums auch außerhalb der sonst hierfür bestimmten gesetzlichen Grenzen zulässig.« Führende nationalsozialistische Juristen und Rechtstheoretiker bezeichneten die Verordnung als das eigentliche »Grundgesetz« der nationalsozialistischen Herrschaft.

Mit Erlaß vom 3. März 1933 entband Hermann Göring seine Polizei bei der Durchführung der Reichstagsbrandverordnung zusätzlich noch von den »gesetzlichen Schranken« des preußischen Polizeiverwaltungsgesetzes, so etwa dem Verhältnismäßigkeitsgebot und anderen hindernden Bestimmungen.[3] Zugleich wurde der in der Reichstagsbrandverordnung festgelegte Begriff der »Abwehr kommunistischer staatsgefährdender Akte« auf Formen der »mittelbaren Unterstützung« ausgeweitet. In der Praxis war so die Verfolgung aller gegen den Nationalsozialismus gerichteten Aktivitäten möglich.

Am gleichen Tag erklärte Göring in einer öffentlichen Versammlung: »Ich lasse es mir gefallen, daß man meine letzten Maßnahmen als einseitig bezeichnet und mir vorwirft, ich messe mit zweierlei Maß. Wir haben ja keinen bürgerlichen Staat mehr. Meine Maßnahmen werden nicht angekränkelt werden durch irgendwelche juristischen Bedenken und durch irgendwelche Bürokratie. Ich habe keine Gerechtigkeit zu üben, sondern zu vernichten und auszurotten. In Zukunft kommt in den Staat nur herein, wer aus diesen nationalen Kreisen stammt. Wer sich zum Staat bekennt, zu dem bekennt sich auch der Staat. Wer ihn aber vernichten will, den vernichtet er«.[4]

Erstes Gestapo-Gesetz (April 1933): Die Errichtung des Geheimen Staatspolizeiamtes

Der Politischen Polizei kam in den Überlegungen Görings zur Ausschaltung der politischen Gegner von Anfang an eine Schlüsselrolle zu. Sie galt, wie Diels es formulierte, als »der intellektuelle Kopf der Schutzpolizei in den Großstädten«.[5] Was Göring am 30. Januar 1933 vorfand, erschien ihm allerdings nicht brauchbar: »Sehr schlimm sah es in der Politischen Polizei aus. Hier stand ich fast überall nur den Vertrauensleuten der Sozialdemokraten, den bestbewährten Elementen und Kreaturen des Herrn Severing gegenüber. Sie bildeten die berüchtigte IA-Abteilung (Politische Polizei). Mit ihr konnte ich im damaligen Zustand so gut wie nichts anfangen. Zwar waren die allerschlimmsten Elemente schon unter meinem Vorgänger Bracht ausgemerzt worden. Aber jetzt galt es ganze Arbeit zu tun. Wochenlang arbeitete ich persönlich an der Umgestaltung, und schließlich schuf ich allein und aus eigener Entschließung und eigener Überlegung das Geheime Staatspolizeiamt«.

So falsch die Darstellung Görings ist – der Anteil sozialdemokratischer Beamter in der Abteilung I war im Januar 1933 bereits verschwindend gering –, sie demonstriert anschaulich seine Entschlossenheit, die Politische Polizei für seine Zwecke umzuwandeln.

Ihr wirkungsvoller Einsatz schon während der ersten Wochen des neuen Regimes und ihre schrittweise Umwandlung in die preußische Geheime Staatspolizei sind aufs engste verknüpft mit der problematischen Figur des damals 30jährigen Oberregierungsrats Dr. Rudolf Diels. Obwohl zunächst kein Mitglied der NSDAP oder einer ihrer Gliederungen, wurde Diels von Göring nach dem 30. Januar 1933 als ausgesprochene Vertrauensperson behandelt.

Razzia im Berliner Norden, Frühjahr 1933.

Wie Diels vor dem Reichsgericht bei der Verhandlung über den Reichstagsbrand 1933 selbst berichtete, rief Göring ihn bereits am 1. Februar zu sich und stellte ihn von anderen Dienstverpflichtungen frei, damit er sich ganz der Erfassung von Kommunisten und Sozialdemokraten widmen konnte. Drei Wochen später wurde Diels als Leiter der Abteilung der Politischen Polizei im Polizeipräsidium Berlin eingesetzt.[6] Da Diels sein Referat in der politischen Gruppe des Innenministeriums behielt, gehörte er von nun an sowohl zur Aufsichts- auch zur beaufsichtigten Behörde.

Als am 27. Februar 1933 der Reichstag brannte, hatte die Politische Polizei ihre erste große Bewährungsprobe im neuen Staat zu bestehen. Bald nachdem Hindenburg die »Verordnung zum Schutz von Volk und Staat« unterzeichnet hatte, wurden in Berlin wie im gesamten Deutschen Reich Hunderte von Kommunisten und viele Sozialdemokraten, Gewerkschafter und linkseingestellte Intellektuelle durch Polizei und SA- bzw. SS-Hilfspolizei verhaftet. Diels selbst sprach vor dem Internationalen Militärgerichtshof in Nürnberg von der »nach dem Reichstagsbrand erfolgten Festnahme von 1.500 kommunistischen Funktionären, über die bei allen Polizeibehörden seit Jahren Listen vorlagen«.[7]

Die Herauslösung der Politischen Polizei aus den übrigen Polizeikräften wurde am 9. März 1933 zum erstenmal sichtbar. An diesem Tag veröffentlichte die »Vossische Zeitung« eine amtliche Meldung des preußischen Innenministeriums, daß das Karl-Liebknecht-Haus am Bülowplatz, der Sitz der KPD-Zentrale, enteignet worden sei. In dieses Gebäude, das einen Tag später in »Horst-Wessel-Haus« umbenannt wurde, zog die neu gegründete »Abteilung zur Bekämpfung des Bolschewismus« ein.[8]

Im März und April 1933 verfolgte die Politische Polizei vor allem den entstehenden illegalen Apparat der KPD und spürte »untergetauchte« Kommunisten und Sozialdemokraten auf. Sie führte, in Zusammenarbeit mit der Landespolizeigruppe Wecke, umfangreiche Razzien in allen Teilen der Stadt durch. Dabei wurden ganze Straßenzüge abgesperrt und durchsucht.

Die offizielle Gründung der Geheimen Staatspolizei erfolgte am 26. April 1933 durch das »Gesetz über die Errichtung eines Geheimen Staatspolizeiamtes«;[9] Göring, inzwischen als Nachfolger Papens auch preußischer Ministerpräsident, hatte es durch einfachen Kabinettsbeschluß erlassen können, nachdem der preußische Landtag bereits aus der Gesetzgebung ausgeschaltet war. Wichtiger noch als das kurze und sehr allgemein gehaltene Gesetz waren ein am gleichen Tag ergangener umfangreicher Runderlaß über die »Neuorganisation der Politischen Polizei«[10] und zwei Ausführungsverordnungen ebenfalls vom 26. April 1933.[11]

Das Gesetz schuf eine neue polizeiliche Sonderbehörde außerhalb des Polizeipräsidiums Berlin und gab ihr den in der preußischen Verwaltung bisher nicht verwendeten Namen »Geheimes Staatspolizeiamt«. Er ließ an abgeschirmte, verschwiegene Tätigkeiten denken, aber wohl ebenso an die Sphäre hoher Ämter in vertraulicher Nähe des Souveräns: Geheimrat, Geheimes Kabinett oder Geheimes Staatsarchiv. Das neue Amt erhielt die Stellung einer Landespolizeibehörde, war also ranggleich mit den Regierungspräsidenten und dem Polizeipräsidenten von Berlin, zugleich aber ausdrücklich dem Minister des Inneren unmittelbar unterstellt.

Die politische Bedeutung des neuen Amtes zeigt sich, wenn man die ihm übertragenen Aufgaben untersucht, die allerdings nicht dem Gesetz, sondern nur dem Runderlaß und den Ausführungsverordnungen zu entnehmen sind:

- In erster Linie sollte das Gestapa die »allgemeine zentrale Nachrichtenstelle der politischen Polizei für das gesamte Staatsgebiet« sein. Der Vorspann des Runderlasses umschrieb dies so: »Seine Aufgabe besteht darin, ... alle staatsgefährlichen politischen Bestrebungen im gesamten Staatsgebiet zu erforschen, das Ergebnis der Erhebungen zu sammeln und auszuwerten, mich, d.h. den Minister des Inneren, laufend zu unterrichten und mir für meine Entschlüsse die erforderlichen Unterlagen jederzeit bereitzuhalten, schließlich auch die anderen Polizeibehörden über politisch wichtige Beobachtungen und Feststellungen auf dem laufenden zu halten und mit Anregungen zu versehen ...«[12] Um den Informationsfluß sicherzustellen, wurde in jedem Regierungsbezirk mit Ausnahme Berlins, wo das Gestapa diese Funktion selbst übernahm, eine *Staatspolizeistelle* errichtet. Ihr hatten alle Orts- und Kreispolizeibehörden laufend zu berichten, sie leitete die Informationen unmittelbar an das Gestapa weiter. Der Runderlaß bezeichnete die Staatspolizeistellen als »Außenstellen« des Gestapa, und als solche galten sie als dessen *Hilfsorgan*, standen zu ihm also in einem ähnlichen Verhältnis wie die Kriminalpolizei zur Staatsanwaltschaft; soweit sie sonstige Aufgaben der Politischen Polizei wahrnahmen, waren die Staatspolizeistellen jedoch *Organ* der vom Regierungspräsidenten geleiteten Landespolizeibehörde. Die aus dieser Zwitterstellung resultierenden Konflikte waren vorauszusehen.
- Von brisanter Bedeutung waren die polizeilichen Vollzugskompetenzen, die das Gestapa für den Raum Berlin erhielt. Die beiden Ausführungsverordnungen übertrugen ihm für das Stadtgebiet die Möglichkeit der Beschlagnahme und Einziehung sowie des Verbotes von Druckschriften und den gesamten Vollzug der Reichstagsbrandverordnung mit all ihren Freiheitsbeschränkungen; weitere Zuständigkeiten folgten in den nächsten Wochen. Dem Polizeipräsidenten von Berlin blieben im Bereich der Politischen Polizei nur noch Restkompetenzen.
- Schließlich verlieh § 2 des Gesetzes dem Gestapa die generelle Befugnis, »im Rahmen seiner Zuständigkeit alle Polizeibehörden um polizeiliche Maßnahmen zu ersuchen«. Diese eher zurückhaltende, dem allgemeinen Amtshilfeanspruch angenäherte Formulierung wurde im Vorspann des Runderlasses allerdings ergänzt: »... und mit Weisung zu versehen«. Hieraus leitete das Gestapa ein allgemeines Weisungsrecht als Zentralbehörde gegenüber allen Landes-, Kreis- und Ortspolizeibehörden ab.

Interne Geschäftsverteilung

Aus dem Geschäftsverteilungsplan vom 19. Juni 1933 sind sowohl die erste überlieferte organisatorische Gliederung des Geheimen Staatspolizeiamtes als auch die wesentlichen Schwerpunkte seiner Tätigkeit erkennbar. Abgesehen von einer kleinen Personalabteilung und einer Wirtschaftsstelle bestand das Amt aus zehn Dezernaten. Das Schutzhaftdezernat IIa scheint erst nachträglich in den Geschäftsverteilungsplan eingebaut worden zu sein; eine eigene Dezernatsnummer war offenbar nicht mehr zu vergeben:

Dezernat I: Generalien, Einrichtung der Politischen Polizei, Gesetze, Verordnungen, Erlasse und Verfügungen auf dem Gebiete der Polit. Polizei, Rechtsprechung, Verfassungsangelegenheiten, Militärischer Ausnahmezustand, Grenz- und Landesschutz, Bahn- und Postschutz. Militärsachen, Personalangelegenheiten der höheren Beamten, der oberen Verwaltungsbeamten und der oberen Kriminalbeamten, Verkehr mit ausländischen Behörden.

Dezernat II: Pressepolizei (Verbote und Beschlagnahmen), Verwertung beschlagnahmten Eigentums, Justitiar, Beschlagnahme der Kraftwagen und Krafträder.

Dezernat IIa: Beschränkung der persönlichen Freiheit (Schutzhaft).

Dezernat III:	Internationaler Bolschewismus; Allgemeine Kommunisten-sachen.
Dezernat IV:	DNVP einschl. aller Nebenorganisationen und rechtsopposi-tionellen Bewegungen (Schwarze Front usw.), Politische Bewegungen Berlin, Brandenburg, Pommern, Grenzmark, Ostpreußen und Schlesien, Staatspolizeistelle Berlin.
Dezernat V:	SPD einschl. aller sozialdemokratischen Nebenorganisatio-nen, Politische Bewegungen Rheinprovinz, Westfalen, Hes-sen-Nassau, Sigmaringen, Wirtschaftspolitik (Werksabo-tage).
Dezernat VI:	Agrarpolitik; Sozialpolitik, Funksachen; Politische Bewe-gungen Hannover, Sachsen, Schleswig-Holstein, Nationale Minderheiten, Saargebiet, Memelland, Danzig und Öster-reich.
Dezernat VII:	Zentrum einschl. aller Nebenorganisationen, Kulturpolitik, Kulturbolschewismus, sämtliche politischen Bewegungen, soweit sie nicht zur Zuständigkeit eines anderen Dezernats gehören.
Dezernat VIII:	Landesverrat, Verrat von militärischen Geheimnissen, Wirt-schaftsspionage, Zersetzung in Reichswehr, Schutzpolizei und Wehrverbänden.
Dezernat IX:	Ausschreitungen, Sprengstoff, Attentate, Waffensachen, Sicherungen, Ausländer, Emigranten, Juden, Freimaurer.[13]

Dieser Geschäftsverteilungsplan nannte 41 Beamte namentlich, unter ihnen Oberregierungsrat Rudolf Diels als Leiter und Staatsanwaltschaftsrat Hans Volk als seinen Stellvertreter. Nicht erfaßt war der umfangreiche Außendienst. Wie viele Beamte für den Außendienst und für den stän-dig wachsenden Verwaltungsdienst vom Innenministerium und von anderen Polizeidienststellen zusätzlich angefordert wurden, läßt sich nicht mehr ermitteln. Rudolf Diels hat mit Sicherheit zu niedrig gegriffen, als er nach dem Krieg von insgesamt zweihundertfünfzig Gestapa-Mitarbeitern in der Anfangsphase, darunter neunzig im Außendienst, sprach.[14]

Interessant ist, daß bereits im Juni 1933 die erst vier Monate zuvor postu-lierte »Abwehr kommunistischer Bestrebungen« in der umfassenden Bekämpfung aller nicht-nationalsozialistischen Aktionen aufgegangen war. Die Parteien erscheinen in dieser Geschäftsverteilung noch unter ihren Namen; wenige Monate später sollte sich der nationalsozialistische Sprach-gebrauch von »bolschewistischen« Bestrebungen für die KPD und »marxisti-schen« Aktionen für die SPD und die sozialistischen Gruppen auch im Gehei-men Staatspolizeiamt endgültig durchgesetzt haben.

Der Kampf gegen die SPD und KPD stand im Juni 1933 nach wie vor an erster Stelle; aber zu den potentiellen Gegnern der Geheimen Staatspolizei zählten bereits gleichermaßen die Deutschnationale Volkspartei (DNVP) Hugenbergs und die »Schwarze Front« von Otto Strasser. Emigranten, Juden und Freimaurer wurden als weltanschauliche Feinde ausgegrenzt, rangierten in der Geschäftsverteilung aber noch hinter den Ausländern.

Der Einzug in die Prinz-Albrecht-Straße

Erst Anfang Mai 1933 konnte das Geheime Staatspolizeiamt in seine neuen Räume in der Prinz-Albrecht-Straße 8 einziehen.[15] Die Firma Kahn hatte die Räume in der ehemaligen Unterrichtsanstalt des Kunstgewerbemuseums zum Ende des Mietvertrages am 31.3.1933 nicht instand gesetzt. So war eine grundlegende Überprüfung der Substanz erforderlich, ehe die Beamten des Geheimen Staatspolizeiamtes ihr neues Domizil beziehen konnten. Man begnügte sich in der ersten Zeit mit den Räumen im 1. und 2. Obergeschoß; im Erdgeschoß etablierten sich Dauer- und Außendienst. Für kleinere und größere Umbauten, die sich noch über das ganze Jahr 1933 erstreckten, wurden laut einer Aufstellung für Staatssekretär Grauert vom 1. August 1933 rund 180.000 RM ausgegeben, für die »erstmalige Einrichtung, Fernverbindungs- und Nachrichtenwesen sowie Kraftfahrzeuge« weitere 250.000 RM als »einmalige Ausgaben«.[16] Die laufenden jährlichen Ausgaben für 1933 wurden zugleich mit 2,8 Millionen RM angesetzt. In der gleichen Aufstellung über »Mehrausgaben infolge polizeilicher Neuorganisation« wurden für den Ausbau von Konzentrationslagern 5,5 Millionen RM, für die Unterbringung und Ernährung der Häftlinge und die Kosten der Wachmannschaften 9,75 Millionen RM und für die Leibstandarte SS Adolf Hitler 6,4 Millionen angesetzt. Den Mehrausgaben standen aber auch »Mehreinnahmen aus der Beschlagnahme und Bewirtschaftung des SPD-, KPD- und Freidenker-Vermögens« gegenüber, die eine Höhe von zwei Millionen Reichsmark erreichten.

Der Leiter des Geheimen Staatspolizeiamtes, Rudolf Diels, paßte sich den rechtswidrigen Herrschaftspraktiken der Nationalsozialisten an. Zwischen ihm und Kurt Daluege, der im Mai 1933 zum Leiter der Polizeiabteilung im preußischen Innenministerium ernannt wurde, kam es zu enger Zusammenarbeit, so etwa bei der Aufstellung von Wachmannschaften für Konzentrationslager oder bei der Einschleusung von Nationalsozialisten in den Polizeidienst.

Diels bemühte sich zwar, einige der schlimmsten SA-Prügelkeller in Berlin mit Polizeigewalt aufzulösen, behandelte aber die Konzentrationslager Oranienburg und Columbiahaus, obwohl er die dortigen Verhältnisse genau kannte, als amtliche Partner und lieferte ihnen in Schutzhaft genommene Menschen routinemäßig aus. Wenn ein Konzentrationslager in seinem Einflußbereich lag oder die Geheime Staatspolizei zumindest ungehinderten Zugriff auf die Häftlinge hatte, war Diels keineswegs empfindlich, mochten

Rudolf Diels und SS-Gruppenführer Kurt Daluege.

die SA-Männer zu den Häftlingen auch noch so brutal sein. Ein Brief an Dalueges Mitarbeiter Alfred Hall im preußischen Innenministerium vom April 1933 zeigt dies deutlich: »Die Abordnung der Berliner SA-Leute (nach Sonnenburg) ist aus besonderen Gründen und nach Verhandlungen mit der SA-Gruppe Berlin-Brandenburg erfolgt. Es ist in Aussicht genommen, die Zahl der SA-Leute, die nicht etwa lediglich als Bewachung für die politischen Häftlinge nach Sonnenburg gebracht worden sind, sondern dort auch eine besondere Ausbildung erfahren sollen, in Zukunft noch weiter zu erhöhen. Gegebenenfalls mag dann ein gewisser Prozentsatz von SA-Leuten aus der Gruppe Frankfurt/Oder hinzugezogen werden, wie ich auch empfehlen möchte, Angehörige der SS nach Sonnenburg zu entsenden. Die Ausbildung soll in Form von Grenzschutzlehrgängen durch Offiziere der Reichswehr erfolgen.«[17]

In seiner Rechtfertigungsschrift »Lucifer ante Portas« hat Diels nach dem Krieg seine Grundauffassung hierzu folgendermaßen formuliert: »Es kam also darauf an, nicht den oder jenen Totschlag, sondern das Morden zu verhindern; zu verhindern, daß das revolutionäre Wesen schubweise ins Rutschen kam, daß die ›Nacht der langen Messer‹, der niemand unter den neuen Männern ernstlich wehren würde, wirklich ausbräche. Dazu würden Taktieren und Paktieren, krumme Wege und Winkelzüge und die Nutzung der Situationen, Charaktere und Launen vonnöten sein. Bei der wilden Meute mußte ich das Gefühl wachhalten, daß Töten Unrecht sei, daß die Erinnyen nicht schliefen. Sollte man da nicht manchmal ein Auge zudrücken, wenn ihnen nur die Freude am ›Köpferollen‹ vergällt würde?«[18]

Rudolf Diels jedoch drückte nicht nur ein Auge zu. Er war maßgeblich am Aufbau der Geheimen Staatspolizei und der brutalen Unterdrückung der politisch Andersdenkenden beteiligt und schreckte dabei weder vor der engen Zusammenarbeit mit SA und SS noch vor der Auslieferung von Häftlingen zur Ermordung durch SA-Kommandos zurück.

Zweites Gestapo-Gesetz (Herbst 1933): Von der Sonderbehörde zum selbständigen Zweig der Staatsverwaltung

Im Juli 1933 verkündete Adolf Hitler den »Abschluß der Revolution«. Bis zum Herbst festigte sich die nationalsozialistische Herrschaft zusehends: Die parlamentarisch-demokratischen Institutionen waren aufgelöst, die Parteien verboten, die staatlichen und gesellschaftlichen Einrichtungen weitgehend gleichgeschaltet. Nun ging man daran, die in der Weimarer Zeit heftig bekämpfte Kleinstaaterei der einzelnen Länder abzuschaffen und die Staatsgewalt soweit wie möglich auf Reichsebene zusammenzufassen und zu zentralisieren. Dies galt vor allem für die Polizei und hierbei wiederum mit besonderem Nachdruck für die Politische Polizei. In den beteiligten Ministerien wurden verschiedene Konzepte ausgearbeitet:[19]

– Das Reichsinnenministerium unter Wilhelm Frick wollte die preußische Geheime Staatspolizei sich selbst unterstellen und auf ihr eine Geheime Reichspolizei aufbauen.
– Im preußischen Innenministerium bemühten sich Staatssekretär Wilhelm Grauert und Kurt Daluege, dem Geheimen Staatspolizeiamt eine Reichs-Nachrichtensammelstelle anzugliedern; hieraus sollte dann eine Politische Reichspolizei unter Aufsicht Hermann Görings entstehen.
– Im Reichsinnenministerium wiederum erwog man eine Eingliederung preußischer Ministerien in die entsprechenden Reichsministerien als Vorgriff auf eine spätere, alle Länder umfassende Neugliederung. Vorgeschlagen wurde nach diesem Modell insbesondere eine alsbaldige Zusammenlegung der Innen- und Justizressorts. Mit der Eingliederung des preußischen Innenministeriums wäre auch die Weisungsbefugnis gegenüber nachgeordneten Behörden – also gegenüber allen Polizeikräften – auf das Reichsministerium übergegangen.
– Vorgeschlagen wurde auch eine Zusammenführung der Politischen Polizeien aller Länder durch Ernennung einer einzigen Person zum Leiter aller

Preußische Gesetzsammlung

| 1933 | Ausgegeben zu Berlin, den 1. Dezember 1933. | Nr. 74 |

(Nr. 14033.) **Gesetz über die Geheime Staatspolizei. Vom 30. November 1933.**

Das Staatsministerium hat das folgende Gesetz beschlossen:

§ 1.

(1) Die Geheime Staatspolizei bildet einen selbständigen Zweig der inneren Verwaltung. Ihr Chef ist der Ministerpräsident. Mit der laufenden Wahrnehmung der Geschäfte beauftragt der Ministerpräsident den Inspekteur der Geheimen Staatspolizei.

(2) Im Falle der Behinderung wird der Ministerpräsident als Chef der Geheimen Staatspolizei durch den Staatssekretär im Staatsministerium vertreten.

(3) Der Inspekteur der Geheimen Staatspolizei ist zugleich Leiter des Geheimen Staatspolizeiamts.

§ 2.

Zum Aufgabengebiet der Geheimen Staatspolizei gehören die von den Behörden der allgemeinen und der inneren Verwaltung wahrzunehmenden Geschäfte der politischen Polizei. Welche Geschäfte im einzelnen auf die Geheime Staatspolizei übergehen, wird durch den Ministerpräsidenten als Chef der Geheimen Staatspolizei bestimmt.

§ 3.

(1) Die bisher von dem Ministerium des Innern wahrgenommenen Geschäfte der politischen Polizei gehen mit dem Inkrafttreten dieses Gesetzes auf das Geheime Staatspolizeiamt über.

(2) Die Landes-, Kreis- und Ortspolizeibehörden haben in den Angelegenheiten der Geheimen Staatspolizei den Weisungen des Geheimen Staatspolizeiamts Folge zu leisten.

§ 4.

Der Finanzminister ist ermächtigt, zur Durchführung dieses Gesetzes den Staatshaushaltsplan zu ändern.

§ 5.

Die Bestimmungen des Gesetzes vom 26. April 1933 (Gesetzsamml. S. 122) treten insoweit außer Kraft, als sie diesem Gesetz entgegenstehen.

§ 6.

Dieses Gesetz tritt mit dem Tage der Verkündung in Kraft.

Berlin, den 30. November 1933.

(Siegel.)   Das Preußische Staatsministerium.

Göring   Popitz.
zugleich als Minister des Innern.

Im Herbst 1933 gliedert Hermann Göring das Geheime Staatspolizeiamt aus der Polizeiabteilung des Innenministeriums aus. Er unterstellt sich die Geheime Staatspolizei in seiner Funktion als preußischer Ministerpräsident. Rudolf Diels, für kurze Zeit in die Tschechoslowakei geflohen, wird erneut Inspekteur des Geheimen Staatspolizeiamtes.

entsprechenden Einrichtungen (Personalunion). Hierfür empfahl sich Heinrich Himmler, der in Bayern an die Spitze der Politischen Polizei gelangt war. Er hatte es verstanden, sich durch Ämterhäufung bereits von allen Kontrollen zu befreien: Als »Politischer Polizeikommandeur« war er Leiter der staatlichen Politischen Polizei, als »Kommandeur der Hilfspolizei« setzte er die SS zur Erfüllung polizeilicher und pseudopolizeilicher Aufgaben ein, und als »politischer Referent« im Bayerischen Innenministerium hatte er Einfluß auf seine eigene Aufsichtsbehörde. Auch war Himmler Herr über das im März 1933 errichtete Konzentrationslager Dachau. Als Kommandant des Lagers war der SS-Führer Theodor Eicke (ab 1934 Inspekteur aller Konzentrationslager) eingesetzt, die Bewachung lag in der Hand einer SS-Einheit, die Einweisungen besorgte die Bayerische Politische Polizei. Als es Himmler im Herbst und Winter 1933 auch noch gelang, die Justiz bei der Aufklärung von Mordfällen im Konzentrationslager Dachau auszuschalten, hatte er die Verfolgung der politischen Gegner in Bayern unter seine ausschließliche Kontrolle gebracht. Dieses Modell, das unter formaler Beachtung gesetzlicher Regelungen ein Höchstmaß an Sicherheit und Zuverlässigkeit für die nationalsozialistische Herrschaft bot, beeindruckte Hitler. Mit dessen Duldung nahm Himmler Kontakt zu anderen Landesregierungen auf und erhielt im Herbst und Winter die Leitung der meisten Politischen Polizeien im Reich.

Zunächst jedoch schien die Übernahme der Politischen Polizei durch das Reich als Folge der Zusammenlegung der Innenministerien bevorzustehen. Göring beugte diesem Machtverlust vor, indem er im Oktober 1933 im preußischen Staatsministerium überraschend ein »Gesetz über die Geheime Staatspolizei« im Entwurf vorlegte. Die Beschlußfassung erfolgte aus taktischen Gründen erst nach der Scheinwahl zum Reichstag und der »Volksabstimmung« über den Austritt Deutschlands aus dem Völkerbund am 12. November 1933.[20]
Das Gesetz stärkte die Stellung der Geheimen Staatspolizei außerordentlich und ging über den Anlaß, einen Kompetenzverlust an das Reich abzuwehren, entschieden hinaus:
– Der gesamte Aufgabenbereich der Geheimen Staatspolizei wurde aus dem Ressort des Innenministeriums ausgegliedert und als eigener Zweig der Verwaltung dem preußischen Ministerpräsidenten unterstellt. In Verbindung mit dieser im preußischen Staatsrecht bis dahin völlig unbekannten Gestaltung wurden neue Amtsbezeichnungen eingeführt, die offenbar militärischen Organisationsstrukturen nachempfunden waren: der Ministerpräsident wurde »Chef« der Geheimen Staatspolizei, die Wahrnehmung der laufenden Geschäfte einem »Inspekteur« übertragen, der zugleich Leiter des Geheimen Staatspolizeiamtes wurde. Seine enge Anbin-

dung an den Ministerpräsidenten hob ihn auf die Ebene der staatsleiten-
den Funktionen.
- Zum Aufgabengebiet der Geheimen Staatspolizei gehörten von nun an
  alle bisher von der allgemeinen und inneren Verwaltung wahrgenommenen Geschäfte der Politischen Polizei.[21] Die Absicht, andere Verwaltungs-
  zweige soweit wie möglich auszuschließen, ist unverkennbar; so bedeutete zum Beispiel die Übertragung der Geschäfte vom preußischen Innenministerium auf das Gestapa zugleich die Auflösung der Politischen
  Gruppe im Innenministerium; ein großer Teil der Beamten wurde einfach
  zum Dienst in die Prinz-Albrecht-Straße 8 versetzt.
- Die Staatspolizeistellen blieben den Regierungspräsidenten unterstellt. Sie
  standen, wie die Durchführungsverordnung vom 8. März 1934 dies formuliert, mit den Präsidenten in »unmittelbarer Geschäftsverbindung«.
  Gleichzeitig erhielt jedoch der Inspekteur die Befugnis der Oberaufsicht,
  also ein klares Weisungsrecht.

Noch während der internen Diskussion über den Gesetzentwurf kam es zu
einem Konflikt zwischen Göring und Diels. Die Gründe hierfür sind heute
nicht mehr aufzuklären; einiges spricht dafür, daß Diels ein Mordkomplott
der SS befürchtete und sich hiergegen durch Göring nicht ausreichend
geschützt sah. Er floh, in Begleitung des amerikanischen Botschafters Dodd,
in die Tschechoslowakei.[22] Auf Betreiben Dalueges ernannte Göring den
Altonaer Polizeipräsidenten Paul Hinkler im November 1933 zum Leiter des
Geheimen Staatspolizeiamtes. Hinkler konnte sich im verworrenen Geflecht
der internen Machtkämpfe allerdings nur 15 Tage halten: SA-Kreise verbreiteten Gerüchte über seine angebliche Geistesschwäche.[23]
Ende November 1933 kam Diels aus der Tschechoslowakei zurück und
übernahm – auf der Planstelle eines Berliner Vizepolizeipräsidenten und
unter der neuen Amtsbezeichnung »Inspekteur der Geheimen Staatspolizei«
– erneut die Leitung des Geheimen Staatspolizeiamtes. Seine erste Aufgabe
war eine Neuorganisation des Gestapa, zu der Göring der Reichskanzlei
bereits am 29. November weitreichende Vorstellungen mitgeteilt hatte. Am
Ende der Aufzeichnung war das Postulat angefügt: »Die Kommandanten der
Konzentrationslager unterstehen künftig dem Geheimen Staatspolizeiamt
unmittelbar«.[24]
Görings hochgespannte Vorstellungen blieben zwar weitgehend Wunsch-
denken, aber in Anlehnung an seine Vorschläge konnte Rudolf Diels die Neugliederung durchführen. Am 22. Januar 1934 legte er einen neuen Geschäftsverteilungsplan vor, der im Vergleich zur Geschäftsverteilung vom 19. Juni
1933 wesentliche Praxiserfordernisse schon berücksichtigte:[25]

Abteilung I Organisation und Verwaltung

Dezernat I A	Generalia, Gesetze ...
Dezernat I B	Personalangelegenheiten, ..., Verwaltung, ..., Gefängnis, ...
Dezernat I C	Geschäftsbedürfnisse, Kassen- und Rechnungsangelegenheiten ...

Abteilung II Juristische Abteilung

Dezernat II A	Justitiarangelegenheiten, Beschlagnahmen ...
Dezernat II B	Beschränkung der persönlichen Freiheit (Schutzhaft), Ausschreitungen, Sprengstoffangelegenheiten, Attentate ...
Dezernat II D	Pressepolizei (Verbote und Beschlagnahmen), Greuelpropaganda.
Dezernat II E 1	Wirtschaftspolitik, Werksabotage, NSBO, Agrarpolitik ...
Dezernat II E 2	Kultur- und Sozialpolitik, Luft-, Film- und Funksachen sowie konfessionelle Verbände.
Dezernat II F	1. Ausland, Ausländer, Auslandsdeutsche, Grenzland, Nationale Minderheiten, Danzig, Memelland, Österreich, Russen.
	2. Emigranten, Juden, Freimaurer.
Dezernat II F S	Saargebiet.

Abteilung III Bewegungsabteilung

Außendienst III A	
III A 1	Dauerdienst
III A 2	Kommissariat z.b.V.
III A 3	Kriminaltechn. Dienst
Dezernat III B 1	Kommunismus, Anarchismus, Syndikalismus, KPO ...
Dezernat III B 2	SPD, SAP, Reichsbanner, Gewerkschaften, Sonderaufträge.
Dezernat III B 3	Kommunistische und marxistische Flugblätter, sowie Zersetzung (in Reichswehr ...).
Dezernat III C	Konterrevolutionäre Bestrebungen (ohne konfessionelle Verbände).
Dezernat III Gd.	Geheimdienst.

III Nachrichtendienst
III Archiv.

Dieser Geschäftsverteilungsplan zeigt sowohl die weitgespannten Interessen des Gestapa (Memel, Danzig, Saardezernat) als auch die ersten Wandlungen in der Bekämpfung des politischen Gegners. So gab es zusätzlich zum Dezernat III B 1 noch das Dezernat III B 3, das sich dem Aufspüren kommunistischer und marxistischer Flugblätter sowie der allgemeinen Zersetzung widmete. Daraus lassen sich Rückschlüsse ziehen auf den Widerstand zu Beginn des Jahres 1934.

Die Zentralisierungsbestrebungen des Reichsinnenministeriums waren jedoch noch immer nicht vom Tisch. Eine Denkschrift an Staatssekretär Pfundtner sprach noch am 19. Dezember 1933 vom Aufbau einer »Geheimen Reichspolizei« und eines »Geheimen Reichspolizeiamtes«.[26] Der Verfasser der Denkschrift mußte allerdings feststellen, daß der Reichsführer-SS Heinrich Himmler bereits Kommandeur der Politischen Polizeien von Bayern, Württemberg, Mecklenburg und Lübeck war. Die Unterstellung der »Geheimen Reichspolizei« unter den Reichsinnenminister erschien daher in der Realität des Jahres 1934 nicht mehr durchsetzbar.

Aber auch Himmlers Ehrgeiz war noch nicht am Ende: Im Februar 1934 war er in allen Ländern »Politischer Polizeikommandeur«, außer im wenig bedeutsamen Schaumburg-Lippe und – in Preußen.

Himmler übernimmt die preußische Geheime Staatspolizei (April 1934)

Es bleibt unbekannt, wann Hitler das von Himmler vertretene Konzept der Herrschaftssicherung billigte. Sicher ist, daß er zu dieser Zeit nicht mehr nur die Ausschaltung des politischen Gegners und die Unterdrückung der Opposition im Auge hatte. Mit der Stärkung Heinrich Himmlers gegenüber Frick und Göring hielt Hitler die Macht seiner Paladine sorgfältig im Gleichgewicht. Wilhelm Frick, obwohl fanatischer Nationalsozialist, war für Hitler eher ein Exponent des im Reichsinnenministerium arbeitenden Beamtenapparates, dem er von jeher mißtraute. Hermann Göring, treuer Gefolgsmann Hitlers, besaß als Reichsluftfahrtminister und preußischer Ministerpräsident in Hitlers Augen genug Macht. Eine Politische Reichspolizei unter seiner Aufsicht hätte ihn leicht zum Rivalen des noch nicht vollkommen etablierten »Führers« erstarken lassen können. Es ist daher eine typisch nationalsozialistische Regelung, wenn Hitler im Herbst 1933 dem Bayerischen Politischen Polizeikommandeur Heinrich Himmler informell zugestand, die Politischen Polizeien der übrigen Länder zu übernehmen. Damit war eine reichseinheitliche Zusammenfassung ohne die auffällige Änderung bestehender Gesetzesvorschriften möglich; zugleich war die Machtbalance in der nationalsozialistischen Führung wieder stabiler. Mit der Rückendeckung Hitlers war es Himmler dann schließlich auch möglich, die preußische Geheime Staatspolizei unter seine Kontrolle zu bekommen.

Im April 1934 trafen sich Hermann Göring und Heinrich Himmler zu einer Aussprache über die preußische Polizei. Nicht Zuneigung, sondern machtpolitische Notwendigkeit angesichts der bevorstehenden Auseinandersetzung mit der SA hatte die beiden Hauptkontrahenten an den Verhandlungstisch geführt.

In der SA kursierten im Frühjahr 1934 immer deutlicher Pläne zur Schaffung eines Volksheeres, in dem sie natürlich die entscheidende Rolle spielen sollte. Die Reichswehr zeigte sich beunruhigt. Da Hitler nach dem Tode Hindenburgs die Ämter von Reichskanzler und Reichspräsident in seiner Person vereinen wollte und dies nur mit Duldung der Reichswehr möglich war, mußte die SA ausgeschaltet werden. Überdies paßte der revolutionäre und offen gewalttätige Anspruch Röhms und seiner SA nicht mehr ins politische Konzept Hitlers.

Die Ausschaltung der SA, die auch Göring als Voraussetzung für die weitere Festigung der nationalsozialistischen Macht ansah, war aber nicht ohne die SS, ihren Führer Heinrich Himmler und vor allem nicht ohne ihren Nachrichtendienst SD möglich. Himmler aber setzte sich auch nicht ohne eigene Interessen gegen seinen – formalen – Vorgesetzten Ernst Röhm ein: er wollte die preußische Gestapo übernehmen. Ob Göring von Hitler unter Druck gesetzt wurde oder nicht: Im April 1934 jedenfalls war er bereit, die Gestapo an Himmler zu übergeben. Dies fiel ihm um so leichter, als er zu dieser Zeit an einem neuen Instrument der Aggression, diesmal nach außen, arbeitete: Seine Energie galt dem Aufbau der Luftwaffe, sein Ehrgeiz dem Oberbefehl über die Reichswehr.

Während Rudolf Diels auf den Posten des Regierungspräsidenten in Köln abgeschoben wurde, kam um den 20. April 1934 Heinrich Himmler aus München als »Inspekteur« der Geheimen Staatspolizei nach Berlin. Bald fügte er diesem Titel die Bezeichnung »Stellvertretender Chef der Geheimen Staatspolizei« hinzu, aus dem sein eigener Machtanspruch deutlich wird. Reinhard Heydrich, bis dahin Leiter des »Sicherheitsdienstes des Reichsführers-SS« (SD), wurde neben dieser Aufgabe als »Leiter des Geheimen Staatspolizeiamtes« eingesetzt, das zu dieser Zeit – ohne die 2.000 Beamten in den dem Gestapa untergeordneten Staatspolizeistellen – rund 600 Beamte und Angestellte zählte.

Ein Teil der unter Diels aus der Justizverwaltung und der inneren Verwaltung übernommenen höheren Beamten wurde diesen Behörden wieder zur Verfügung gestellt. Himmler und Heydrich brachten eigene Leute mit, die für sie wertvolle Dienste in der Bayerischen Politischen Polizei geleistet hatten, unter anderem Heinrich Müller (»Gestapo-Müller«), Franz Josef Huber und Josef Meisinger. Alle diese Beamten sollten später im Geheimen Staatspolizeiamt und im Reichssicherheitshauptamt Spitzenstellungen übernehmen.

Am 20. April 1934 übergibt Hermann Göring die Leitung der Geheimen Staatspolizei im Hörsaal der ehemaligen Kunstgewerbeschule Heinrich Himmler. Im Hintergrund (unter Göring) ist Rudolf Diels, der erste Chef der Gestapo, zu erkennen.

Zahlreiche Beamte der Ära Diels waren noch vor dem Entstehen der Gestapo mit der NSDAP verbunden. Eine Reihe von ihnen, besonders junge Verwaltungsbeamte, kam mit Diels in das Gestapa, blieb aber dort nur bis zum Beginn der Amtsführung Himmlers. Christoph Graf urteilt zusammenfassend: »Die höhere Beamtenschaft des Gestapa unter Rudolf Diels wies einerseits einen erheblichen Anteil vor allem von Kriminalbeamten auf, welche die Kontinuität rückwärts in die Weimarer Republik und vorwärts bis in den Zweiten Weltkrieg hinein verkörperten. Andererseits wurde die Behörde in dem genannten Zeitraum geprägt durch einen hohen Anteil vor allem von Verwaltungsbeamten, welche 1933 neu in die Politische Polizei eintraten, diese aber zur Hälfte bis Ende 1934 wieder verließen. Das Gestapa unter

Rudolf Diels wies also personelle Elemente sowohl der Kontinuität als auch Diskontinuität auf, war sowohl Fortsetzung und Neubeginn als auch Übergangserscheinung«.[27]

Friedrich Zipfel faßte seine Ergebnisse über den neuen Typ des Gestapobeamten, der *nach* Diels zur Geheimen Staatspolizei kam, so zusammen: »Gescheiterte Existenzen im eigentlichen Sinne des Wortes finden wir unter diesen Leuten kaum, wohl aber eine Reihe äußerst ehrgeiziger Männer, die ein Gefühl der Deklassierung in sich getragen haben mögen: *Begabte*, denen in der Nachkriegszeit aus wirtschaftlichen Gründen die Universitäten verschlossen bleiben mußten, *freiberufliche Akademiker*, die durch die Wirtschaftskrise schwer getroffen waren, ..., *überalterte Assessoren*, die der allgemeinen Not ihres Standes durch den Eintritt in die im Aufbau befindlichen neuen Behörden mit ihren mutmaßlich günstigen Aufstiegsbedingungen zu entrinnen suchten«.[28]

Die Errichtung des Geheimen Staatspolizeiamtes ist auch mit einem Generationswechsel bei der polizeilichen Gegnerbekämpfung verbunden. Nicht mehr die alten, erfahrenen Polizeibeamten kamen in die Spitzenstellungen des neuen Apparates, sondern die neuen effizient arbeitenden Jungbürokraten. »Eine bisher viel zu wenig beachtete Tatsache ist die außerordentliche Jugend der entscheidenden Gestapo- und SD-Führer: *Himmler* wurde mit 29 Jahren Führer der SS, mit 33 hatte er die bayerische, mit 34 die deutsche politische, mit 36 die gesamte deutsche Polizei in der Hand. Als Vertreter in den politisch-polizeilichen Stellungen folgte ihm der um dreieinhalb Jahre jüngere *Heydrich*, der als 28jähriger mit dem Aufbau des SD begonnen hatte. Sein Nachfolger *Kaltenbrunner* war bei seinem Amtsantritt 39 Jahre alt. Werner *Best* wurde mit 30 Jahren Staatskommissar in Hessen, mit 32 Chef des Organisations- und Rechtsamtes im Gestapa. Sein Nachfolger Hans *Nockmann* übernahm dieses Amt als 37jähriger. Heinrich *Müller*, ein ehemaliger Subalternbeamter, wurde mit 36 stellvertretender, mit 39 Jahren Chef der Gestapo. Otto *Ohlendorf* war mit 35 Jahren Chef des SD-Inland, Heinz *Jost* im gleichen Alter Chef des SD-Ausland ...

Unter den 116 leitenden Angehörigen des Gestapa, der einschlägigen Referate im RSHA und in der Stapo(leit)stelle Berlin befanden sich 46 Juristen, darunter mindestens 26 Assessoren und Referendare, 8 Philologen, darunter 2 Assessoren und 1 Referendar, 3 katholische, 1 evangelischer Theologe, 5 Diplom-Volkswirte, 2 Ärzte, 1 Diplom-Landwirt, 5 Studenten, 23 Polizei- oder Verwaltungsbeamte aus dem gehobenen Dienst und 12 Angehörige anderer nichtakademischer Berufe. Lediglich zehn von den insgesamt 66 Akademikern, 9 Juristen und ein katholischer Theologe, waren vor 1900 geboren«.[29]

Diese Daten zeigen deutlich, daß in der Prinz-Albrecht-Straße 8 nicht grobschlächtige, dumme SS-Bonzen saßen, sondern eine neue Generation

SS-Gruppenführer Reinhard Heydrich, engster Mitarbeiter Heinrich Himmlers, beginnt mit 28 Jahren den Aufbau des »Sicherheitsdienstes des Reichsführers-SS«, leitet mit 30 Jahren das Geheime Staatspolizeiamt und ist mit 32 Jahren »Chef der Sicherheitspolizei und des SD«. Auffällig ist, daß an der Wand hinter Heydrich kein Bild Hitlers, sondern das Bild des »Reichsführers-SS« Heinrich Himmler zu sehen ist.

nationalsozialistisch denkender, effizient arbeitender und auf die eigene Karriere bedachter, zum großen Teil akademisch vorgebildeter Polizeibeamter. Auch wenn der Faktor der politischen und ideologischen Gebundenheit seine Bedeutung gehabt haben mag, mindestens ebenso hoch ist das Karrieredenken und die Anpassungsbereitschaft der jungen Akademiker einzuschätzen, die oft aus schwierigen finanziellen Verhältnissen in gesicherte und einflußreiche Positionen kamen. Sie waren bereit, den nationalsozialistischen Staat mitzutragen und stellten sich ganz in den Dienst der Verfolgung des politischen Gegners.

Am 2. Mai 1934 zog die neugeschaffene Koordinationsstelle, das »Zentralbüro des Politischen Polizeikommandeurs der Länder«, in die Zimmer 106 und 107 des ersten Stocks in der Prinz-Albrecht-Straße 8. Hier vereinigte Himmler seine Länderkompetenzen zu einer faktischen Reichskompetenz. Damit griff er der gesetzlichen Regelung von 1936 um mehr als zwei Jahre vor. Das Gestapa erhielt drei Hauptabteilungen:[30]

I   Justitiar-, Verwaltungs-, Organisations- und Personalangelegen-
     heiten
II   Politische Polizei
III Abwehrpolizei.

Die Hauptabteilung II wurde zum Herzstück des Geheimen Staatspolizeiamtes. Sie gliederte sich in zwei Unterabteilungen:

Unterabteilung II 1

Hauptgeschäftsstelle
Berichterstattung

II 1 W	Waffen und Sprengstoffsachen.
II 1 z.b.V.	Sonderaufträge (Beobachtungen, Attentate).
Dienststelle II 1 A:	Kommunistische und marxistische Bewegung mit 4 Dezernaten.
Dienststelle II 1 B:	Konfessionelle Verbände, Juden, Freimaurer, Emigranten mit 2 Dezernaten.
Dienststelle II 1 C:	Reaktion, Opposition, Österreichische Angelegenheiten mit 2 Dezernaten.
Dienststelle II 1 D:	Schutzhaft, Konzentrationslager.
Dienststelle II 1 E:	Wirtschafts-, Agrar- und Sozialpolitik, Werksabotage u.a.
Dienststelle II 1 F:	Kartei, Leumund, Aktenverwaltung.
Dienststelle II 1 G:	Erkennungsdienst.
Dienststelle II 1 H:	Partei-, SA-, SS-, HJ- und BdM-Angelegenheiten.

Unterabteilung II 2

Presse

Dienststelle II 2 A:	Allgemeine Presseangelegenheiten und Inlandspresse mit drei Dezernaten.
Dienststelle II 2 B:	Auslandspresse, Auslandsdrucksachen mit drei Dezernaten.

Am 30. Juni 1934 erfüllten Himmler und Heydrich die in sie gesetzten Erwartungen. Der SD hatte bereits bei der Vorbereitung eine besondere Rolle gespielt: Über ihn konnte zum einen der Reichswehrgeneralität dosiert gefälschtes Material über die Pläne der SA zugeleitet werden; zum anderen stellten regionale SD-Einheiten Listen von »Schweinehunden« auf, die am 30. Juni 1934 »umgelegt« werden sollten.[31]

In Berlin war das Geheime Staatspolizeiamt als Sitz Heydrichs die lokale Koordinationsstelle. Am Morgen des 30. Juni empfing er dort den SS-Hauptsturmführer Kurt Gildisch von der Leibstandarte SS Adolf Hitler und gab ihm den Auftrag, den ehemaligen Leiter der Polizeiabteilung und jetzigen

Ministerialdirektor im Reichsverkehrsministerium, Erich Klausener, zu ermorden. Gildisch führte diesen Auftrag getreu aus; wenige Tage später wurde er ebenso wie die anderen an den Morden beteiligten SS-Männer befördert. Kurz nach den Morden ordnete Himmler an, »daß jegliche Schreiben, Funksprüche, Durchschlagpapiere, Listen und Notizen, die auf die Säuberungsaktion und ihre Durchführung Bezug nehmen, durch Feuer zu vernichten sind. Für die Bürgermeister kommen insbesondere die Funksprüche in Betracht, die sich mit der Verfolgung flüchtiger SA-Führer befassen. Unter die Verordnung fallen nicht die Anordnungen betr. Entwaffnung«.[32]

Das Gestapa übernahm einen Teil der nach dem 30. Juni notwendigen Verschleierungs- und Abwicklungsarbeiten. Unter dem SD-Führer Hermann Behrends wurde der Unterabteilung II 1 ein Sonderdezernat »II 1 S« angegliedert. So sandte das Sonderdezernat am 4. August 1934 eine Liste aller noch »im Zuge der Säuberungsaktion Inhaftierten« mit zehn Namen an Staatssekretär Körner im preußischen Staatsministerium.

Prominentester Inhaftierter war der Hitler-»Biograph« Edgar von Schmid-Pauli, der zusammen mit acht anderen noch im Gestapa einsaß:[33] Reinhard Heydrich selbst unterschrieb einen im Sonderdezernat entworfenen Brief an den Staatssekretär der Reichskanzlei, Otto Lammers, in dem die Beteiligung eines Bürgermeisters an den Ereignissen des 30. Juni 1934 angesprochen wurde.[34] Obwohl das Sonderdezernat noch am 9. Oktober 1934 dem Innenminister (der mehrmals nachgefragt hatte und ausdrücklich drängte) eine Liste der »im Zuge der Säuberungsaktion erschossenen Beamten« zusandte, taucht weder das Sonderdezernat noch sein Leiter Behrends im Geschäftsverteilungsplan vom 25. Oktober 1934 auf. Die Tätigkeit des Sonderdezernats dürfte also in dieser Zeit beendet worden sein.

Das Sonderdezernat II 1 S sollte Vorbild für eine Reihe von Sonderkommissionen sein, die das Gestapa bei wichtigen politisch-polizeilichen Ereignissen einsetzte. So wurde nach dem Attentat des Tischlers Georg Elser auf Hitler am 9. November 1939 im Münchener Bürgerbräukeller eine Sonderkommission eingesetzt, zu der Beamte des Gestapa gehörten. Auch für die Aufklärung des Komplexes »Rote Kapelle« setzte die Gestapo 1942 eine große Sonderkommission unter dem Sabotagespezialisten Horst Kopkow ein. Die wohl größte Sonderkommission der Gestapo wurde jedoch nach dem Attentat auf Hitler am 20. Juli 1944 eingesetzt.

Dem Wortlaut des zweiten Gestapo-Gesetzes nach blieb der preußische Ministerpräsident rechtlich gesehen »Chef« der Gestapo, während Himmler als »Inspekteur« nur für die Abwicklung der laufenden Geschäfte zuständig war. In der Praxis gelang es Himmler jedoch innerhalb weniger Monate, diese Regelung durch interne Organisationsbestimmungen auszuhöhlen: Die Zuständigkeit Görings wurde zur leeren Hülse, die eigentliche Amtsgewalt ging nahezu unkontrolliert in die Hände Himmlers über. Ausgangs- und

Endpunkt dieser Machtverschiebung markieren zwei behördeninterne Dokumente: Am 28. April 1934, also unmittelbar nach Amtsantritt Himmlers, ordnete Göring an, daß ihm alle Lageberichte der Gestapo vorzulegen seien, und behielt sich die Schlußzeichnung sämtlicher wichtiger Schreiben an die Reichs- und Preußischen Ministerien vor.[35] Himmler nahm diese Regelung formal hin, unterlief sie aber in der täglichen Praxis.

Knapp sieben Monate später, mit Schreiben vom 20. November 1934, gab Göring alle bisher ihm vorbehaltenen Kompetenzen an Himmler ab: »Aus organisatorischen Gründen habe ich mich veranlaßt gesehen, den Inspekteur der Geheimen Staatspolizei, Herrn Reichsführer SS, Himmler, mit meiner Vertretung auch in Angelegenheiten der Geheimen Staatspolizei zu betrauen, deren Bearbeitung bisher unter Einschaltung des Preußischen Staatsministerium [d.i. das Amt des Ministerpräsidenten] erfolgte. Der Inspekteur der Geheimen Staatspolizei wird die Geschäfte der gesamten Preußischen Geheimen Staatspolizei nunmehr unter alleiniger Verantwortung mir gegenüber führen. Der Schriftwechsel erfolgt in den Angelegenheiten, die ich mir [in der Geschäftsanweisung vom 15. Oktober 1934] vorbehalten habe, unter der Firma: ›Preußische Geheime Staatspolizei, Der stellvertretende Chef und Inspekteur‹. Indem ich hiervon Kenntnis gebe, bitte ich, den Schriftwechsel in allen Angelegenheiten der Preußischen Geheimen Staatspolizei nunmehr unmittelbar und ausschließlich an das Geheime Staatspolizeiamt, Berlin SW 11, Prinz-Albrecht-Straße 8 zu richten«.[36] Damit hatte Hermann Göring den Kampf um die Politische Polizei in Preußen endgültig aufgegeben. Er widmete sich jetzt ganz seinen Plänen mit der Luftwaffe und ab 1936 zusätzlich dem ihm übertragenen Vierjahresplan.

Machtsicherung nach innen und außen

Bereits einige Monate zuvor hatte Göring die immer wieder auftretenden Konflikte um die Staatspolizeistellen zwischen Regierungspräsidenten und Geheimem Staatspolizeiamt im wesentlichen zugunsten des Gestapa entschieden. Am 6. Juli 1934, wenige Tage nach der Bartholomäusnacht, erging ein umfangreicher Organisationserlaß an alle betroffenen Stellen, in dem es hieß: »Die Staatspolizeistellen haben Ersuchen der Regierungspräsidenten um Durchführung bestimmter Maßnahmen zu entsprechen, es sei denn, daß ausdrückliche Anweisungen von mir oder dem Inspekteur der Geheimen Staatspolizei der Erfüllung des Ersuchens entgegenstehen ... Das scharfe Instrument der Geheimen Staatspolizei, welches ich für den neuen Staat geschaffen habe, hat gewisse Eingriffe in den Behördenaufbau erfordert. Durch eine vertrauensvolle Zusammenarbeit können aber bürokratische Reibungen vermieden werden. Ich erwarte von allen beteiligten Behörden, daß sie in Erkenntnis der bestehenden sachlichen Notwendigkeiten alles daran setzen, um eine solche reibungslose Zusammenarbeit zu erzielen«.[27]

Diese Regelung kehrte, bei klarem Lichte besehen, die von der Durchführungsverordnung zum zweiten Gestapo-Gesetz vorgesehene Behördenstruktur im Konfliktfall um: Die Gestapo hatte das Recht zu entscheiden, ob die Staatspolizeistellen eine Weisung ihres obersten Behördenleiters befolgen mußten oder nicht. Praktisch bedeutete dies eine weitgehende Herauslösung der Staatspolizeistellen aus dem Organisationsgefüge der allgemeinen Polizeibehörden.

Aber nicht nur innerhalb der Verwaltung setzte sich das Geheime Staatspolizeiamt durch. Wer von einer Maßnahme der Gestapo betroffen war, besaß fast keine Möglichkeit mehr, sich zu wehren: In einem Urteil vom 2. Mai 1935 stellte das preußische Oberverwaltungsgericht fest, daß gegen Verfügungen des Geheimen Staatspolizeiamtes seit Inkrafttreten des zweiten Gestapo-Gesetzes Ende 1933 Klagen nicht mehr zulässig seien; die Geheime Staatspolizei gehöre nicht mehr zu den allgemeinen Polizeiverwaltungen des Innenressorts, sondern sei zu einem eigenen Zweig der Staatsverwaltung unter dem Ministerpräsidenten geworden. Die allgemeine Gerichtsschutzklausel des § 1 Abs. 3 des Polizeiverwaltungsgesetzes gelte aber nur für die genannten Behörden des Innenressorts.[38] Es war eine ausgeklügelte Entscheidung, die alle Kniffe juristischer Logik bemühte. Auf diese Weise schnitt sich das preußische Oberverwaltungsgericht eine jahrzehntelange, liberale Rechtssprechung selbst ab.

Ein knappes Jahr später wies Heydrich die Gestapo-Stellen noch einmal auf die neue Macht hin. In einem Runderlaß vom 9. März 1936 bat er, bei Rechtsmittelbelehrungen darauf aufmerksam zu machen, »daß zur Entscheidung über die Dienstaufsichtsbeschwerde das Geheime Staatspolizeiamt in Berlin zuständig ist«.[39] Den Betroffenen sollte schon früh deutlich gemacht werden, daß eine Beschwerde gegen die Geheime Staatspolizei letztlich von Heinrich Himmler bearbeitet werden würde – die Ergebnisse solcher Eingaben waren damit vorauszusehen.

Konsolidierung und Expansion

Bei den Etatverhandlungen 1935 bekam die Gestapo für die 34 Staatspolizeistellen in Preußen 2053 Beamte sowie 747 »nichtbeamtete Hilfskräfte« zugewiesen. Das Gestapa erhielt 637 Stellen für Beamte und 1508 Stellen für »nichtbeamtete Hilfskräfte«. In dieser letzten Zahl waren allerdings 1127 Stellen für die Wachmannschaften der preußischen Konzentrationslager enthalten. Die preußische Geheime Staatspolizei bestand 1935, ohne die Wachmannschaften, also aus mindestens 3818 Personen.[40]

Die Etatverhandlungen im Frühjahr 1936 brachten der Gestapo einen erneuten Stellenzuwachs auf insgesamt 6372 Personen (davon 1683 im KL-Wachdienst). Das preußische Finanzministerium kalkulierte für das Haushaltsjahr 1936 knapp 30 Millionen RM für die Gestapo. Obwohl die Bezahlung der KL-Wachverbände im April auf das Reich überging, dürfte dieser Etat 1936 eher noch überschritten worden sein.

Die Geschäftsverteilung vom 1. Oktober 1935 zeigte noch alle drei Hauptabteilungen in der Prinz-Albrecht-Straße 8. Himmler, Heydrich und die Organisations- und Verwaltungsabteilung saßen im ersten Stock, die Politische Polizei und die Abwehrpolizei teilten sich das zweite und dritte Stockwerk. Im Erdgeschoß saßen der Dauerdienst, der Fahrdienst, die Kasse und ein Teil der Verwaltungsabteilung unter Dr. Werner Best.

Auf Dauer erwies sich das Gebäude als zu klein. Nachdem Anfang 1936 die Inspektion der Konzentrationslager in die Wilhelmstraße 98, später in die Friedrichstraße 129 gezogen war, wurde im Frühsommer 1936 auch der Umzug der Abt. III (Abwehr) in die Wilhelmstraße 101 durchgeführt. In der Prinz-Albrecht-Straße 8 waren ab Sommer 1936 nur noch die Abt. I (Organisation und Verwaltung) und die Abteilung II (Politische Polizei) untergebracht.

Die Dezernate der Geheimen Staatspolizei hatten inzwischen klar abgegrenzte, deutlich unterschiedene Aufgabengebiete. So war etwa die Dienststelle II 1 A (Kommunistische und marxistische Bewegung und deren Nebenorganisationen) unter SS-Hauptsturmführer Heinrich Müller in zwei Geschäftsbereiche mit vier Dezernaten aufgeteilt worden:

Geschäftsbereich Kommunismus:

Dezernat II A 1:	Kommunismus außer Marxismus und Nebenorganisationen.
Dezernat II A 3:	Zersetzung, Betriebsarbeit der KPD, Am-Apparat der KPD.

Geschäftsbereich Marxismus:

Dezernat II 1 A 2:	Marxismus außer KPD und Nebenorganisationen.
Dezernat II 1 A 4:	Komintern, GPU, russische Konstitutionen, rechtsrussische Bewegung, deutsche Rückwanderer aus der UdSSR, Ausländerregistratur.

KPD und Sozialdemokratie wurden nunmehr also auch von ihren Verfolgern deutlich voneinander getrennt. Das Schwergewicht der Arbeit der Gestapo lag ab 1935 freilich nicht mehr allein auf der Beobachtung und Verfolgung des Gegners. Sie wollte alle Formen möglicher Opposition und abweichenden Verhaltens erfassen und ausschalten.

Der »Reichsführer-SS und Chef der Deutschen Polizei«

Noch immer war aber die Frage der einheitlichen Leitung aller Polizeikräfte im Reich nicht geklärt. Im Herbst 1935 kam es zu einer erneuten Diskussion unter den beteiligten Behörden. Reichsinnenminister Frick sah in einer Reichspolizei die Möglichkeit, die aus der inneren Verwaltung ausgegliederte Geheime Staatspolizei wieder der Kompetenz des Innenressorts zuzuführen. Nach einer Besprechung bei Hitler forderte er am 12. Oktober 1935 über Staatssekretär Pfundtner eine Denkschrift an über »die finanziellen Auswirkungen einer Eingliederung der Geheimen Staatspolizei in den Gesamtrahmen der Polizei und damit des Reichs- und Preußischen Innenministeriums«.[41] Frick hatte das Ziel, Kurt Daluege mit der Leitung der deutschen Polizei zu beauftragen und Himmler in eine einflußlose Staatssekretärsstelle abzuschieben. Schon am 21. September hatte er formuliert: »Allen diesen Aufgaben kann die Polizei nur dann gerecht werden, wenn ihr Bestand erheblich vermehrt, ihr gesamter Aufbau von reichswegen einheitlich organisiert und die politische Polizei wieder mit der übrigen Polizei vereinigt wird«.[42]

Auch Heinrich Himmler erhielt dieses Schreiben und leitete schnell und überlegt Gegenmaßnahmen ein: Am 18. Oktober begab er sich zu einem ausführlichen Gespräch mit Adolf Hitler und konfrontierte diesen mit einer langen Liste innenpolitischer Probleme, die nur einer – Heinrich Himmler – lösen konnte. Noch während des Gesprächs wurde zum Beispiel der »Reichssicherheitsdienst«, Hitlers persönliche Leibwache, Himmler direkt und unmittelbar unterstellt.[43] Aus einer Reihe von Notizzetteln Himmlers für diese Besprechung ist erkennbar, daß er seine Themen in der Reihenfolge »1. Behandlung der Kommunisten, 2. Abtreibungen, 3. Asoziale Elemente, 4. Wachverbände, 5. Gestapa-Erlaß v. Frick« zur Sprache brachte.[44] Nachdem Himmler so Hitler mit den ideologischen Gegnern des Nationalsozialismus konfrontiert hatte, legte er den Brief Fricks vor und konnte einen vollen Erfolg verbuchen. Obwohl eine direkte Notiz über die Polizei-Kompetenz nicht vorliegt, ist aus einer Aktennotiz Himmlers über die Führerschulen, die er kurz nach der Besprechung diktierte, die Entscheidung Hitlers zugunsten von Heinrich Himmler erkennbar: »Über die Frage der Führerschulen, inneren Unruhen und der Verfügungstruppe und über die Frage der asozialen Elemente und ihre Sicherstellung in besonderen Erziehungslagern sowie über das schärfste Vorgehen gegen die Kommunisten wurde lange gesprochen. Die Führerschulen wurden vom Führer grundsätzlich genehmigt und sollen im Rahmen der Zusammenfassung der Gesamtpolizei unter den Reichsführer SS, entweder als Staatssekretär im Innenministerium oder unmittelbar unter den Führer gestellt werden«.[45]

Foyer des Geheimen Staatspolizeiamts mit den Büsten von Hitler und Göring.

Hitler hatte Heinrich Himmler wieder einmal unterstützt. Auch 1935 hatte er kein Interesse daran, das Reichsinnenministerium zu stärken. Es ging längst nicht mehr nur um die Verfolgung der politischen Opposition, sondern ebenso um die Ausgrenzung und Unterdrückung aller Menschen, die von der Norm der nationalsozialistischen »Volksgemeinschaft« abwichen.

Von Hitler gestärkt, konnte Himmler der weiteren Auseinandersetzung mit Frick ruhig entgegensehen. Dazu gehörte auch der alte Kompetenzstreit über die Unterstellung und Weisungsgebundenheit der Gestapostellen. Die Ober- und Regierungspräsidenten verlangten ein stärkeres Weisungsrecht gegenüber den Staatspolizeistellen in ihren Gebieten. Nach längeren Verhandlungen zwischen dem Reichs- und Preußischen Innenministerium, das die Interessen der lokalen Instanzen vertrat, und dem Geheimen Staatspolizeiamt kam es am 10. Februar 1936 zum dritten Gestapo-Gesetz.

Es schrieb den bestehenden Status fest, fügte allerdings in § 5 eine neue Weisungsbefugnis der Regierungspräsidenten hinzu: »Die Staatspolizeistellen sind gleichzeitig den zuständigen Regierungspräsidenten unterstellt, haben den Weisungen derselben zu entsprechen und sie in allen polizeilichen Angelegenheiten zu unterrichten«.[46] Diese neue Weisungsbefugnis, die tatsächlich eine wirksame Eingriffsmöglichkeit in die Arbeit der Gestapo hätte darstellen können, blieb in dieser Form allerdings nur wenige Tage gültig.

Bereits am 29. Februar 1936 stellte Göring als preußischer Ministerpräsident gegenüber den ihm unterstellten Regierungspräsidenten in einer Dienstanweisung heraus, wo die Grenzen ihrer Weisungsbefugnis gegenüber den Gestapostellen lagen: »Erteilt der Regierungspräsident der für seinen Regierungsbezirk zuständigen Staatspolizei eine Weisung, die mit den allgemeinen oder mit besonderen Weisungen des Geheimen Staatspolizeiamtes an die Staatspolizeistellen nicht vereinbar ist, so hat der Leiter der Staatspolizeistelle den Regierungspräsidenten darauf hinzuweisen und über diesen Hinweis einen Aktenvermerk aufzunehmen. Will der Regierungspräsident trotz dieses Hinweises der Staatspolizeistelle auf Durchführung seiner Weisung bestehen, so ist von ihm die Entscheidung des Geheimen Staatspolizeiamtes einzuholen«. [47]

Nun war das Geheime Staatspolizeiamt nicht mehr nur Endstation für Dienstaufsichtsbeschwerden gegen die Gestapo, sondern besaß darüber hinaus Entscheidungsrecht über einzelne Weisungen der Regierungspräsidenten. So war das Gestapa trotz der scheinbaren Schwächung seiner Position im dritten Gestapa-Gesetz eher noch stärker geworden.

Himmler wußte sich der Unterstützung Hitlers sicher. Anfang Juni 1936 kam es zu einer Reihe von Besprechungen zwischen den beteiligten Instanzen. Am 6. Juni 1936 unterbreitete Himmler in einer Sitzung bei Hitler »Gesichtspunkte für eine Übernahme durch den Reichsführer-SS im Rahmen des Reichs- und Preußischen Ministerium des Innern«. [48] In diesen Vorschlägen, die in den folgenden Tagen vor allem zwischen Heydrich und den Vertretern des Innenministeriums diskutiert wurden, nachdem Hitler sie grundsätzlich gebilligt hatte, forderte Himmler die »Befehls- und Verwaltungsbefugnisse« eines »Chefs der deutschen Polizei«. Die ehemalige Polizeiabteilung des Reichs- und Preußischen Innenministeriums und die Geheime Staatspolizei mit vermehrten Funktionen sah er als die beiden tragenden Pfeiler der neuen deutschen Polizei unter seiner Führung.

Hitlers Entscheidung vom 18. Oktober 1935 behielt ihre Gültigkeit: Am 17. Juni 1936 unterschrieben er und Frick den Erlaß über Himmlers neue Funktion als »Reichsführer-SS und Chef der Deutschen Polizei im Reichsministerium des Innern«. [49] Himmler war jetzt zwar dem widerstrebenden Frick »persönlich und unmittelbar« unterstellt, aber dies blieb eine Formsache, denn Frick hatte jeden Einfluß auf die Polizei verloren. Im Herbst 1936 betonte er noch einmal ausdrücklich, daß Himmler als sein »ständiger Vertreter« ministerielle Entscheidungsgewalt im Polizeibereich hatte.

Bereits am 26. Juni 1936 ordnete Himmler, der genug Zeit zur Vorbereitung besessen hatte, eine neue Organisation seines Geschäftsbereiches an. Kurt Daluege, den Hitler am Tag des Erlasses – als Kompensation für seine Entmachtung – zum General der Polizei befördert hatte, leitete nun das »Hauptamt Ordnungspolizei«, dem Schutzpolizei, Gendarmerie und

Gemeindepolizei unterstellt waren. Reinhard Heydrich erhielt als »Chef der Sicherheitspolizei« die Leitung des »Hauptamts Sicherheitspolizei« mit der Gestapo und der Kriminalpolizei. Das neue Instrument der Kriminalpolizei konnten Himmler und Heydrich nun gegen jene Gegner einsetzen, die Himmler am 18. Oktober 1935 bei Hitler angeprangert hatte: Gegen »Berufsverbrecher« und »Asoziale« ebenso wie gegen Homosexuelle und »Arbeitsscheue«.

Die SS-Führung in Berlin

Als Heinrich Himmler am 6. Januar 1929 die »Schutzstaffel« übernahm, zählte die kleine Spezialeinheit innerhalb der SA nur rund 250 Mitglieder. Himmler hatte von Hitler den Auftrag erhalten, aus ihr »eine in jedem Fall verläßliche Truppe, eine Elitetruppe der Partei zu formen«; er erreichte dieses Ziel innerhalb weniger Jahre und gab der SS ein striktes ideologisches Konzept, das von der wahnhaften Vorstellung eines globalen Machtkampfes zwischen der heilbringenden nordischen Rasse und dem jüdisch-bolschewistischen Untermenschen ausging.

Stand zunächst der Schutz führender Parteipersönlichkeiten im Mittelpunkt der Aufgaben, so kamen allmählich Ordnungsfunktionen innerhalb der NSDAP (»Parteipolizei«) und systematische Nachrichtenbeschaffung (»Sicherheitsdienst des Reichsführers-SS« ab 1931) hinzu.

Trotz formeller Unterstellung unter die SA gelang es der SS, sich schrittweise unabhängig zu machen. Hierzu trug auch ihr schnelles Wachstum bei. Schon Ende 1929 hatte sie sich vervierfacht, und in den folgenden Jahren stieg die Mitgliederzahl sprunghaft an: [50]

1930	2.727 Mann
1931	14.964 Mann
1932	52.048 Mann
1933	209.014 Mann

Der Sitz der SS lag ursprünglich – wie der der NSDAP – in München, der »Hauptstadt der Bewegung«. Dementsprechend war hier auch das erste zentrale Verwaltungsamt der SS entstanden. Wenige Monate nachdem Himmler die Leitung der Gestapo übernommen hatte, verlegte er die wichtigsten SS-Führungsstellen nach Berlin und brachte sie an der Prinz-Albrecht- und der Wilhelmstraße in unmittelbarer Nachbarschaft der Gestapo unter. Hier entstand, unmittelbar südlich der staatlichen Ministerien, das »Regierungsviertel« des immer mächtiger werdenden SS-Staates.

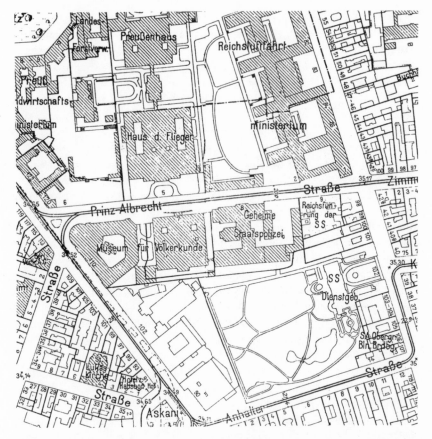

Berliner Stadtplan von 1936. Die Prinz-Albrecht-Straße mit dem Geheimen Staatspolizeiamt, dem »Haus der Flieger« und dem Reichsluftfahrtministerium liegt am südlichen
Rand des Regierungsviertels. In der Prinz-Albrecht-Straße 9 (im Plan: Reichsführung
der SS) befinden sich das SS-Hauptamt und die Adjutantur Heinrich Himmlers (später:
Persönlicher Stab Reichsführer-SS). Im Eckhaus Wilhelmstraße 98 ist bereits ein Teil des
Schutzhaft-Dezernats untergebracht; 1936 dient es für einige Monate Theodor Eicke,
dem »Inspekteur der Konzentrationslager«, als Unterkunft. Im Prinz-Albrecht-Palais in
der Wilhelmstraße 102 hat Heinrich Himmler den Partei-Nachrichtendienst SD (Sicherheitsdienst des Reichsführers-SS) untergebracht. Reinhard Heydrich hat sowohl hier als
auch in der Prinz-Albrecht-Straße 8 und ab 1939 auch im neugebauten Reichskriminalpolizeiamt (Werderscher Markt 5-6, nicht auf dem Plan) ein Dienstzimmer. Bereits 1920
waren die Bestände des Kunstgewerbemuseums in das Berliner Schloß verlagert worden; sie wurden jetzt als Teil des Schloßmuseums gezeigt. Im ehemaligen Kunstgewerbemuseum (Prinz-Albrecht-Straße 7) hatten sich dann in den zwanziger Jahren Teile des
Völkerkundemuseums etabliert; sie verblieben hier bis zur Auslagerung gegen Ende des
Zweiten Weltkriegs. Neben dem Reichsluftfahrtministerium ist das »Haus der Flieger«,
das ehemalige Abgeordnetenhaus des Preußischen Landtags, zu erkennen.

Hinter dieser Zusammenführung steckte Methode. Von Anfang an betrieben Himmler und Heydrich eine schrittweise Verklammerung, und innerhalb weniger Jahre erreichten sie eine so weitgehende Annäherung und wechselseitige Durchdringung von Gestapo und SS, daß für viele Zeitgenossen die Unterschiede zwischen beiden Organisationen zu verschwimmen begannen.

Dabei waren beide Einrichtungen eigentlich klar voneinander geschieden. Während die Geheime Staatspolizei – worauf schon ihr Name hinwies – eine *staatliche* Einrichtung war, die nach wie vor in die Behördenstruktur des Staates eingefügt war und für deren hauptamtliche Bedienstete die Beamtenvorschriften galten, gehörte die SS zu den reinen Parteiorganisationen. Ihre militärähnlich organisierten, immer wieder in Uniform auftretenden Mitglieder waren und fühlten sich stets als Teil der nationalsozialistischen Bewegung und nicht als Dienstkräfte des Staates. Nur wenige von ihnen, vor allem in oberen Führungspositionen, übten ihre Funktion hauptberuflich aus; sie standen dabei rechtlich selbstverständlich in einem Dienstverhältnis zur Partei und nicht zum Staat. Soweit einzelnen SS-Einheiten »staatliche« Aufgaben übertragen wurden – etwa Hilfstätigkeiten zur Unterstützung der Polizei oder die Bewachung der Konzentrationslager –, zahlte der Staat hierfür globale Zuschüsse an die Partei.

Schon um die Jahreswende 1934/35 nutzte Himmler die neugewonnene Unabhängigkeit zu zwei grundlegenden organisatorischen Veränderungen innerhalb der SS: Mit Erlaß vom 14. Dezember 1934 unterteilte er die bisher einheitlich organisierte SS in die »Allgemeine SS« und die beiden Sonderformationen »SS-Verfügungstruppen« und »SS-Wachverbände«;[51] dabei verstand es sich von selbst, daß die beiden Sonderformationen in Anbetracht ihrer Aufgaben hauptberuflich organisiert sein mußten. Die Allgemeine SS bestand aus der Masse der nach wie vor ehrenamtlich aktiven SS-Mitglieder und galt als »Fortsetzung des ursprünglichen politisch-weltanschaulichen Kampfbundes«. Nach der Abtrennung der beiden Sonderformationen betrug die Stärke der Allgemeinen SS noch knapp 200.000 Mann.[52]

Hierarchisch, in militärähnlichem Aufbau organisiert, erfaßte die Allgemeine SS flächendeckend in mehreren Stufen das gesamte Reichsgebiet: Dem Reichsführer-SS waren unmittelbar 13 Oberabschnitte unterstellt; ihnen folgten vier weitere Organisationsstufen: Abschnitte – Standarten – Sturmbanne – Stürme. Berlin gehörte zunächst zum »SS-Oberabschnitt Spree« unter dem Befehl von SS-Gruppenführer Kurt Daluege und hatte im Stadtgebiet die beiden SS-Abschnitte III und XXIII (Standort für alle drei Dienststellen: Steglitz, Rothenburgstraße 12).

Unter dem Sammelbegriff SS-Verfügungstruppen wurden die ersten bewaffneten SS-Einheiten zusammengefaßt, die sich 1933/34 auf Initiative einzelner SS-Oberabschnittsführer als »Politische Bereitschaften« an verschiedenen Orten gebildet hatten. In Berlin war am 17. März 1933 eine SS-

Stabswache unter dem Befehl des SS-Gruppenführers Sepp Dietrich zum persönlichen Schutz Adolf Hitlers aufgestellt worden;[53] sie löste die bisher dort stationierte Reichswehrkompanie ab. Zunächst war diese Stabswache in der ehemaligen Alexander-Kaserne nahe dem Bahnhof Friedrichstraße, später – inzwischen auf eine Stärke von fünf Kompanien angewachsen – in der Hauptkadettenanstalt Lichterfelde stationiert. Auf dem Reichsparteitag im September 1933 erhielt sie den Namen »Leibstandarte Adolf Hitler«. Zur schwarzen SS-Uniform traten Stahlhelm, Karabiner und Patronentasche, was der »Leibstandarte« ein noch militärischeres Aussehen verlieh; andererseits trug sie zu Repräsentationszwecken weißes Koppelzeug, weißes Hemd und weiße Handschuhe. Die »Leibstandarte Adolf Hitler« war die wohl prominenteste NS-Formation in den ersten Jahren des Dritten Reiches. Sie befriedigte aber nicht nur das weitverbreitete Bedürfnis nach schneidigem Gepränge; seit der Röhm-Affäre war sie ebenso als eiskalte Vollstreckerin von Mordbefehlen bekannt.

Die SS-Wachverbände dienten zur Bewachung der Konzentrationslager und als innenpolitische Eingreiftruppe. Im Mai 1934 erhielt der Dachauer KZ-Kommandant Theodor Eicke von Himmler den Auftrag zur Reorganisation der bis dahin von SA-Wachmannschaften geführten Konzentrationslager. Als »Inspekteur der Konzentrationslager« besaß Eicke große Vollmachten und vergrößerte die anfangs kleine Wachtruppe von 2000 Mann im Januar 1935 auf eine Stärke von 4833 Mann im Dezember 1937.[54]

Seinen privaten Wohnsitz hatte Heinrich Himmler, von Göring inzwischen zum preußischen Staatsrat ernannt, bereits am 10. Oktober 1934 von München nach Berlin-Dahlem, Dohnenstieg 10, verlegt. Die *Reichsführung SS* – eine nur selten und nur in der ersten Zeit gebrauchte Bezeichnung – folgte am 7./8. November und nahm ihren Sitz in der Prinz-Albrecht-Straße 9, dem ehemaligen Hotel »Vier Jahreszeiten« beziehungsweise »Prinz Albrecht«. Mitte der dreißiger Jahre waren im Hotel Prinz Albrecht der aus der Chefadjutantur hervorgegangene *Persönliche Stab Reichsführer SS,* die *Personalkanzlei* (später *Personalhauptamt*), die Stabskasse, die Revisionsabteilung und das SS-Hauptamt untergebracht. Das Himmler ebenfalls unmittelbar zugeordnete SS-Gericht blieb bis 1945 in München.

Das *SS-Hauptamt* hatte in den ersten Jahren ab 1933 die Funktion einer koordinierenden und verwaltungstechnischen Zentrale für alle SS-Einheiten. Dem Chef des SS-Hauptamtes waren bis 1939/40 das SS-Führungsamt (später SS-Führungshauptamt), das SS-Personalamt (später Teil des SS-Personalhauptamts) und das SS-Ergänzungsamt unterstellt. Wichtigste Einheit neben dem SS-Hauptamt war in der Prinz-Albrecht-Straße 9 die SS-Personalkanzlei, in der alle Personalentscheidungen getroffen und alle SS-Personalakten geführt wurden.

In der Zimmerstraße 88 saß das SS-eigene Wochenblatt »Das Schwarze

Korps (Zeitung der Schutzstaffel der NSDAP, Organ der Reichsführung SS)«. Unter der Leitung des SD-Mitarbeiters und Vollblutjournalisten Gunter d'Alquen griff diese Zeitung in bewußt popularisierender Art aktuelle Streitfragen aus SS-Sicht auf und scheute dabei auch nicht vor handfester Kritik an einzelnen Nazi-Größen zurück. Das Echo war groß: Die Auflage kletterte von anfänglich 190.000 Exemplaren auf 500.000 im Jahr 1937 und schließlich auf 750.000 Exemplare im Krieg.

Das *Sicherheitsdienst-Hauptamt (SD-HA)* wuchs auf die Dauer am engsten mit der Geheimen Staatspolizei zusammen, da Heydrich, der beide Dienststellen in Personalunion leitete, auf Kooperation und schließlich weitgehende Zusammenlegung drängte. Auch der SD war aus bescheidenen Anfängen steil emporgestiegen. Ursprünglich waren in jeder SS-Einheit zwei bis drei Männer mit der Aufgabe betraut gewesen, das Wirken politischer Gegner aufzuklären und deren Eindringen in die Partei abzuwehren. 1931 faßte Himmler diese Nachrichtenmänner unter der Leitung von Reinhard Heydrich zusammen. Am 9. Juni 1934 wurde der SD zum einzigen Nachrichtendienst innerhalb der NSDAP erhoben.

Bei der Verlegung nach Berlin nahm der SD Quartier im Palais Prinz Albrecht in der Wilhelmstraße 102. Das 1935 entstandene SD-Hauptamt war dann militärähnlich in Adjutantur, Stabsabteilung und Zentralabteilung gegliedert.[55] Um den ständig wachsenden Apparat unterbringen zu können, führte man zwischen 1934 und 1939 umfangreiche Baumaßnahmen im Palais durch. Unter anderem zog man in die über sechs Meter hohen Räume Zwischendecken ein und teilte sie in kleinere Bürozimmer auf. Auch das der Stadt Berlin gehörende Nachbarhaus Wilhelmstraße 103/104 wurde teilweise für den SD umgebaut. Dem SD-Hauptamt unterstand ein System nachgeordneter Dienststellen, das sich in drei Stufen – SD-Oberabschnitt, SD-(Leit)abschnitt, SD-Außenstelle – über das gesamte Reichsgebiet verästelte. Die SD-Außenstellen sammelten das Nachrichtenmaterial mit Hilfe von geheim operierenden, freiwilligen Helfern, die später »V-Leute«, Vertrauensleute, genannt wurden. Berlin gehörte zum SD-Oberabschnitt Ost, der seine Büros in Berlin-Grunewald, Jagowstraße 16-18 hatte. Der SD-Leitabschnitt Berlin war für das Stadtgebiet zuständig; er hatte seinen Sitz in Berlin C 2, Kaiser-Wilhelm-Straße 22. Schließlich gab es nicht weniger als zehn SD-Außenstellen, deren Standorte über die ganze Stadt verteilt waren.[56]

Das *Rasse- und Siedlungsamt* (später Rasse- und Siedlungshauptamt) in der Hedemannstraße 22-24 schließlich widmete sich der rassischen und ideologischen Reinhaltung der SS. Es stand zunächst unter der Leitung von Walter Darré, der gleichzeitig Landwirtschaftsminister war, später unter Leitung des SS-Gruppenführers Otto Hofmann.

Die grundlegenden Organisationsentscheidungen der Jahreswende 1934/35 stellten die Weichen für die weitere Entwicklung bis 1945. Die Hauptämter – quasi die Ministerialinstanzen – vervielfachten sich durch die Verselbständigung einzelner Ressorts des SS-Hauptamtes. Bei der Aufteilung des SS-Amtes 1935 entstanden SS-Hauptamt, SD-Hauptamt, Rasse- und Siedlungshauptamt. 1936 kamen das Hauptamt Persönlicher Stab Reichsführer SS und das Hauptamt Ordnungspolizei hinzu, 1939 das Hauptamt Verwaltung und Wirtschaft (1942 umorganisiert in SS-Wirtschafts-Verwaltungshauptamt), das SS-Personalhauptamt und das Hauptamt SS-Gericht. 1940 schuf Himmler als Lenkungsorgan für die Waffen-SS das SS-Führungshauptamt; 1941 kam als Kontrollorgan für die als Eliteschulen geltenden Nationalpolitischen Erziehungsanstalten (Napolas) das Hauptamt Nationalpolitische Erziehung hinzu, bald darauf auch Dienststelle SS-Obergruppenführer Heißmeyer genannt. Für seine rassenideologischen Aufgaben bei der »Germanisierung des Ostraums« schuf sich Himmler nach 1939 das Stabshauptamt des Reichskommissars für die Festigung deutschen Volkstums und das Hauptamt Volksdeutsche Mittelstelle. Allein die Vielfalt all dieser Bezeichnungen läßt erkennen, mit welcher Unersättlichkeit Heinrich Himmler seine Macht ausweitete.

Die Ursprünge der SS-Betätigung im wirtschaftlichen Sektor lagen in den »handwerklichen Betrieben der SS«, die Mitte der dreißiger Jahre im Konzentrationslager Dachau entstanden. Das SS-Wirtschaftsinteresse richtete sich jedoch mit der Zeit nicht mehr nur auf die ökonomische Verwertung der Häftlingsarbeitskraft, sondern auch auf andere Wirtschaftsbereiche. So durften etwa die Mannschaftshäuser der SS nur mit dem SS-eigenen »Sudetenquell« beliefert werden, die Ton-Brennerei in Allach stellte die »Jul-Leuchter«, das traditionelle Weihnachtsgeschenk Himmlers, her, und der Nordland-Verlag, der ab 1942 im katholischen St.-Clemens-Hospiz der St. Hedwigs-Gemeinde untergebracht war, verlegte SS-genehme Schriften: Beispiele aus der großen Palette der SS-Wirtschaftsaktivitäten. Die wirtschaftlichen Unternehmungen der SS wurden koordiniert vom »SS-Verwaltungsamt«, das unter Leitung des ehemaligen Marinezahlmeisters und späteren SS-Obergruppenführers und Generals der Waffen-SS Oswald Pohl stand. Pohls Dienststelle, 1935 in »Verwaltungschef der SS« umbenannt, erhielt mit dem 20. April 1939 Hauptamtscharakter. Da die SS bereits seit April 1936 für die Organisation der SS-Verfügungstruppe und für die Konzentrationslager staatliche Mittel erhielt, firmierte das SS-Hauptamt »Verwaltung und Wirtschaft« (Partei) im staatlichen Bereich als »Hauptamt Haushalt und Bauten«. Im Zuge der wachsenden Aufgaben schuf Himmler im Februar 1942 das »SS-Wirtschafts-Verwaltungshauptamt« (SS-WVHA) mit Stammsitz in Berlin-Lichterfelde-West, Unter den Eichen 126-135. Dieses Hauptamt betreute und organisierte nun sämtliche wirtschaftlichen und verwaltungstechnischen Angelegenheiten der Waffen-SS und der Allgemeinen SS (ohne die Personalverwaltung). Es gliederte sich in vier Amtsgruppen:

Amtsgruppe A:	Truppenverwaltung
Amtsgruppe B:	Truppenwirtschaft
Amtsgruppe C:	Bauwesen
Amtsgruppe W:	Wirtschaftliche Unternehmungen.

Am 16. März 1942 wurde auch die SS-Dienststelle »Inspekteur der Konzentrationslager« dem SS-WVHA als »Amtsgruppe D« unterstellt. Die Amtsgruppe D blieb, von den anderen Amtsgruppen getrennt, in Oranienburg untergebracht. Ihre Eingliederung in das SS-WVHA muß vor dem Hintergrund der neuen Funktion der Konzentrationslager gesehen werden: Standen in den dreißiger Jahren die politische Unterdrückung des politischen Gegners und die Abschreckungswirkung im Vordergrund, so war es nunmehr die Mobilisierung aller Arbeitskräfte für den Krieg. Die Häftlinge in den Konzentrationslagern sollten voll in den Rüstungsprozeß des Dritten Reiches eingespannt werden.

Das Hauptamt Sicherheitspolizei

Die Ernennung Heinrich Himmlers zum Reichsführer-SS und Chef der Deutschen Polizei im Reichsministerium des Innern bedeutete auch für das Geheime Staatspolizeiamt eine wesentliche Vergrößerung seiner Kompetenzen. Der größte Teil der Beamten aus der Polizeiabteilung des Reichsinnenministeriums wurde dem neuen Hauptamt Ordnungspolizei zugewiesen, während Himmler den Referenten und Abteilungsleitern des Geheimen Staatspolizeiamtes nunmehr auch ministerielle Funktionen zuwies. Die neue Ministerialinstanz, das Hauptamt Sicherheitspolizei, das zum Kern aller polizeilichen Bemühungen gegen die politische und weltanschauliche Opposition werden sollte, gliederten Himmler und Heydrich zwischen 1936 und 1939 in drei Ämter:

Amt Verwaltung und Recht	(Chef: Dr. Werner Best)
Amt Kriminalpolizei	(Chef: Reinhard Heydrich)
Amt Politische Polizei	(Chef: Reinhard Heydrich).

Das Amt Verwaltung und Recht war mit seinen sieben Referaten (V 1 bis V 7) für alle Rechts-, Personal- und Organisationsfragen sowohl der Kriminal- als auch der Sicherheitspolizei zuständig. Das Amt Kriminalpolizei, in dem Heydrichs Stellvertreter, Reichskriminalpolizeidirektor Arthur Nebe, durch seine kriminalistischen Erfolge eine gewisse Unabhängigkeit besaß, hatte die Abteilungen Kr. 1 bis Kr. 3 (Organisation, Einsatz und Kriminaltechnik). Das Amt Politische Polizei unter Heydrich gliederte sich in die Abt. II (Innere Politische Polizei) und die Abt. III (Abwehrpolizei). Für die

Reinhard Heydrich, Chef der Sicherheitspolizei und des SD, ab 1. Oktober 1939 Chef des Reichssicherheitshauptamtes, daneben ab 1941 bis zu seinem Tode am 4. Juni 1942 nach einem Attentat tschechoslowakischer Widerstandskämpfer stellvertretender Reichsprotektor von Böhmen und Mähren.

Abt. II ernannte Heydrich Heinrich Müller, für die Abt. III Werner Best als selbständig handelnde Stellvertreter.

Trotz der vielen neuen Bezeichnungen waren die faktischen Änderungen im Grunde unerheblich. Das Hauptamt Sicherheitspolizei bestand im Kern aus dem Geheimen Staatspolizeiamt und dem alten Landeskriminalpolizeiamt, nur waren Ministerial- und Verwaltungsinstanz endgültig zusammengelegt. Handelten Beamte des Geheimen Staatspolizeiamtes als Ministerialbehörde, zeichneten sie als Hauptamt Sicherheitspolizei; verwaltungsinterne Maßnahmen firmierten unter Gestapa. Beide Bezeichnungen konnten also vom gleichen Referenten gebraucht werden. In Schreiben an die obersten Reichsbehörden (Ministerien) konnte zudem der Kopf »Der Reichsführer-SS und Chef der Deutschen Polizei im Reichsministerium des Innern« verwandt werden, ebenso in allen Schreiben von zentraler Bedeutung die Bezeichnung »Der Chef der Sicherheitspolizei«.

Die Abteilungen der Geheimen Staatspolizei konnten zwischen 1936 und 1939 also unter folgenden Bezeichnungen auftreten:
– »Reichsführer-SS und Chef der Deutschen Polizei« – als oberste Reichsbehörde an andere oberste Reichsbehörden,

- »Der Chef der Sicherheitspolizei« oder »Hauptamt Sicherheitspolizei« als Ministerialinstanz und für grundsätzliche Angelegenheiten der Sicherheitspolizei,
- »Geheimes Staatspolizeiamt« bei allen verwaltungsinternen Schreiben (z.B. an die Staatspolizeistellen) und bei allen exekutiven Maßnahmen, zu denen die Geheime Staatspolizei berechtigt war (z.B. Schutzhaftbefehle).

Mit dieser auf den ersten Blick verwirrenden Bezeichnungsvielfalt war der im Frühjahr 1933 in Preußen begonnene Verschmelzungsprozeß drei Jahre später abgeschlossen. Die Geheime Staatspolizei und das 1934 gegründete »Zentralbüro des Politischen Polizeikommandeurs« waren in einer Reichspolizei vereinigt, die zugleich Exekutive und Aufsichtsbehörde war. Auch die bis zu diesem Zeitpunkt formell unabhängigen Politischen Polizeien, etwa die Bayerische Politische Polizei, wurden nun in die Geheime Staatspolizei eingegliedert. Die Machteroberung Himmlers im politisch-polizeilichen Bereich war vorerst abgeschlossen.

Die Abteilung III (Abwehrpolizei) mit den Dezernaten III L (Spionage) und III V (Abwehr) saß seit 1936 in der Wilhelmstraße 101. Die Dezernate der Abteilung II (Innere Politische Polizei) verblieben in der Prinz-Albrecht-Straße 8:

II A	Kommunismus und Marxismus
II B	Kirchen und konfessionelle Verbände
II C	Rechtsopposition
II D	Schutzhaft
II E	Wirtschaftliche Angelegenheiten
II H	Angelegenheiten der Partei
II J	Ausländische Politische Polizeien
II Ber	Lageberichte
II P	Presse.[57]

»Für die ›Polizei‹«, schrieb Werner Best 1941, »war die Verordnung zum Schutz von Volk und Staat vom 28.2.1933 nicht eine ›Rechtsgrundlage‹, d.h. eine Regelung ihrer Aufgaben und ihrer Tätigkeit, sondern nur die Bestätigung, daß die von ihr bereits in Angriff genommenen Aufgaben im Einklang mit dem rechtssetzenden Willen der obersten Führung des Reiches standen«.[58] Hatte sich die Geheime Staatspolizei in den ersten Jahren bemüht, ihr Handeln zumindest nach außen hin mit einer Pseudolegalität zu versehen, in vielen Fällen sogar unter Berufung auf die Verordnung vom 28. Februar 1933 (so wurden Schutzhaftbefehle bis weit in den Krieg hinein mit dieser Verordnung begründet): Bests Argumentation eröffnete Perspektiven über jede – auch pseudorechtliche – Legitimation hinaus. Die Polizei mußte, folgte man seiner Definition, in allen Fragen zum Wohle der »Volksgemeinschaft« tätig werden: »Was die ›Regierung‹ von der Polizei ›betreut‹ wissen will, das ist der Inbegriff des Polizei-Rechts, das das Handeln der Polizei regelt und bindet. Solange die ›Polizei‹ diesen Willen der Führung vollzieht, handelt sie rechtsmäßig; wird der Wille der Führung übertreten, so handelt nicht mehr die ›Polizei‹, sondern begeht ein Angehöriger der Polizei ein Dienstvergehen«.[59]

Auch in der Geheimen Staatspolizei dienten die Jahre von 1937 bis 1939 der Kriegsvorbereitung. So bereitete man zum Beispiel Fahndungslisten von ins Ausland emigrierten Deutschen vor. Bei dem »Anschluß« Österreichs, der »Angliederung« des Sudetenlandes und der Zerschlagung der »Resttschechei« marschierten Einsatzgruppen der Geheimen Staatspolizei mit, die umgehend tätig wurden.

Über die wachsende Machtfülle der Gestapo zwischen 1936 und 1939 kann zusammenfassend gesagt werden:
- Durch die Zentralisierung der Polizei unter Himmler war das Reichsinnenministerium als letzte Aufsichtsbehörde entmachtet worden. Himmler kontrollierte spätestens ab 1936 den gesamten deutschen Polizeiapparat und kam damit dem Ziel einer Verschmelzung von Polizei und SS in einem »Staatsschutzkorps« sehr nahe.
- Die politische Verfolgung weitete sich in doppelter Hinsicht aus. Es waren nicht mehr nur tatsächliche politische und weltanschauliche Gegner bedroht, sondern auch potentielle. Der Schritt von der »Bekämpfung« zur »Vorbeugung« hatte für die Entrechteten eine neue, noch systematischere und brutalere Unterdrückung zur Folge.
- Die Zentralisierung der Gestapo führte zu einer immer größeren Machtzusammenballung im Geheimen Staatspolizeiamt. SS und Polizei wurden zum Synonym für politische Verfolgung. Daß Himmler 1939 als »Reichskommissar für die Festigung deutschen Volkstums« mit der gesamten Umsiedlungspolitik beauftragt wurde, kann ebenso wie die noch folgenden Machterweiterungen – 1943 Reichsinnenminister, 1944 Befehlshaber des Ersatzheeres – als Folge seiner seit 1936 uneingeschränkten Polizeigewalt gesehen werden.
- Ohne die zielstrebige Aufgabenausweitung der Geheimen Staatspolizei ist ihre mörderische Tätigkeit nach dem deutschen Überfall auf Polen und dem damit eingeleiteten Zweiten Weltkrieg nicht zu verstehen. Das Resultat war ein gut geschulter, eingespielter Terror- und Mordapparat, der ohne Bedenken oder Skrupel handelte und unter verbrämenden Begriffen wie »Endlösung«, »Abschiebung nach dem Osten« und »Sonderbehandlung« die planmäßige und systematische Vernichtung der europäischen Juden betrieb.

Das Geheime Staatspolizeiamt in den dreißiger Jahren. Im Hintergrund ist das Hotel Prinz Albrecht zu erkennen, in dem von November 1934 an verschiedene SS-Dienststellen untergebracht sind.

Das Reichssicherheitshauptamt

Der deutsche Überfall auf Polen brachte die Ausweitung des Gestapo-Terrors auf fast ganz Europa mit sich. Gestapo – das war jetzt nicht mehr nur eine Bezeichnung, vor der die politischen Gegner und die weltanschaulich Verfolgten in Deutschland zitterten, sondern war jetzt auch ein Name, der für den norwegischen Widerstandskämpfer ebenso eine Gefahr bedeutete wie für den französischen Résistance-Kämpfer. Mitarbeiter der Gestapo waren in den frühen vierziger Jahren zwischen dem Nordkap und Nordafrika zu finden. Im Jahr 1939 begann auch der nationalsozialistische Völkermord, an dem die Geheime Staatspolizei an entscheidender Stelle beteiligt war.

Zunächst stellte jedoch die kriegerische Ausweitung des nationalsozialistischen Herrschaftsbereiches die Gestapo vor neue Aufgaben, die eine funktionale Neuorganisation erforderlich machten. Die Zusammenziehung aller Dienststellen im staatlichen Hauptamt Sicherheitspolizei und parteizugehörigen Sicherheitshauptamt (SD-Hauptamt) wurde durch einen Erlaß Himmlers vom 27. September 1939 geregelt. Unter der Sammelbezeichnung »Reichssicherheitshauptamt« (RSHA) waren sowohl staatliche Beamte als auch von der Partei oder der SS angestellte Personen tätig. Die Vermengung von Staats- und Parteiaufgaben im Behördenkonglomerat RSHA erschwert die historische Beurteilung.

In der Literatur finden sich zwei grundsätzlich verschiedene Positionen:
1. Durch die Gründung des RSHA erhielt die SS staatliche Legitimation und konnte nun hoheitliche Aufgaben erfüllen.
2. Durch die Gründung des RSHA wurde das in der SS geltende Führerprinzip auf die staatliche Polizei ausgedehnt; das RSHA kann daher nicht mehr allein als staatlich handelndes Organ angesehen werden.

Eine Organisations- und Strukturgeschichte des RSHA, die diese Positionen endgültig klären könnte, liegt bis heute nicht vor. Vieles deutet darauf hin, daß das RSHA nicht als eine einzige Organisation betrachtet werden kann; bei der Analyse der RSHA-Tätigkeit muß sorgfältig auf die handelnden Ämter und ihre jeweilige Zuordnung geachtet werden. Sicher ist, daß Himmler 1942/43 die Absicht hatte, die Verschmelzung von SS und Polizei in einem Gesetz über ein Staatsschutzkorps zu verankern. Damit sollte die Übertragung hoheitlicher Aufgaben auf die SS und die im RSHA vorhandenen, staatlich nicht ausdrücklich legitimierten Dienststellen des SD und der SS formal abgeschlossen werden. Zu einer gesetzlichen Regelung kam es jedoch nicht mehr. Die Akten schließen mit dem lapidaren Vermerk, daß sich diese Angelegenheit mit der Ernennung Himmlers zum Reichsinnenminister (1943) erledigt habe. Das Reichssicherheitshauptamt mit seinen Parteikompetenzen (SD-Inland und SD-Ausland) und seinen ursprünglichen Polizeiaufgaben (Gegnererforschung und -bekämpfung, Kriminalpolizei), kann vielleicht als organisatorische Klammer um eine über die ganze Stadt verteilte Vielzahl von Organisationen und Behörden aus dem Verfolgungsapparat definiert werden. Oberst Storey, Ankläger beim Internationalen Militärtribunal in Nürnberg, formulierte schon 1945: »So war das RSHA in Wirklichkeit das Verwaltungsbüro einer ganzen Menge dieser als verbrecherisch bezeichneten Organisationen«. [60]

Im einzelnen setzte sich das RSHA nach dem ab 1. Oktober 1939 gültigen Erlaß Himmlers wie folgt zusammen: [61]

Amt I	Organisation, Verwaltung, Recht	(Best)
Amt II	Gegnererforschung	(Six)
Amt III	Deutsche Lebensgebiete (SD-Inland)	(Ohlendorf)
Amt IV	Gegnerbekämpfung (Gestapo)	(Müller)
Amt V	Kriminalpolizei	(Nebe)
Amt VI	SD-Ausland	(Jost)

Allein Teile des Amtes IV verblieben in der Prinz-Albrecht-Straße 8. Die Kriminalpolizei (Amt V) war in dem im Juli 1939 eröffneten Reichskriminalpolizeiamt am Werderschen Markt 5-6 untergebracht, der SD-Inland (Amt III) und die Gegnererforschung (Amt II) zum größten Teil in den zuvor auch schon vom SD genutzten Gebäuden in der Wilhelmstraße.

Bald ergab sich die Notwendigkeit einer erneuten Teilung des Amtes I in Amt I (Personal) und Amt II (Organisation). Das alte Amt II unter Six wurde Amt VII und erhielt die Bezeichnung »Weltanschauliche Forschung und Auswertung«. In dieser Gliederung verblieben, mit nur geringen Abweichungen, die Ämter des Reichssicherheitshauptamtes bis 1945.

Die Bezeichnung Geheimes Staatspolizeiamt wurde auch im Reichssicherheitshauptamt aufrechterhalten. Am 14. Dezember 1939 legte Heydrich fest, wann seine Untergebenen als Geheimes Staatspolizeiamt, als Reichskriminalpolizeiamt oder als Chef der Sicherheitspolizei zu zeichnen hatten. Kriminalpolizei und Geheime Staatspolizei erfüllten deutlich ihre staatlich legitimierten Aufgabenfelder, die anderen Dienststellen und Ämter des RSHA übten faktisch staatliche Funktionen aus, ohne daß dies de jure festgeschrieben war.

Mit zunehmender Dauer des Krieges und der Einführung von »Angleichungsdienstgraden« für Polizeibeschäftigte verschwanden die Unterschiede zwischen SS und Polizei immer mehr. Polizeibeamte konnten auf unterschiedlichem Weg zur SS gelangen. Entweder durchliefen sie nach ihrem Eintritt in die Allgemeine SS eine normale SS-Dienstlaufbahn und erhielten dann jeweils den der SS-Laufbahn entsprechenden Rang, oder sie wurden bei Erhalt eines »Angleichungsdienstgrades« SS-mäßig Mitglieder der »Sonderformation SD«, ohne damit dem Nachrichtendienst SD anzugehören.

Der Chef der Sicherheitspolizei   Berlin,den 14.Dezember 1939.
        und des SD.
I V 1 Nr.720^{II}/39-151-.   **24**

An
die Amtschefs und Referenten
des Reichssicherheitshauptamtes

Betrifft: Bezeichnung der Ämter IV und V des Reichs-
          sicherheitshauptamtes.
                    - - -

        Zur Durchführung von Ziffer 2 b) meines Erlasses
vom 27. September 1939 - S-V 1 Nr.720/39-151- ordne
ich für die Bezeichnung der Ämter IV und V des Reichssicherheitshauptamtes folgendes an:

    1.) Amt IV (Geheimes Staatspolizeiamt):

        Die Bezeichnung "Geheimes Staatspolizeiamt"
        darf in Zukunft nur verwendet werden:
        a) bei Massnahmen des Amtes IV auf Grund der
           Verordnung des Reichspräsidenten zum Schutze
           von Volk und Staat vom 28.2.1933 - RGBl. I
           S.83-, sofern eine Verfügung an eine Organi-
           sation, einen Personenkreis oder eine Einzel-
           person gerichtet wird, also im Zuge aller
           Exekutivhandlungen,

        b) bei Schutzhaftbefehlen,

        c) bei der Bearbeitung von Anzeigen und Gerichts-
           akten,

        d) bei Bescheiden an Privatpersonen auf Eingaben,
           die einen Einzelfall betreffen (z.B. in
           Schutzhaftsachen),

        e) bei Abgabebescheiden an Privatpersonen,

        f) bei Vorladungen,

        g) bei Leumundsauskünften.

                                            Die

Nach der Errichtung des RSHA legt Heydrich fest, wie die verschiedenen Bezeichnungen der Gestapo gebraucht werden sollen.

Beim Einsatz in den von Deutschland besetzten Gebieten außerhalb der Reichsgrenze trugen alle Angehörigen des RSHA die feldgraue Uniform der Waffen-SS mit der Raute »SD« am Unterarm, auch wenn es sich um Mitarbeiter der Geheimen Staatspolizei oder der Kriminalpolizei handelte. Dies führte zur allgemeinen und falschen Bezeichnung »SD-Truppen«; der SD verfügte in diesem Sinn jedoch niemals über eigene Einheiten. Dennoch entstand sowohl bei den Verfolgten als auch bei den Dienststellen der Wehrmacht das Phantom eines allmächtigen SD, das vor allem auf diese Uniformkennzeichnung zurückzuführen ist.

Das Amt IV (Geheime Staatspolizei) hatte neben einer Geschäftsstelle in der Prinz-Albrecht-Straße 8, der unter anderem der Erkennungsdienst und das Hausgefängnis unterstanden, vier Gruppen mit jeweils vier Referaten. 1941 waren die einzelnen Referate wie folgt über Berlin verteilt: Im Hauptgebäude waren neben dem Chef des Amtes IV (Gruppenführer Müller) und dem Gruppenleiter der Gruppe IV A (Politische Gegner, Ostubaf. Panzinger, Zi. 336) vor allem die Referate IV A 1 (Kommunismus usw., Stubaf. Vogt, Zi. 320), IV A 2 (Sabotage usw., Hstuf. Kopkow, Zi. 315), Teile der Gruppe IV E (Abwehr), die Geschäftsstelle und die Kanzlei untergebracht. Während die politische Gegnerbekämpfung also hier verblieb, war die Gruppe IV B (weltanschaulich-rassische Gegner) außerhalb der Prinz-Albrecht-Straße 8 untergebracht. Gruppenleiter Hartl saß mit den Referaten IV B 1 (Katholizismus, Stubaf. Roth) und IV B 2 (Protestantismus, Sekten usw., Stubaf. Hahnenbruch) in der Charlottenburger Meinekestraße 10. Das den fabrikmäßigen Judenmord organisierende Referat IV B 4 unter Adolf Eichmann war in der Kurfürstenstraße 115/116 untergebracht, weitab von den anderen Referaten. Das Referat IV A 4 (Schutzdienst) und das umfangreiche Schutzhaftreferat IV C 2 (Stubaf. Dr. Emil Berndorff) waren schon früher um die Ecke in die Wilhelmstraße 98 gezogen.[62] Die für die besetzten Gebiete zuständige Gruppe IV D war schließlich in Lichterfelde, Lange Straße 5/6, untergebracht.

Die Tendenz zur Verteilung von Gruppen, Referaten und Abteilungen über das ganze Stadtgebiet hielt an. Einige Referate wechselten ihre Standorte mehrfach. Von vielen Abteilungen wissen wir zwar, wo sie zu bestimmten Zeiten untergebracht waren, aber aufgrund des lückenhaften Quellenmaterials ist es nicht möglich, alle Gruppen und Referate des Reichssicherheitshauptamtes während der Gesamtdauer ihres Bestehens einzelnen Adressen zuzurechnen.[63] Die Adresse Berlin SW 11, Prinz-Albrecht-Straße 8, blieb allerdings bis in die letzten Wochen der nationalsozialistischen Herrschaft die offizielle Anschrift Himmlers und der Dienststellen des Reichssicherheitshauptamtes. Alle Post, die für die Geheime Staatspolizei und den Persönlichen Stab Reichsführer-SS bestimmt war, kam in die Posteingangsstelle der Prinz-Albrecht-Straße 8.

Luftbildaufnahme der Königgrätzer Straße (vor 1945: Saarlandstraße, heute: Strese-mannstraße) mit Blick auf das Europa-Haus, dahinter die Gärten des Palais Prinz Albrecht. Parallel zum oberen Bildrand verläuft die Prinz-Albrecht-Straße mit den bei-den Gebäuden des Völkerkundemuseums; rechts neben dem Martin-Gropius-Bau die Gestapo-Zentrale.

Nach dem Attentat auf Reinhard Heydrich in Prag am 27. Mai 1942 über-nahm Himmler selbst die Leitung des RSHA, bevor er zum 30. Januar 1943 den österreichischen SS-Gruppenführer Ernst Kaltenbrunner zum neuen Chef des RSHA ernannte. Als Himmler dann am 25. August 1943 zum Reichsinnenminister berufen wurde, kam ein Teil der Kompetenzen der Ord-nungspolizei zu den Aufgaben des RSHA neu hinzu, so etwa das gesamte Meldewesen.

Im Verlauf des Krieges verlagerte sich der Schwerpunkt der Gestapo-arbeit von den »Sachreferaten« hin zu »regionalen Referaten« für die einzel-nen besetzten Gebiete. Dies erforderte eine erneute Umorganisation, die im Frühjahr 1944 vorgenommen wurde. Dabei entstanden die drei Gruppen IV A (Fachreferate), IV B (Länderreferate) und IV G (Grenzpolizei). Bei die-sem letzten Versuch noch strafferer Organisation wurden in der Gruppe IV A folgende Referate gegründet:

IV A 1	Links- und Rechtsopposition
IV A 2	Sabotageabwehr
IV A 3	Spionageabwehr

IV A 4	Konfessionen/Juden
IV A 5	Sonderaufträge usw.
IV A 6	Kartei, Schutzhaft, Schutzdienst.

Im Frühjahr 1944 begann zugleich die umfassende Verlagerung von RSHA-Dienststellen, nachdem Himmler bereits 1943 die Auslagerung aller wichtigen Karteien und Unterlagen aus Berlin befohlen hatte. Ende 1944 gab es über 30 Ausweichstellen des RSHA. Die Referate der Gruppen IV A und IV B verteilten sich zumeist über kleinere Ortschaften in der Mark Brandenburg (Trebnitz, Wulkow, Neuhardenberg), andere Teile der Ämter IV (Gestapo) und V (Kripo) kamen in die Sicherheitspolizeischule Fürstenberg in der Nähe des Konzentrationslagers Ravensbrück.[64] Die Akten der Karteiverwaltung gelangten vermutlich schon 1943 in das Ghetto Theresienstadt; spätestens ab 1944 firmierte auch das Schutzhaftreferat (jetzt: IV A 6) nur noch unter einem Prager Briefkopf.

Ein Bombenangriff beschädigte am 3. Februar 1945 das Gebäude in der Prinz-Albrecht-Straße 8 schwer. Kein anderer als Adolf Eichmann hat über die Agonie der Gestapo in diesen Wochen berichtet: »Mein Dezernat [in der Kurfürstenstraße 116] war eines der wenigen nicht ausgebombten, denn ich hatte meine Mitarbeiter auf die Spur jeder Brandbombe gehetzt und natürlich auch selbst an dieser Jagd teilgenommen, um den Schaden immer sofort zu beheben. Meine Dienststelle in Berlin war noch intakt, aber später zog die Stapoleitung [die Berliner Gestapo-Leitstelle] dort ein und verdrängte mich. An jenem Tag war ein Dezernent da, der Hunderte von Briefbogen mit diversen gedruckten Briefköpfen hatte. Jeder der Herren vom Amt IV konnte nun Zeugnisse ausgestellt bekommen, die besagten, wo er in den letzten Jahren gearbeitet und welche Dienstaufträge er ausgeführt habe, auch sonstige Erklärungen und Zeugnisse, mit denen er sich tarnen konnte. Wir waren im Amt IV vielleicht 30 Dezernenten, und das ganze Volk drängelte sich nun an den ›Onkel‹ heran, der alle Wünsche notierte. In dem verhältnismäßig kleinen Raum musizierte ich gerade mit meinen Untergebenen: mein Assessor spielte Klavier, ich selber die zweite Geige, mein Unteroffizier die erste Geige, denn er konnte viel besser spielen als ich«.[65] Als die Rote Armee die Prinz-Albrecht-Straße erreichte, waren hier weder Eichmann noch seine Mitspieler zu finden.

Kapitel V

Die Bürokratie der Verfolgung

Die Geschichte der Geheimen Staatspolizei und besonders der Prinz-Albrecht-Straße 8 ist untrennbar mit dem Begriff des »Schreibtischtäters« verbunden. Die in diesem Haus in den Jahren 1933 bis 1945 ansässige Bürokratie verwaltete die Verfolgung. Sie verfolgte und unterdrückte vom Schreibtisch aus.

Die innenpolitische Verfolgung unter dem Nationalsozialismus spiegelt sich am deutlichsten in den Konzentrationslagern. Nach einer regional unterschiedlich verlaufenden, »wilden« Anfangsphase gewann die Gestapo rasch Zugriff auf die Einweisung und Entlassung von Häftlingen. Die »Schutzhaft« war ein wesentliches Zwangsmittel der NS-Herrschaft. An ihr läßt sich die Systematisierung der Unterdrückung ebenso ablesen wie die Zentralisierung der Verfolgung: Noch bis in die letzten Kriegsmonate hinein mußte das Schutzhaftreferat des Reichssicherheitshauptamtes die Schutzhaftfälle zum großen Teil bestätigen.

Die Bezeichnung »Schutzhaft« läßt auf den ersten Blick nicht die maßlose Unterdrückung und Qual erkennen, der ein »Schutzhäftling« während seines Aufenthalts in einem Konzentrationslager ausgesetzt war. Auch hier zeigt sich der nationalsozialistische Zynismus, Mord und Terror nach außen hin mit positiven Begriffen zu besetzen.

Folgende Haftarten ließen sich unterscheiden:
- »Vorläufige Festnahme« durch die Polizei bei dringendem Tatverdacht nach einem Verbrechen,
- »Zwangsgestellung« zur Polizeiwache zwecks Feststellung der Personalien,
- »besondere polizeiliche Haft« nach der Verordnung des Reichspräsidenten vom 4. Februar 1933 bei Verdacht des Hochverrats und anderen politischen Delikten,
- »Schutzhaft« durch die Geheime Staatspolizei,
- »Polizeiliche Vorbeugungshaft« durch die Kriminalpolizei,
- »Sicherungsverwahrung« auf Anordnung des Gerichts nach einer verbüßten Freiheitsstrafe.[1]

Zwei dieser Haftarten führten den Häftling ins Konzentrationslager: Die Schutzhaft und die polizeiliche Vorbeugungshaft. Da letztere von der Kriminalpolizei angeordnet wurde, soll im folgenden nur die von der Geheimen Staatspolizei verhängte Schutzhaft behandelt werden.

Weder Schutzhaft noch Konzentrationslager waren genuin nationalsozialistische Einrichtungen. Sie waren sowohl in anderen Staaten als auch in Deutschland selbst ansatzweise schon vor 1933 vorhanden. So schränkte bereits das preußische »Gesetz über den Belagerungszustand« vom 4. Juni 1851 die in Artikel 5 der preußischen Verfassung gewährleisteten Freiheitsrechte ein und verlieh der Polizei die Befugnis, einzelne Personen ohne richterliche Handhabe festzuhalten. Auch während des Ersten Weltkriegs und in der Weimarer Republik war es unter besonders definierten Umständen möglich, Verhaftungen ohne die Vorlage eines Haftbefehls durchzuführen. Im Gegensatz zur Vorgehensweise der NS-Verfolgungsorgane konnten aber in jenen Jahren derartige »Inschutzhaftnahmen« oder »Polizeihaft« richterlich überprüft werden. Auch Sammellager für Gefangene hatte es bereits vor 1933 gegeben. Beliebtes Beispiel der nationalsozialistischen Argumentation waren die Lager, die von den Engländern während des Burenkrieges eingerichtet worden waren. Daß diese Lager nur kurz existiert hatten, wurde ebenso verschwiegen wie der grundlegende Unterschied, daß in den Konzentrationslagern des Dritten Reiches politische Gegner inhaftiert wurden.

Bereits in der Weimarer Republik hatte es Überlegungen gegeben, politische Gefangene in Sammellagern unterzubringen. Heftige Debatten im Reichstag löste die Verwahrung politischer Häftlinge in ehemaligen Kriegsgefangenenlagern während der Unruhen des Jahres 1923 aus. Auch zu Beginn der dreißiger Jahre wurde angesichts des immer brutaler werdenden Straßenterrors die Einrichtung von größeren Gefangenenlagern wieder öffentlich diskutiert.

Bis 1939 war man zwar bemüht, durch rechtliche Regelungen der Schutzhaft einen legalen Anschein zu geben, aber die Geheime Staatspolizei mißachtete diese Regelungen in ihrer praktischen Tätigkeit immer wieder. Spätestens ab 1939 war die Geheime Staatspolizei dann allein für die Bestimmungen der Schutzhaft verantwortlich.

Wesentliche Voraussetzung für die Schutzhaft war die »Verordnung des Reichspräsidenten zum Schutze von Volk und Staat« vom 28. Februar 1933, die alle rechtsstaatlichen Garantien der persönlichen Freiheit außer Kraft setzte. Hindenburg legalisierte damit nicht nur die bereits in der Nacht vom 27. auf den 28. Februar erfolgten Massenverhaftungen durch die Polizei und die als Hilfspolizei eingesetzten SS-, SA- und Stahlhelm-Einheiten, sondern schuf auch die rechtliche Grundlage der weiteren Verfolgungen.

In Preußen waren neben den Kreis- und Landespolizeibehörden – zu denen vom 26. April 1933 an auch das Geheime Staatspolizeiamt gehörte – auch Regierungs- und Oberpräsidenten zur Verhängung der Schutzhaft berechtigt.[2] Die Errichtung von Konzentrationslagern in Preußen war eine der Folgen der umfassenden Verhaftungsaktionen im März und April 1933.

110

Einlieferung von Deutschnationalen in das Gestapa, Mitte 1933.

Denn obwohl einige »Schutzhäftlinge«, etwa in Berlin, noch in staatliche Verwahrung kamen, reichten die Polizei- und Justizgefängnisse für die Unterbringung aller politischen Gefangenen längst nicht mehr aus. Die von der SA und SS Verschleppten kamen nur selten unter die relativ sichere Obhut der Polizei; meist landeten sie in den Folterkellern der SA-Sturmlokale und bald in den Konzentrationslagern.

Nachdem das Jahr 1933 keine gesetzliche Regelung der Schutzhaft gebracht hatte, ergriff Göring die Initiative. Am 11. März 1934 ordnete er für Preußen an:

– Schutzhaft solle nur noch vom Geheimen Staatspolizeiamt oder den Ober- und Regierungspräsidenten verhängt werden,

– Schutzhaft durch Ober- oder Regierungspräsidenten müsse nach dem siebten Tag vom Geheimen Staatspolizeiamt bestätigt werden.[3]

Mit diesem Erlaß hatte Göring eine Monopolstellung des Gestapa erreicht: Die Zentralisierung im Geheimen Staatspolizeiamt sollte auch seine eigene Macht absichern.

Aber auch das Reichsinnenministerium arbeitete an einer Neuregelung der Schutzhaft. Die Politischen Länderpolizeien sollten nicht nach unterschiedlichen Richtlinien vorgehen. Obwohl es die Absicht von Reichsinnenminister

Frick war, die Verhängung der Schutzhaft einzuschränken, entschloß er sich nicht zur formellen Abschaffung dieses Zwangsmittels. Sein Erlaß vom 12. April 1934 ist Ausdruck nationalsozialistischen Machtdenkens. Da »die Zeit für die völlige Beseitigung der Schutzhaft noch nicht reif« sei, bemühte sich Frick zumindest, den Anschein von formalen Rechten der Häftlinge zu erwecken:

– Zur Schutzhaftverhängung seien in Preußen das Geheime Staatspolizeiamt, die Ober- und Regierungspräsidenten, die Staatspolizeistellen und der Polizeipräsident in Berlin befugt. In den übrigen Ländern solle ähnlich verfahren werden.

– Jeder Häftling solle spätestens 24 Stunden nach seiner Festnahme einen Schutzhaftbefehl erhalten, in dem die Gründe der Schutzhaft aufgeführt sein sollten.

– Die Schutzhaft diene nur dem eigenen Schutz des Häftlings und sei nur bei unmittelbarer Gefährdung der öffentlichen Sicherheit und Ordnung zulässig.[4]

In der Praxis konnten sich Fricks Absichten nicht durchsetzen. Die Geheime Staatspolizei konnte den schwammigen Begriff der »unmittelbaren Gefährdung der öffentlichen Sicherheit und Ordnung« genausoweit auslegen wie die Generalklausel »zur Abwehr kommunistischer staatsgefährdender Gewaltakte« in der Reichstagsbrandverordnung vom 28. Februar 1933. Nach Protesten regionaler Machthaber mußte Frick zudem bereits am 26. April 1934 den Reichsstatthaltern das Recht zur Schutzhaftverhängung wieder zugestehen. Fricks Initiativen sollten sich in der Zukunft darauf beschränken, in Einzelfällen bei der Geheimen Staatspolizei zu protestieren. Im übrigen akzeptierte er die Praxis der Gestapo und gab erst 1938 neue Richtlinien für die Schutzhaft heraus, die der Praxis der im Geheimen Staatspolizeiamt zentralisierten Verfolgung besser entsprachen. Fricks Erlaß vom 25. Januar 1938 sollte bis zum Ende der nationalsozialistischen Herrschaft die »rechtliche« Grundlage der Schutzhaft bleiben. Die tatsächliche Entwicklung war jedoch allein Sache der Geheimen Staatspolizei.

Im Gegensatz zum Schutzhafterlaß von 1934, der noch die zeitliche Begrenzung der Schutzhaft bis zur Festigung des nationalsozialistischen Staates vorgesehen hatte, war die Schutzhaft ab 1938 eine »Zwangsmaßnahme der Geheimen Staatspolizei zur Abwehr aller volks- und staatsfeindlichen Bestrebungen«. Die Gestapo-Stellen konnten nun politische Gegner für zehn Tage in eigener Verantwortung »vorläufig festnehmen«, längere Schutzhaft, die »grundsätzlich in staatlichen Konzentrationslagern zu vollstrecken« war, mußte vom Geheimen Staatspolizeiamt angeordnet werden. Die Klausel »Die Schutzhaft ist nur so lange aufrechtzuerhalten, als es ihr Zweck erfordert« enthielt eine Generalermächtigung an die Geheime Staatspolizei, denn diese allein setzte den »Zweck« der Schutzhaft fest.[5]

Konzentrationslager in Preußen

Während der Formierung des nationalsozialistischen Verfolgungsapparates in den Jahren 1933 und 1934 entstanden in Preußen rund
30 »frühe« Konzentrationslager, im gesamten Reichsgebiet etwa 70.
Preußische Konzentrationslager gab es in:*

Lichtenburg	Prov. Sachsen
Oranienburg	Prov. Brandenburg
Alt-Daber	Prov. Brandenburg
Boernicke	Prov. Brandenburg
Brandenburg	Prov. Brandenburg
Sonnenburg	Prov. Brandenburg
Senftenberg	Prov. Brandenburg
Columbiahaus	Berlin (Gefängnis des Gestapa, KL ab 27.12.34)
Hammerstein	Prov. Grenzmark Posen-Westpreußen
Quednau	Prov. Ostpreußen
Gollnow	Prov. Pommern
Stettin-Bredow	Prov. Pommern (auch »Vulkanwerft« genannt)
Heinersdorf	Prov. Niederschlesien
Leschwitz	Prov. Niederschlesien
Breslau-Dürrgoy	Prov. Niederschlesien
Börgermoor	Prov. Hannover
Esterwegen	Prov. Hannover
Moringen	Prov. Hannover
Kuhlen	Prov. Schleswig-Holstein
Glückstadt	Prov. Schleswig-Holstein
Benninghausen	Prov. Westfalen
Bergkamen	Prov. Westfalen
Breitenau	Prov. Hessen-Nassau
Brauweiler	Rheinprovinz
Kemna	Rheinprovinz

*Diese Aufzählung ist nicht vollständig. Einige der genannten Lager
existierten nur wenige Monate, andere von März 1933 bis Juli oder
August 1934.

Die Entwicklung der Konzentrationslager

Über die Anzahl der Häftlinge in den preußischen Konzentrationslagern besitzen wir nur ungenaue Angaben. In einem Briefkonzept des Preußischen Innenministeriums an den Reichsinnenminister Frick vom Juni 1933 heißt es: »Nach meinen bisherigen Unterlagen befanden sich in Preußen während des Monats März 1933 durchschnittlich 15.000 Personen und während des Monats April 1933 durchschnittlich 13.000 Personen in Schutzhaft . . . Für die Zeit von Anfang Mai an rechne ich mit einer ziemlich gleichbleibenden Zahl von 10.000 bis 12.000 Schutzhäftlingen . . .«.[6]

Im Mai und Juni 1933 wurden erste Gruppen von Schutzhäftlingen wieder entlassen. Am 31. Juli schließlich saßen von den in einem Schreiben des Reichsinnenministeriums an die Reichskanzlei offiziell genannten 26.789 Schutzhäftlingen 14.906 in Preußen, also etwa 56 Prozent.[7] Insgesamt wurden im Deutschen Reich bis zum Ende des Jahres 1933 vermutlich 100.000 Menschen für kürzere oder längere Zeit gefangengehalten.

Der Staatssekretär im preußischen Innenministerium, Wilhelm Grauert, nannte in einem grundlegenden Erlaß vom 14. Oktober 1933 vier staatliche Konzentrationslager in Preußen, die eng mit dem Geheimen Staatspolizeiamt zusammenarbeiten sollten:[8] Papenburg (Bez. Osnabrück), Sonnenburg (Bez. Frankfurt/Oder), Lichtenburg (Bez. Merseburg) und Brandenburg (Bez. Potsdam). Außer in diesen Konzentrationslagern sollten Häftlinge noch in besonderen Abteilungen der beiden Provinzialwerkhäuser (»Arbeitshäuser«) Brauweiler und Moringen (Frauen) untergebracht werden. Aber dieser Plan ließ sich nicht durchsetzen. So sicherte sich zum Beispiel der Oranienburger Kommandant, SA-Sturmbannführer Max Schäfer, die Weiterexistenz seines Lagers. Zusammen mit dem Führer der SA-Gruppe Berlin-Brandenburg, SA-Gruppenführer Karl Ernst (am 30. Juni 1934 ermordet), erreichte er beim Innenministerium die staatliche Anerkennung seines SA-Lagers. Auch andere »wilde« Lager, so in Kemna und Berlin, bestanden weiter.[9]

Auch die Pläne Hermann Görings, die preußischen Konzentrationslager in den Moorgebieten des Emslandes zu stationieren, scheiterten noch in der Aufbauphase. Einige der geplanten vier Lager wurden zwar kurzfristig belegt, bis auf Esterwegen aber bald der Justizverwaltung zur Unterbringung von Strafgefangenen übergeben.

Nach dem 30. Juni 1934 übernahm SS-Gruppenführer Theodor Eicke die Reorganisation der deutschen Konzentrationslager. Eine Übersicht aus dem Jahre 1935 zeigt für Preußen die Konzentrationslager Lichtenburg und Esterwegen sowie das Konzentrationslager Columbiahaus. Im Schloß Oranienburg wurden zu dieser Zeit die »Wachverbände« ausgebildet und schichtweise zum Dienst im Columbiahaus eingesetzt.[10]

So wurden Waffen verschickt: Ein beschlagnahmter Trommelrevolver,
in einem Buch versteckt, in der Bibliothek eines „intellektuellen"
Kommunisten gefunden.

Im Endkampf
gegen die
Unterwelt

Erstmalig gestattete Aufnahmen aus dem Geheimen
Staatspolizeiamt in Berlin

Aktuelle Bilder-Centrale.

133 6/.

Geheimes Staatspolizeiamt
Prinz-Albrecht-Straße 8

Blatt Nr. 144

Besucherschein Nr.

Die Haupthalle des Geheimen Staatspolizeiamtes mit den Büsten des Führers
und des Ministerpräsidenten Göring. Oben: Der Besuchschein, der zum Betreten
und Verlassen des Amtes nötig ist.

Kein Land der Erde kann sich rühmen, so gründlich und doch so unblutig mit der Pest des Marxismus aufgeräumt zu haben wie das neue Deutschland. Fast haben wir schon wieder vergessen, wie in den vierzehn Jahren der glorreichen Systemzeit der rote Terror tatsächlich sein Todesopfer forderte und wie Tausende von Volksgenossen schwere Blutopfer bringen mußten, weil es die „Propaganda" dieser sogenannten Weltbeglücker erforderte. Der Nationalsozialismus hat im Endlauf den gesamten Marxismus, der vor ein

paar Jahren noch mit großen Anhängerzahlen auftrumpfte, hinweggefegt. Was geblieben ist, ist ein zerstreutes Häuflein verbrecherischer Provokateure, die, von Ausland bezahlt, suchen, ihr dunkles Treiben fortzusetzen. Der unermüdlichen Arbeit der Geheimen Staatspolizei aber gelingt es, eines nach dem andern dieser Nester aufzuheben und unschädlich zu machen. Die zwei Jahre völliger Ruhe und Ordnung, nicht, wie anderswo, durch wilde Streite, blutige Demonstrationen und Aufstände, täglich überfälle unterbrochen, beweisen wohl am allerbesten Wert und Wirkung der planvollen und sicheren Arbeit, die hier zum Besten des ganzen Volkes geleistet wird.

Schwere Polizeipistole, in Brettern eingenagelt, im ehemaligen
Karl-Liebknecht-Haus gefunden.

Aus einer kommunistischen Waffenmeisterei. Ein als Spazierstock getarntes Gewehr,
mit dem die Kommunisten „harmlos" bei ihren Demonstrationen umherliefen.

*Nur selten berichten Illustrierten über die Arbeit der Gestapo. Mit dieser Bildreportage
versucht das Geheime Staatspolizeiamt, sich als eine normale Polizeibehörde im »End-
kampf gegen die Unterwelt« darzustellen.*

1934 findet im Geheimen Staatspolizeiamt eine Propagandaausstellung über die »bol-schewistische Gefahr« statt. Neben Puppen in der Uniform des »Roten Frontkämpfer-bundes« werden auch »fabrikmäßig hergestellte Totschläger« gezeigt.

In Lichtenburg waren Mitte 1935 etwa 700, in Esterwegen rund 320 Häftlinge untergebracht. Die Gesamtzahl der preußischen Schutzhäftlinge lag zu dieser Zeit unter 2200.[11] Rund 50 weibliche Häftlinge waren im Konzentrationslager Moringen untergebracht.

Von Anfang an war der nationalsozialistische Verfolgungsapparat bemüht, sich einen legalen Anschein zu geben. Nicht die Polizei allein sollte den politischen Gegner bekämpfen, sondern auch die Justiz. Der 21. März 1933, der »Tag von Potsdam«, brachte neben der glanzvollen Inszenierung der Reichstagseröffnung auch die Einführung von »Sondergerichten«. Konsequenz aus dem »Versagen« der Justiz beim Prozeß über den Reichstagsbrand war Anfang 1934 die Einsetzung des »Volksgerichtshofes«.

Die Einführung neuer Gerichte und neuer Straftatbestände (»Heimtückeverordnung«) führte zu einem raschen Ansteigen der Verurteilungen. Die Justiz paßte sich nahtlos und ohne Reibungen der nationalsozialistischen Unterdrückungsmaschinerie an. War eine Unterdrückungsmaßnahme gesetzlich festgelegt, zögerte die Justiz nicht, sie anzuwenden. Im Zuge dieser »Legalisierung« durch die Justiz leerten sich die Konzentrationslager und füllten sich die staatlichen Gefängnisse und Zuchthäuser. Ab 1935 nahm jedoch die Zahl der Konzentrationslagerhäftlinge wieder zu. Eicke zog die Häftlinge nun immer häufiger zum Arbeitseinsatz bei den neu entstehenden wirtschaftlichen Unternehmungen der SS heran. Kleinere alte Lager (Bad Sulza, Columbia, Lichtenburg u.a.) wurden aufgelöst. Nach Eickes Planung sollte in jedem Teil des Reiches *ein* großes Konzentrationslager entstehen, das im Kriegsfall weitere Häftlinge aufnehmen sollte. Bis 1939 stieg die Zahl der Häftlinge in den Konzentrationslagern wieder auf rund 21.000. Insgesamt bestanden bei Beginn des Krieges folgende Lager:
- Dachau (seit März 1933. Das Lager war 1939 für einige Monate geschlossen; die Häftlinge kamen zum großen Teil nach Flossenbürg.)
- Sachsenhausen (seit Sommer 1936, vor allem für Häftlinge aus Nord- und Westdeutschland)
- Buchenwald (seit Sommer 1937, vor allem für Häftlinge aus Mitteldeutschland)
- Flossenbürg (seit Mai 1938, vor allem für »Berufsverbrecher« und »Asoziale«)
- Mauthausen (seit Mai 1938, für österreichische Häftlinge)
- Ravensbrück (seit Frühjahr 1939, für weibliche Häftlinge).

Mit dem raschen Anwachsen der Häftlingszahl ab Kriegsbeginn wurden die Lager immer weiter ausgebaut. Neue Konzentrationslager entstanden. Bis 1945 wurde Deutschland überdies mit einem Netz von Außen- und Arbeitskommandos überzogen, bis schließlich zu Jahresbeginn 1945 über 750.000 Menschen in den Konzentrationslagern einsaßen. Ab 1942 setzte die SS Häftlinge vermehrt in der Rüstungsindustrie ein. Auch in dieser Zeit war das Schutzhaftreferat des Reichssicherheitshauptamtes für die Häftlinge zuständig und verantwortlich.

Die Schutzhaft

Die Geheime Staatspolizei war in der Lage, die Schutzhaft als wirksames Mittel der politisch-polizeilichen Gegnerbekämpfung einzusetzen. Untersucht man, wie sich die Schutzhaftabteilung im Geheimen Staatspolizeiamt von ihren Anfängen an entwickelte, welche Aufgaben sie hatte und wie die Kompetenzen innerhalb des Geheimen Staatspolizeiamtes verteilt waren, so ergibt sich das Bild eines immer mächtiger werdenden Verfolgungsapparates mit einer »sinnvollen« Arbeitsteilung. Aus der Trennung zwischen Einweisung und Entlassung eines Häftlings durch die Geheime Staatspolizei einerseits und seiner Behandlung im Konzentrationslager durch die Inspektion der Konzentrationslager (später Amtsgruppe D im SS-Wirtschafts-Verwaltungshauptamt) andererseits ergab sich auch eine Teilung der Verantwortung. Keine der beiden Institutionen fühlte sich mehr für die Opfer verantwortlich.

Bereits seit dem 26. April 1933 hatte das Geheime Staatspolizeiamt faktisch die Kompetenz zur Schutzhaftverhängung in ganz Preußen.[12] Im Geschäftsverteilungsplan vom 19. Juni 1933 ist das »Schutzhaftreferat« unter der Leitung von Staatsanwaltschaftsrat Dr. Kurt Mittelbach verzeichnet.[13] Mittelbach war es gewesen, der am 10. April 1933 im Auftrage Diels' das Konzentrationslager im ehemaligen Zuchthaus Sonnenburg inspiziert hatte. In seinem Bericht verschwieg er die schlechte Behandlung der Gefangenen durch die SA nicht.[14] Als Diels einige Tage später mit dem dafür zuständigen Referenten im Stab der SA-Gruppe Berlin-Brandenburg sprach, brachte er zwar seine Bedenken vor, zeigte sich aber kaum entrüstet. Die SA ging davon aus, daß alle Beschwerden auf die »subjektive Einstellung« der Beschwerdeführenden zurückzuführen seien: »Dies mußte mir auch an Hand vorgelegten Beweismaterials Herr Oberregierungsrat Dr. Diels, mit dem sachlich zu arbeiten wirklich nicht schwer und absolut möglich ist, anerkennen«.[15] Diels steckte gegenüber der SA wieder einmal zurück. Sein Schutzhaftreferent, ersichtlich zumindest um eine Normierung der Maßnahmen gegenüber politischen Gegnern bemüht, blieb denn auch nur bis Mitte Juli 1933 im Amt.

Der zweite Schutzhaftreferent des Gestapa, Dr. jur. Otto Conrady, war ebenfalls Jurist und wurde im November 1933 zum Staatsanwaltschaftsrat ernannt. Ein vermutlich von Conrady entworfenes und von Diels am

22. August 1933 gezeichnetes Schreiben über die Einmischung »höherer Staatsbeamter« in die Angelegenheiten des Gestapa führte zu einem Kompetenzkonflikt mit dem Reichsinnenminister.[16] Nicht gegen die sachliche Kritik, sondern gegen die Vorgehensweise des Gestapa protestierte Staatssekretär Pfundtner: »So sehr ich die Ansicht des Geheimen Staatspolizeiamtes teile, daß es nicht angängig ist, wenn höhere Staatsbeamte, ohne dienstlich hierzu beauftragt oder berechtigt zu sein, Auskunft über den Aufenthaltsort und die Gründe der Festnahme politischer Häftlinge verlangen, so wenig vermag ich es zu billigen, daß das Geheime Staatspolizeiamt, als eine nachgeordnete Behörde, sich unmittelbar mit einem derartigen Ersuchen an die Reichsministerien wendet. Ich stehe auf dem Standpunkt, daß solche Ersuchen nur durch die obersten Landesbehörden an die Reichsregierung gerichtet werden können«.[17] Doch die Versuche des Reichsinnenministeriums, das Geheime Staatspolizeiamt in die Schranken zu weisen, blieben letztlich erfolglos.

Als Reinhard Heydrich Ende April 1934 die Leitung des Geheimen Staatspolizeiamtes übernahm, begann er mit einer umfangreichen personellen und sachlichen Umorganisation. Den bisherigen Schutzhaftreferenten Dr. Otto Conrady stellte er wieder dem Innenministerium zur Verfügung – allerdings mit der Aufforderung, Conrady nur außerhalb Berlins zu beschäftigen. Zu seinem Nachfolger ernannte Heydrich den Juristen und Staatsanwaltschaftsrat Hans-Joachim Tesmer. Tesmer, der die ihm zugewiesenen Aufgaben anscheinend zur Zufriedenheit Heydrichs erledigte, veröffentlichte mehrere kleine Artikel in juristischen Zeitschriften, in denen er auf den Sinn und die »positiven« Auswirkungen der Schutzhaft einging.

In der ersten Zeit seiner Tätigkeit richtete Heydrich auf die Schutzhaft sein besonderes Augenmerk. Am 31. Mai 1934 bestimmte er:
- Die einzelnen Dienststellen des Geheimen Staatspolizeiamtes seien befugt Schutzhäftlinge festzunehmen.
- Die endgültigen Schutzhaftbefehle seien nur mit seiner Unterschrift gültig und müßten ihm mit dem Gesamtvorgang zur Zeichnung vorgelegt werden.
- Das Schutzhaftreferat II 1 D sei vorab zu informieren; es besorge die weitere Abwicklung (Erstellung der Schutzhaftkartei, Überweisung des Häftlings in ein Konzentrationslager). In Zusammenarbeit mit der zuständigen Dienststelle müsse es die Verlängerung der Schutzhaft prüfen.[18]

Das Chaos der Schutzhaftdienststelle im Geheimen Staatspolizeiamt offenbarte sich im August 1934. Im Rahmen der »Bereinigung« der Mordaktionen gegen die SA forderte Göring einen Nachweis über alle preußischen Schutzhäftlinge an, die länger als sieben Tage inhaftiert waren. Die Dienststelle II 1 D konnte den Termin nicht halten, mußte mehrfach um Verlängerung bitten, Angaben korrigieren und schließlich Ergänzungslisten nachreichen.[19] Trotz aller Formalisierung war die Geheime Staatspolizei offensichtlich nicht in der Lage, alle Schutzhaftvorgänge korrekt nachzuweisen. Als Konsequenz aus der Schlappe ordnete Heydrich die Errichtung einer neuen Schutzhaftkartei an. Die Staatspolizeistellen mußten von nun an alle Schutzhaftvorgänge dem Geheimen Staatspolizeiamt mitteilen.

1935 beendete Hans-Joachim Tesmer seine Tätigkeit im Schutzhaftbereich und kam in die Verwaltungsabteilung des Geheimen Staatspolizeiamtes. 1936 zum Oberregierungsrat befördert, beendete er seine Karriere 1945 als Regierungsvizepräsident in Liegnitz. Kriminalrat Karl Futh, ein schon älterer Polizeibeamter, übernahm das Schutzhaftreferat. Auch nach der Zusammenfassung von Geheimer Staatspolizei und Kriminalpolizei im »Hauptamt Sicherheitspolizei« oblag Futh die Leitung der stetig wachsenden Dienststelle.

Am 1. März 1937 ging Karl Futh in Pension. Sein Nachfolger wurde der Jurist Dr. Emil Berndorff. Berndorff hatte im Referat »Reaktion und Opposition«, das vor allem konservativ-bürgerliche und monarchistische Bestrebungen überwachte, unter Franz Josef Huber das Dezernat »Opposition« geleitet. Zum Amtsantritt im Schutzhaftreferat erhielt Berndorff von Heinrich Müller genaue Aufgaben: Er solle vor allem die Organisation des Referates verbessern, die Karteien überprüfen und die gesamte Arbeitsweise neu regeln. 1937 gehörten dem Schutzhaftreferat etwa sechs Inspektoren, sechs Registratoren und sieben oder acht weibliche Schreibkräfte an. Mit steigender Häftlingszahl wuchs auch die Personalausstattung. Nach seinem Auszug aus der Prinz-Albrecht-Straße 8 beschäftigte das Schutzhaftreferat elf Inspektoren und über vierzig Registratoren und Schreibkräfte.

Emil Berndorff erfüllte seine Aufgaben im Sinne der Gestapo-Führung. Eine kurze Übersicht über die wichtigsten Maßnahmen, an denen Berndorff zwischen 1939 und 1942 beteiligt war, zeigt den immer rücksichtsloser werdenden Vollzug der Schutzhaft und die bürokratische Entrechtung und Herabsetzung des Individuums:

– Ab 4. Oktober 1939 konnten die Gestapo-Stellen und -Leitstellen Schutzhaft bis zu 21 Tagen in eigener Verantwortung verhängen.
– Am 24. Oktober 1939 teilte Heinrich Müller allen Dienststellen der Geheimen Staatspolizei mit: »Entlassungen aus der Schutzhaft finden während der Kriegszeit im allgemeinen nicht statt«; die Staatspolizei(leit)stellen konnten die Schutzhaft nun in eigener Zuständigkeit jeweils um drei Monate verlängern, »wenn kein Anlaß gegeben ist, einen Antrag auf Schutzhaftentlassung zu stellen«.[20] Führungsberichte aus den Konzentrationslagern waren nur noch auf Weisung des Geheimen Staatspolizeiamtes einzuholen.
– Vom 18. Mai 1940 an wurden die Schutzhaftbefehle endgültig nicht mehr in Berlin, sondern bei den einzelnen Staatspolizei(leit)stellen ausgefertigt.

Das Gestapa teilte nur noch die Formulierung des Befehls und das Akten-
zeichen per Fernschreiben mit.[21]
- Am 2. Januar 1941 teilte Heydrich nach Vorarbeit von Emil Berndorff die
Konzentrationslager in Stufen ein:
»Stufe I: Für alle wenig belasteten und unbedingt besserungsfähigen
Schutzhäftlinge, außerdem für Sonderfälle und Einzelhaft die Lager:
Dachau, Sachsenhausen und Auschwitz I. (Letzeres kommt auch zum Teil
für Stufe II in Betracht).
Stufe Ia: Für alle alten und noch bedingt arbeitsfähigen Schutzhäftlinge,
die im Heilkräutergarten beschäftigt werden können, das Lager: Dachau.
Stufe II: Für schwerer belastete, jedoch noch erziehungs- und besserungs-
fähige Schutzhäftlinge die Lager: Buchenwald, Flossenbürg, Neuen-
gamme und Auschwitz II.
Stufe III: Für schwer belastete, insbesondere auch gleichzeitig kriminell
vorbestrafte und asoziale, d.h. kaum noch erziehbare Schutzhäftlinge, das
Lager: Mauthausen«.[22]
- Kurz nach dem deutschen Überfall auf die Sowjetunion kam es zu umfangreichen Einweisungen in die Konzentrationslager.[23]
Bei all diesen Maßnahmen war das Schutzhaftreferat IV C 2 im RSHA leitend
und koordinierend tätig.

Der Weg eines Schutzhaftgefangenen

Wir besitzen nur wenige Akten aus den einzelnen Staatspolizeistellen oder
Konzentrationslagern, aus denen der Weg eines Schutzhaftgefangenen
detailliert hervorgeht. Trägt man alle bruchstückhaft überlieferten Dokumente zusammen, ist es dennoch möglich, den Arbeitsablauf im Schutzhaftreferat zu rekonstruieren.[24]
Die Gestapo-Stellen mußten die nach einer Festnahme gegen einen Häftling verhängte Schutzhaft, die über sieben (später zehn) Tage hinausreichte,
vom Geheimen Staatspolizeiamt bestätigen lassen. In den dreißiger Jahren
erfolgte die Meldung an das Geheime Staatspolizeiamt meist schriftlich, später nur noch über Fernschreiber. Ein Teil der von den Gestapo-Stellen einlau-
fenden Schutzhaftvorgängen kam auf den Schreibtisch Heinrich Müllers,
der andere ging an das Schutzhaftreferat. Müller erhielt so – vermutlich bis in
die erste Kriegsphase hinein – die wichtigsten Schutzhaftvorgänge direkt.
Nach späteren Angaben des Schutzhaftreferenten Berndorff zeichnete Müller
die Schutzhaftanträge ab und gab am Rand kurze Weisungen wie »kein KL,
erst zum Gericht« oder »KL bis auf weiteres«. Einen Teil der Schutzhaftanträge sollen auch Himmler und Heydrich erhalten haben.

Kamen die Anträge dann von Müller oder Heydrich zurück, leitete das Schutzhaftreferat sie an die jeweiligen Sachreferate im Gestapa weiter. In den meisten Fällen gaben die Sachreferate den Schutzhaftforderungen der Staatspolizeistellen statt. Die auf diese Weise »bearbeiteten« Anträge landeten wieder beim Schutzhaftreferat Berndorffs. Dort wurden die Schutzhaftbefehle ausgefertigt, mit einer Haftnummer versehen und die Schutzhaftakten angelegt. Berndorffs Position war später so hochrangig, daß er mit einem Faksimilestempel Heydrichs bzw. Kaltenbrunners die Schutzhaftbefehle selbst ausfertigen konnte. Die Entscheidungsbefugnis lag daher nicht ausschließlich bei den Sachreferaten.

Die von Heydrich zu Beginn seiner Amtszeit eingeführten Schutzhaftakten, die das Gestapa zusätzlich zu den Personalakten anlegte, wurden vom Schutzhaftreferat jeweils unter der Dienststellenbezeichnung II 1 D (später II D, ab 1939 IV C 2) geführt und erhielten eine Haftnummer aus dem ersten Buchstaben des Familiennamens und einer fortlaufenden Zahl. So stand auf dem Kopf des Schutzhaftbefehls dann zum Beispiel: »II 1 D, Haft Nr. R 174«. Diese Kennzeichnung wurde bis 1945 durchgehalten. Die wenigen uns vorliegenden Schutzhaftakten oder -befehle aus dem Frühjahr 1945 weisen fast durchweg fünfstellige Nummern auf, so z.B. »Haft Nr. M 34591«. Zwischen 1934 und 1945 waren also mindestens 34.591 politische Schutzhäftlinge, deren Familienname mit dem Buchstaben M begann, aktenmäßig durch das Schutzhaftreferat des Gestapa und später des Amtes IV im Reichssicherheitshauptamt gegangen.

Die Inspektion der Konzentrationslager in Oranienburg, die spätere Amtsgruppe D des SS-Wirtschafts-Verwaltungshauptamtes, teilte dem Schutzhaftreferat in regelmäßigen Abständen mit, wie viele Plätze in Konzentrationslagern zur Verfügung standen. Nach diesen Angaben konnte das Schutzhaftreferat den kürzesten Fahrweg zwischen einweisender Gestapo-Stelle und aufnehmendem Konzentrationslager berücksichtigen.

War der Schutzhäftling im Konzentrationslager eingetroffen, begann der zweite und eigentliche Teil der Arbeit des Schutzhaftreferates. Nach dem Frick-Erlaß vom 25. Januar 1938 mußte die politische Schutzhaft alle drei Monate überprüft werden. In der Theorie sollten dabei ein Führungsbericht des Konzentrationslagers, eine Stellungnahme der einweisenden Gestapobehörde und ein Kommentar des Sachreferenten im Geheimen Staatspolizeiamt vorliegen. Berndorffs Aufgabe war es, diese drei Berichte zusammenzufassen, zu entscheiden und in Zweifelsfällen bei Müller nachzufragen. Die Praxis aber sah anders aus.

Das Schutzhaftreferat forderte nach drei Monaten einen Führungsbericht beim Konzentrationslager an. Der Kommandant des Konzentrationslagers gab die Anfrage an den Leiter der Politischen Abteilung, einen Gestapo-Beamten, weiter. Dieser fertigte dann nach Vorlage der Akten einen durch-

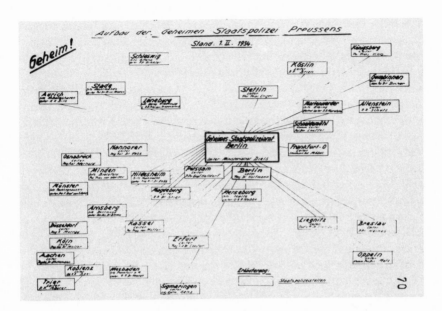

Anfang 1934 hat sich die Gestapo in ganz Preußen etabliert. Diese Übersicht aus dem Geheimen Staatspolizeiamt zeigt die regionale Differenzierung und die Entfernung zwischen Berlin und den Staatspolizeistellen.

weg negativen Bericht, der fast immer mit der Ablehnung einer Entlassung endete. Als die Häftlingszahlen stiegen, wurden die Führungsberichte immer formelhafter. Die einweisende Gestapo-Stelle richtete sich meistens nach den von ihr – in anderen Abständen – im Konzentrationslager angeforderten Kurzführungsberichten. Da diese mit wenigen Ausnahmen ebenso negativ ausfielen, kamen auch die Gestapo-Stellen in ihrem Bericht an das Schutzhaftreferat selten zu einer positiven Entlassungsempfehlung. Das Gestapa registrierte die beiden negativen Führungsberichte und verlängerte selbstverständlich die Schutzhaft um weitere drei Monate.[25]

Dieses makabre Spiel konnte sich beliebig oft wiederholen. War der Häftling erst einmal im Konzentrationslager, trat das Schutzhaftreferat nicht wieder in eine inhaltliche Prüfung ein – außer in bekannteren Fällen auf ausdrückliche Weisung Himmlers oder Heydrichs. Die Entlassung von Häftlingen veranlaßte meist die einweisende Gestapo-Stelle.

Alle Instanzen also waren an der politischen Verfolgung beteiligt. Die Aufgabe der Berliner Zentralinstanz war eindeutig die Koordination und die Ausgabe grundlegender Weisungen an die unteren Stellen. Zugleich war durch die Zentralisierung gesichert, daß die obersten Herren in Berlin den

Überblick über die politische Verfolgung behielten, eine wesentliche Voraussetzung ihrer Herrschaft. Das Zwangsmittel der Schutzhaft, am 28. Februar 1933 eingesetzt, blieb bis zum Frühjahr 1945 eine der Säulen nationalsozialistischer Herrschaft. Die Schutzhaftdurchführung und -verhängung zeigt auf detaillierte Weise, welch große Bedeutung der systematischen Verfolgung durch den Terrorapparat zukam. Im Zusammenspiel von Gestapo-Stellen und Geheimem Staatspolizeiamt, von Unter- und Zentralbehörde, entwickelte sich die Schutzhaft zu einem Unterdrückungsmittel, das je nach Bedarf verschieden eingesetzt werden konnte. Als die Zahl der Schutzhaftfälle noch geringer war, wollte das Geheime Staatspolizeiamt immer einen Überblick und die alleinige Entscheidungsbefugnis behalten. Mit dem Anwachsen der Konzentrationslager konnte das Schutzhaftreferat jedoch nicht mehr alle Fälle sinnvoll bearbeiten. Es lag in der Logik nationalsozialistischen Denkens, daß zuerst eine Einteilung der Häftlinge in Lagerstufen erfolgte und anschließend die Unterbehörden die Einweisung der auf dieser Skala unten stehenden Personengruppen selbständig durchführen konnten. Vom 4. Mai 1943 an durften dann etwa die Staatspolizei(leit)stellen über die Einweisung sämtlicher Polen in die Konzentrationslager frei verfügen.[26] Als sich der Krieg und damit der Traum von der Herrschaft der nordischen Rasse dem Ende näherte, war auch das Leben der deutschen Häftlinge von geringerer Bedeutung geworden. Am 31. August 1944 setzte Heinrich Himmler als Reichsinnenminister die Frist für vorläufige Festnahmen auf 56 Tage für Reichsdeutsche und auf drei Monate für Ausländer herauf.[27]Die Einteilung der Lager in angeblich gute und weniger gute Lager hatte unter den Bedingungen des nationalsozialistischen Krieges längst ihre Bedeutung verloren. Alle Konzentrationslager und ihre Außenlager waren für die Häftlinge mörderisch.

Charakteristisch war nicht nur die Zusammenarbeit zwischen Unter- und Zentralbehörden, sondern auch der hierdurch bedingte Abbau der Verantwortung. Die Gestapo-Unterbehörden beantragten die Schutzhaft, die Zentrale bestätigte sie und die Konzentrationslager waren für die Durchführung verantwortlich. Jede dieser drei Instanzen konnte sich darauf berufen, nicht für das Schicksal der Häftlinge verantwortlich zu sein. Vielleicht liegt hier ein Teil der Antwort auf die Frage, wie sich das nationalsozialistische Unterdrückungssystem entwickeln und behaupten konnte. Die Ausschaltung von Moral und Verantwortungsgefühl, der Mangel an Zivilcourage und die Perfektion des preußisch-deutschen Verwaltungsapparates ergänzten sich. Die Gestapo, das entscheidende Instrument der Gewaltherrschaft, wäre für die Machthaber sehr viel schwieriger zu handhaben gewesen, wenn sich die Handlanger auf den verschiedenen Ebenen weniger willfährig gezeigt hätten.

Das Rechtsempfinden, das ihnen in den Jahren der nationalsozialistischen Herrschaft anscheinend völlig abging, schlug nach 1945 merkwürdig heftig aus. So sagte der Leiter des Schutzhaftreferates, Berndorff, 1947: »Abschließend möchte ich noch sagen, daß ich die Verhängung von Schutzhaft und Einweisung in K.L. für gesetzlich hielt. Die Grundlagen hierfür beruhten auf der Verordnung des Reichspräsidenten zum Schutz von Volk und Staat vom 28.2.1933, der Schutzhaftverordnung des Reichsministers d.I. und der hierzu ergangenen Entscheidungen höchster Gerichte (RG und OVG). Weiter fanden regelmäßige Belehrungen der in Frage kommenden Beamten statt, mit Verhängung der Schutzhaft sparsam umzugehen und die gesetzlichen Voraussetzungen bei solchen Anordnungen genauestens einzuhalten. Ich konnte mir als Beamter, der an Gehorsam gewöhnt war, nicht denken, daß die von allen ausländischen Mächten anerkannte Reichsführung ungesetzliche Anweisungen ergehen lassen würde. Soweit etwas schärfere Anweisungen ergangen waren, hielt ich sie für die Notwendigkeiten des Krieges für berechtigt. Ich war der Überzeugung, daß Deutschland ohne sein Verschulden in einen Kampf um seine Lebensrechte verwickelt war«.[28]

Die Gestapo-Karteien

Die Bürokratie der Verfolgung benötigte möglichst umfassende Informationen über alle politischen Gegner. So entstanden nicht nur Karteien in den einzelnen Sachreferaten zur täglichen Arbeit, sondern auch eine umfangreiche Hauptkartei. Diese Hauptkartei der Geheimen Staatspolizei (später des Amtes IV im Reichssicherheitshauptamt) war das bürokratische Herzstück der Verfolgung in Deutschland ab 1934.

Heinrich Himmler hatte bereits als Inspekteur der Geheimen Staatspolizei am 9. Juli 1934 die umfassende Führung von Personalakten angeordnet. Personalakten über »allgemein-politisch« in Erscheinung getretene Personen sollten im Geheimen Staatspolizeiamt und von den Außenstellen der Staatspolizeistellen geführt werden; Personen, die »spionagepolizeilich« aufgefallen waren, sollten nur vom Geheimen Staatspolizeiamt und von den Staatspolizeistellen erfaßt werden. Oberster Grundsatz dabei war: »Personalakten sind für alle in allgemein-politischer oder in spionagepolizeilicher Hinsicht in Erscheinung getretenen Personen anzulegen, über die irgendwelche Vorgänge vorhanden sind. Ihnen sind insbesondere zuzuführen: a) Vertraulich erfaßte oder amtlich hergestellte Lichtbilder, b) Schriftvergleichsproben oder Formeln der Schriftvergleichsproben, c) Strafanzeigen, d) Einlieferungsanzeigen, e) Anordnungen über Verhängung oder Aufhebung der Schutzhaft, f) Abschriften der Vernehmungsprotokolle, ... o) sonstige Feststellungen jeder Art, sofern sie für die Beurteilung des Betreffenden von Bedeutung sind, über seine Verbindungen Aufschluß geben, Ermittlungsergebnisse pp.«.[29]

Bereits am 1.1.1939 soll die Hauptkartei der Geheimen Staatspolizei über 1.980.558 Personalkarten und 641.497 Personalakten umfaßt haben.[30] Mit der Ausdehnung der deutschen Aggression und dem Überfall auf Polen wuchs die Kartei sprunghaft an. Während des Krieges waren rund 250 Personen nur mit Kartei- und Aktenverwaltung beschäftigt. Wer von der Überwachungsmaschine der Gestapo einmal erfaßt war, wurde von ihr nicht mehr vergessen und immer wieder überprüft.

War man bis 1935 bemüht gewesen, die illegale Arbeit und den Organisationszusammenhang der Opposition zu bekämpfen, alte Verbindungen zu zerstören und den Aufbau neuer zu verhindern, so wich diese direkte Form der Gegnerbekämpfung ab 1935 immer mehr der Überwachung des gesamten öffentlichen und privaten Lebens. Politische Gegnerschaft sollte schon, bevor sie überhaupt in Erscheinung treten konnte, unmöglich gemacht werden; die Angst vor der Geheimen Staatspolizei sollte jeden Ansatz von Opposition im Keim ersticken. Verhaftet wurden im Zuge dieser präventiven Zwangsmaßnahmen alte Sozialdemokraten, die bereits 1933 ihre Parteiarbeit aufgegeben hatten, ehemalige KPD-Mitglieder und Mitglieder bürgerlicher Parteien.

Die systematische Erfassung begann im Dezember 1935. Heydrichs Maschinerie benötigte jedoch mehr Zeit als erwartet. Drei Anläufe waren notwendig, ehe die Überwachung wunschgemäß vollständig war.

Am 12. Dezember 1935 schrieb Reinhard Heydrich an die preußischen Staatspolizeistellen und die außerpreußischen Politischen Polizeien: »Um jederzeit in der Lage zu sein, einen empfindlichen Schlag gegen linksradikale staatsfeindliche Elemente führen zu können, ordne ich an, daß umgehend getrennte Verzeichnisse von Kommunisten und Marxisten angelegt werden, die gegebenenfalls auf hiesige Anweisung sofort in Schutzhaft zu nehmen sind. Es kommen insbesondere solche Personen in Frage, die auf Grund ihrer politischen Einstellung eine Gefahr für den Bestand des Staates bilden. Die Verzeichnisse, die zweckmäßig in Form von Karteien anzulegen wären sind stets auf dem laufenden zu halten«.[31]

Knapp zwei Monate später hob Heydrich seinen Erlaß wieder auf. Er hatte sich im Rahmen der allgemeinen Kriegsvorbereitung für ein gründlicheres Vorgehen entschieden. In seinem als geheime Reichssache versandten Erlaß vom 5. Februar 1936 begründete er die Notwendigkeit systematischer und umfassender Verzeichnung der politischen Gegner: »Die Aufgabe der Politischen Polizei besteht in dem Schutz des Staates. Diese Aufgabe bedingt, daß die Politische Polizei nicht nur über das Wirken der Staatsfeinde, sondern auch über deren Aufenthalt genauestens unterrichtet ist, daß jederzeit die Möglichkeit besteht, im Falle außergewöhnlicher Ereignisse (Kriegsfall) alle Staatsfeinde oder gegebenenfalls auch die Staatsfeinde bestimmter Richtun-

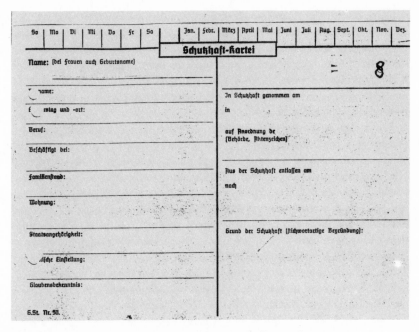

| So | Mo | Di | Mi | Do | Fr | Sa | | Jan. | Febr. | März | April | Mai | Juni | Juli | Aug. | Sept. | Okt. | Nov. | Dez. |

Schutzhaft-Kartei

Name: (bei Frauen auch Geburtsname)

⸺ 8

⸺ name:	In Schutzhaft genommen am
⸺ tag und -ort:	in
Beruf:	auf Anordnung de (Behörde, Aktenzeichen)
Beschäftigt bei:	
Familienstand:	Aus der Schutzhaft entlassen am nach
Wohnung:	
Staatsangehörigkeit:	Grund der Schutzhaft (stichwortartige Begründung):
⸺ .ische Einstellung:	
Glaubensbekenntnis:	
G.St. Nr. 50.	

Vordruck einer Schutzhaft-Karteikarte, Mitte der dreißiger Jahre.

gen im gesamten Reichsgebiet schlagartig in Schutzhaft nehmen zu können. Ich ordne daher an: 1) Die Staatspolizeistellen und die Politischen Polizeien der Länder erfassen karteimäßig (= A-Kartei) umgehendst alle Staatsfeinde, die – um ein Beispiel anzuführen – im Kriegsfalle unbedingt in Schutzhaft genommen werden müssen. 2) Staatsfeinde im Sinn dieser Anordnung sind alle jene Personen, von denen ohne weiteres zu vermuten steht, daß sie sich gemäß ihrer früheren politischen Einstellung und Tätigkeit oder auf Grund ihrer jetzigen Einstellung als Hetzer oder Aufwiegler, als Saboteure oder Nachrichtenagenten oder in ähnlicher, die öffentliche Sicherheit und Ordnung gefährdende Weise betätigen«.[32]

Die Errichtung der A-Kartei nahm bei den einzelnen Dienststellen der Geheimen Staatspolizei über ein Jahr in Anspruch. Der für den 1. Mai 1936 festgesetzte Termin wurde weit überschritten. Erst am 8. Januar 1937 konnte das Geheime Staatspolizeiamt den Eingang aller Meldungen feststellen. Das Ergebnis war für Heydrich anscheinend völlig unbefriedigend: »Nach Eingang der Meldungen aller Staatspolizeileit- und Staatspolizeistellen wurde das Ergebnis dieser Meldungen geprüft und festgestellt, daß die Bearbeitung meines Erlasses von den einzelnen Dienststellen anscheinend in sehr unterschiedlicher Weise vorgenommen worden ist. Während das durchschnittliche Verhältnis der im A-Falle festzunehmenden Personen zur Einwohnerzahl des Meldebezirks in Preußen 0,04788% ausmacht, beträgt es in den übrigen Ländern 0,10435%. Dieses offensichtliche Mißverhältnis beweist, daß der Begriff ›Staatsfeinde‹ eine verschiedene Beurteilung erfahren hat. Ich bitte daher, die dort von der A-Kartei erfaßten Personen nochmals zu überprüfen und von dieser Prüfung ihre endgültige Aufnahme in die A-Kartei abhängig zu machen«. [33]

Mit anderen Worten: Die von den Dienststellen der außerpreußischen Länder genannten Zahlen waren Heydrich viel zu hoch. Die subalternen Beamten hatten in ihrer Eilfertigkeit, jede nur von fern verdächtige Person zu erfassen, übersehen, daß selbst ein so leistungsfähiger Verfolgungsapparat wie die Geheime Staatspolizei bei der gleichzeitigen Verhaftung von weit über 46.000 Personen (etwa 19.000 in Preußen und rund 27.000 in den übrigen Ländern) überfordert gewesen wäre. So zeigte sich etwa bei den Aktionen der Pogromnacht vom 9./10. November 1938, daß die Konzentrationslager nach der Einlieferung von rund 26.000 Menschen vollkommen überfüllt waren. Die miserablen sanitären Verhältnisse erhöhten die Seuchengefahr, und von einer auch nur annähernd ordnungsgemäßen Unterbringung der Häftlinge konnte nicht mehr die Rede sein. Bei der Festnahme von 46.000 Personen wäre das Chaos kaum zu verhindern gewesen. Hinter Heydrichs Forderung nach einer nochmaligen Überprüfung aller erfaßten Personen steckte mithin pure Rationalität.

Am 7. Juli 1938 schließlich mußte Heydrich alle Erlasse über die A-Kartei aufheben. Der ursprüngliche Plan wurde nun durch eine dreistufige Regelung ersetzt:»Gruppe 1 (= A1) umfaßt alle diejenigen Staatsfeinde, die ob ihrer besonderen Bedeutung und Gefährlichkeit schon bei der Einleitung der getarnten Vorausmaßnahmen für die allgemeine Mobilmachung festgenommen werden müssen. Dabei ist sorgfältig darauf zu achten, daß durch diese Festnahmen keinesfalls eine Bloßstellung der getarnten Vorausmaßnahmen erfolgen darf. Deshalb dürfen weder bestimmte Gruppen – z.B. Minderheitenführer – noch bestimmte Einzelpersonen – z.B. ausländische Journalisten –, deren Festnahme auf eine bevorstehende Mobilmachung hinweisen würde, in die Gruppe A1 aufgenommen werden. Im Hinblick auf die Schwierigkeiten aller Maßnahmen in den Tagen der getarnten Vorbereitung einer Mobilmachung und auf die Notwendigkeit, auch in diesen Tagen neu verdächtig werdende Personen unschädlich zu machen, ist die Gruppe A1 zahlenmäßig möglichst zu beschränken ...

Gruppe 2 (= A2) umfaßt diejenigen Personen, die gleichzeitig mit der öffentlichen Anordnung der Mobilmachung festgenommen werden müssen. Auch bei der Aufnahme in die Gruppe A2 ist im Hinblick auf die Belastung der Polizei in den Mobilmachungstagen stärkste zahlenmäßige Beschränkung erforderlich.

Gruppe 3 (= A 3) umfaßt schließlich alle diejenigen Personen, die zwar nicht in der Gegenwart oder in den Tagen einer Mobilmachung die Sicherheit des Reiches unmittelbar gefährden, die aber in Zeiten schwerer Belastungsproben und der durch sie verursachten innenpolitischen Spannungen als politisch so gefährlich angesehen werden müssen, daß ihre Festnahme oder ihre besondere Überwachung ins Auge gefaßt werden muß«.[34]

In Anlehnung an diesen Erlaß überprüften die Staatspolizeileit- und Staatspolizeistellen ihre A-Kartei. Ein Exemplar jeder Karteikarte aus den neugeschaffenen Gruppen A 1 und A 2 erhielt immer das Gestapa, in dem sich auf diese Weise eine große, reichseinheitliche A-Kartei ansammelte. Zog ein in der A-Kartei Verzeichneter um, so mußte die Staatspolizeistelle des alten Wohnorts das Gestapa benachrichtigen, das wiederum die Staatspolizeistelle des neuen Wohnorts unterrichtete.

Die neue A-Kartei hatte noch nicht alle organisatorischen Schwierigkeiten gelöst. Zwar hatte sich die Zahl der Festzunehmenden verringert, aber dennoch mußten Unterkünfte und Transportmöglichkeiten in das nächste Konzentrationslager besorgt werden. Am 28. September 1938 bestimmte Dr. Werner Best in einem Schnellbrief an die Gestapo-Stellen, daß die Häftlinge aus den südlichen und südwestlichen Gebieten dem Konzentrationslager Buchenwald bei Weimar, die Häftlinge aus den nördlichen und westlichen Gebieten sowie aus Mitteldeutschland in das Konzentrationslager Sachsenhausen nördlich von Berlin einzuweisen seien. Die ostpreußischen Häftlinge sollten entweder in einem der beiden Lager oder »in dem in Ostpreußen zu errichtenden Konzentrationslager« untergebracht werden.[35] Das Konzentrationslager Dachau fand keine Erwähnung mehr, da es zu diesem Zeitpunkt schon als Ausbildungsort für SS-Einheiten vorgesehen war.

Ab Frühjahr 1939 traf die endgültigen organisatorischen Maßnahmen für den Abtransport der Häftlinge in die Konzentrationslager entsprechend den drei Kategorien der A-Kartei der jedem Wehrkreis zugeordnete Inspekteur der Sicherheitspolizei. Bei ihrer Zwischenunterbringung, bevor es mit einem Sammeltransport ins Lager ging, mußten, vor allem in Gerichtsgefängnissen, viele Gefangene unter teilweise menschenunwürdigen Bedingungen auf engstem Raum untergebracht werden.[36]

Der August 1939 war noch einmal von hektischen Vorbereitungen gekennzeichnet. Unter anderem
- verfügte Heinrich Müller, Leiter der Abteilung II im Gestapa, am 19. August eine unauffällige und schnelle Adressenüberprüfung der A-Kartei,[37]
- gab Reinhard Heydrich am 26. August die Anweisung, daß bei bereits eingezogenen Soldaten unverzüglich die Abwehrstelle des zuständigen Wehrbereichskommandos zu verständigen sei,[38]
- wurden am gleichen Tag die endgültigen, vereinfachten Formulare für Festnahmen aufgrund der A-Kartei bekanntgegeben.[39]

Spätestens in der Nacht auf den 1. September 1939 begannen auf direkten Befehl Heydrichs die Verhaftungen nach der A-Kartei. In den ersten Septembertagen verhaftete die Geheime Staatspolizei zwischen 2000 und 4000 Menschen aus der Gruppe A 1. Über 2000 Verhaftete kamen allein nach Buchenwald. Zwischen dem 30. August und dem 28. September 1939 stieg die Zahl der dort untergebrachten Häftlinge von 5382 auf 8858 Mann; die Zahl der politischen Schutzhäftlinge – hierunter fielen die Festgenommenen der A-Kartei – von 1652 auf 3785.[40]

Nachdem die A-Kartei bei den Verhaftungen der ersten Septemberwoche ihre Aufgabe erfüllt hatte, verlor sie erheblich an Bedeutung. Als im Sommer 1941, nach dem Beginn des deutschen Überfalls auf die Sowjetunion, erneut Verhaftungen erfolgten, verhaftete die Gestapo nach kurz zuvor zusammengestellten Listen tatsächlicher und möglicher Oppositioneller.

Die Geheime Staatspolizei war auf ihre Akten angewiesen. Trotz aller Kriegsbehinderungen legten die Schreibtisch-Mörder in der Prinz-Albrecht-Straße 8 und in den Außenstellen großen Wert darauf, daß ihre Arbeit in den Akten festgehalten wurde. Erst als der Krieg sich dem Ende näherte, verbrannte die Gestapo ihre Unterlagen. Es war eine tagelange Arbeit, in deren Rauch das Wissen um hunderttausendfaches menschliches Leid verflog. Die Befehle zur Vernichtung der Akten konnten jedoch nicht immer durchgeführt werden. Teile der Akten wurden nach Ostbayern, in die Nähe der tschechoslowakischen Grenze ausgelagert; dort haben sich nach Kriegsende einige Reste gefunden. Weitere Aktenbestände sollen in Bergwerke gebracht worden sein; ihr Schicksal ist ungeklärt. Dennoch besitzen wir heute genügend Dokumente, die Aufschluß über die mörderische Tätigkeit der Geheimen Staatspolizei und des Reichssicherheitshauptamtes geben.

»Sonderbehandlung« oder die »Grundsätze der inneren Staatssicherung während des Krieges«

Der deutsche Überfall auf Polen am 1. September 1939 war eine deutliche Zäsur im Terror der Geheimen Staatspolizei nach außen und innen. Während den Truppen der deutschen Wehrmacht die »Einsatzgruppen des Chefs der Sicherheitspolizei und des SD« auf dem Fuße folgten und das Netz des Reichssicherheitshauptamtes über jedes besetzte Gebiet legten, während schon in den ersten Septembertagen die planmäßige Ermordung der polnischen Führungsschicht begann, waren Heinrich Himmler und in seinem Auftrag Heydrich und Müller ermächtigt, die Tötung einzelner nach eigenem Gutdünken anzuordnen. Das ungehemmte Morden begann.

Am 3. September 1939 schrieb Reinhard Heydrich an die Leiter der Staatspolizeistellen und an alle Dienststellen der Sicherheitspolizei: »Jeder Versuch, die Geschlossenheit und den Kampfwillen des deutschen Volkes zu zersetzen, ist rücksichtslos zu unterdrücken. Insbesondere ist gegen jede Person sofort durch Festnahme einzuschreiten, die in ihren Äußerungen am Sieg des deutschen Volkes zweifelt oder das Recht des Krieges in Frage stellt ... Nach der Festnahme einer verdächtigen Person sind unverzüglich alle zur möglichst vollständigen Klärung des Falles notwendigen Ermittlungen durchzuführen ... Alsdann ist unverzüglich dem Chef der Sicherheitspolizei Bericht zu erstatten und um Entscheidung über die weitere Behandlung der festgenommenen Personen zu bitten, da gegebenenfalls auf höhere Weisung brutale Liquidierung solcher Elemente erfolgen wird«. [41]

Vier Tage später beklagte sich Heydrich bei den Staatspolizei- und Staatspolizeileitstellen über die wenigen Meldungen zur »Sonderbehandlung«. [42] Am 15. September schließlich rügte er: »Ich mußte inzwischen feststellen, daß von verschiedenen Staatspolizei(leit)stellen entgegen meinen Weisungen Personen dem Gericht überstellt worden sind wegen Sachverhalten, die eine Sonderbehandlung gefordert hätten«. [43]

Fünf Tage später wird der verschleiernde und beschönigende Ausdruck »Sonderbehandlung« eindeutig erläutert: »Bei den Fällen ... ist zu unterscheiden zwischen solchen, die auf dem bisher üblichen Wege erledigt werden können, und solchen, welche einer Sonderbehandlung zugeführt werden müssen. Im letzten Fall handelt es sich um solche Sachverhalte, die hinsichtlich ihrer Verwerflichkeit, ihrer Gefährlichkeit oder ihrer propagandistischen Auswirkung geeignet sind, ohne Ansehen der Person durch rücksichtslosestes Vorgehen (nämlich durch Exekution) ausgemerzt zu werden«. [44]

Beim Vollzug von »Sonderbehandlungen« zeigte sich die typische Arbeitsteilung zwischen Gestapo und SS: Sobald Himmler, Heydrich oder Müller die Exekution angeordnet hatten, mußte die örtlich zuständige Staatspolizei(leit)stelle den Kommandanten des nächstgelegenen Konzentrationslagers verständigen und ihm den zum Tod bestimmten Häftling überstellen. Die Exekution selbst wurde von SS-Männern im Lager durchgeführt.

Die erste Exekution im Rahmen der »Sonderbehandlung« fand am 7. September 1939 im Konzentrationslager Sachsenhausen statt. In den Akten des Amtes IV (Gestapo) schlägt sie sich folgendermaßen nieder:

Fernschreiben

»An den
Chef der Sicherheitspolizei SS-Gruf. Heydrich
Anordne Erschießung des Kommunisten Heinen noch heute abend im KZ-Lager Sachsenhausen.
Vollzugsmeldung an mich.   gez. Himmler.«

»Stapostelle Dessau wurde beauftragt, den dort in Haft befindlichen Heinen sofort im Einzeltransport über Berlin dem KZ-Lager Sachsenhausen
zu überstellen.

Der Transport traf gegen 23 Uhr 20 dort ein.

Auftragsgemäß eröffnete SS-Obersturmführer KK Putz dem Heinen, daß
er in Hinblick auf sein gezeigtes staatsfeindliches Verhalten und der damit
verbundenen Sabotage am Verteidigungswillen des Deutschen Volkes
nach Ablauf einer Stunde erschossen wird.

Sein Wunsch, rauchen und einen Brief an seine Frau schreiben zu dürfen,
wurde gewährt.

Der Lagerarzt stellte fest, daß um 0 Uhr 40 bei Heinen der Tod eingetreten
ist. Die Kommandantur des Konzentrationslagers Sachsenhausen wird die
Verbrennung der Leiche in einem Krematorium in Berlin veranlassen.

gez. Müller«.[45]

Rudolf Höß, der spätere Kommandant von Auschwitz, hatte als Adjutant
im Lager Sachsenhausen die Exekution durchzuführen. In seinen nach dem
Krieg entstandenen autobiographischen Aufzeichnungen gibt er folgende
Schilderung: »Am selben Abend wurde die erste Exekution des Krieges in
Sachsenhausen durchgeführt. Ein Kommunist, der in den Junkers-Werken in
Dessau sich geweigert hatte, Luftschutzarbeiten durchzuführen. Auf die
Anzeige des Werkschutzes hin wurde er von der dortigen Stapo verhaftet und
nach Berlin zur Gestapo gebracht und verhört, der Bericht dem RFSS vorgelegt, der die sofortige Erschießung befahl. Laut einem geheimen Mobilmachungsbefehl waren sämtliche vom RFSS bzw. vom Gestapa angeordneten
Exekutionen im nächstgelegenen KL durchzuführen. Um 22 Uhr rief Müller
vom Gestapa an, daß ein Kurier mit einem Befehl unterwegs sei. Dieser
Befehl sei sofort durchzuführen. Kurz danach traf ein PKW mit zwei Stapo-
Beamten und einem gefesselten Zivilisten ein. Der Kommandant erbrach das
angekündigte Schreiben, in dem nur kurz stand: ›Der NN. ist auf Befehl des
RFSS zu erschießen. Es ist ihm dies im Arrest zu eröffnen und eine Stunde
danach zu vollziehen.‹

Der Kommandant eröffnete nun dem Verurteilten den erhaltenen Befehl.
Dieser war völlig gefaßt, obwohl er nicht mit dem Erschießen gerechnet
hatte, wie er nachher sagte. Er konnte an seine Familie schreiben und bekam
Zigaretten, um die er gebeten hatte. ...

Als Adjutant war ich Führer des Kommandanturstabes. Als solcher hatte
ich - lt. geh. Mob. Befehl - die Exekutionen durchzuführen. ... Ich suchte mir
schnell drei ältere, ruhige Unterführer des Stabes zusammen, unterrichtete
sie über das Bevorstehende, belehrte sie über das Verhalten und die Durchführung. In der Sandgrube auf dem Industriehof wurde schnell ein Pfahl ein-

gegraben. Und schon kamen auch die Wagen angefahren. Der Kommandant bedeutete dem Verurteilten, daß er sich an den Pfahl zu stellen hätte. Ich führte ihn hin. Ruhig stellte er sich bereit. Ich trat zurück und gab den Feuerbefehl – er sank in sich zusammen und ich gab ihm den Fangschuß. Der Arzt stellte drei Herzdurchschüsse fest ... Alle die Führer, die bei der Exekution zugegen waren, saßen anschließend noch eine Weile im Kasino. Eigenartigerweise kam aber gar keine rechte Unterhaltung zustande, jeder hing seinen eigenen Gedanken nach«.[46]

Die Ermordung Johann Heinens blieb kein Einzelfall. Der für die Rechtspflege zuständige Reichsjustizminister, der erst aus den Zeitungen von mehreren Exekutionen durch die SS erfuhr, notierte zur Vorlage bei Hitler am 30. September 1939:

»*1. Pressebekanntmachungen.*

a) Der Reichsführer SS und Chef der Deutschen Polizei teilt mit, daß wegen Verweigerung der Mitarbeit an Sicherungsschutzaufgaben für die Landesverteidigung Johann Heinen, Dessau, am 7.9.39 erschossen worden ist. Heinen war außerdem ein wegen Diebstahl vorbestrafter Verbrecher.

b) Der Reichsführer SS und Chef der Deutschen Polizei teilt mit: Erschossen wurden

1. am 11.9.39 wegen vorsätzlicher Brandstiftung und Sabotage Paul Müller aus Halle. Müller war bereits 8 mal wegen Eigentumsdelikten mit Gefängnis und Zuchthaus vorbestraft.

2. am 15.9.39 wegen Weigerung, seine Pflicht als Soldat zu erfüllen, August Dickmann, geb 7.1.10, aus Dinslaken. D. begründete seine Weigerung mit der Erklärung, er sei ›Zeuge Jehovas‹. Er war ein fanatischer Anhänger der internationalen Sekte der ernsten Bibelforscher.

2. Sachverhalt

Hier nicht näher bekannt, da Justizbehörden damit nicht befaßt wurden. Ob die Militärjustizbehörden davon Kenntnis haben (Fall Dickmann), ist hier ebenfalls nicht bekannt.

3. Rechtsgrundlage für die verfahrenslosen Hinrichtungen

Der Führer soll diese Hinrichtungen angeordnet oder genehmigt haben; er soll weiter den Auftrag erteilt haben, der Reichsführer SS habe mit allen Mitteln die Sicherheit im Reichsgebiet aufrechtzuerhalten, und dieser Auftrag schließe bei Handlungen gegen die Kriegsgesetze auch die sofortige Exekution in sich (Mitteilung des SS-Brigadeführers Dr. Best). Die Bitte, über diese Anordnungen des Führers unterrichtet zu werden, wurde von Gruppenführer Heydrich damit beantwortet, der Justizminister möge sich wegen der Erschießungen unmittelbar mit dem Führer in Verbindung setzen«.[47]

Die Härte, die man gleich in den ersten Kriegstagen einführte, die Eises-kälte, mit der die Morde durchgeführt wurden, und die Wehrlosigkeit menschlichen Lebens können deutlicher nicht ausgedrückt werden. Auch Reichsjustizminister Gürtner unternahm gegen die neuen, staatlich legiti-mierten Morde nicht mehr viel. Die Abfuhr, die Heydrich ihm erteilt hatte, war deutlich genug. Und Hitler stellte sich hinter Heydrich. Am 14. Oktober 1939 notierte der Reichsjustizminister: »Lammers besucht mich im Auftrag des Führers: Er habe meine Aufzeichnung dem Führer gestern vorgetra-gen. Der Führer sagte: Eine *allgemeine* Anweisung habe er nicht gegeben. Die 3 Erschießungen habe er angeordnet. Er könne im Einzelfall auch darauf nicht verzichten, weil die Gerichte (Militär u. Civil) den besonderen Verhält-nissen des Krieges sich nicht gewachsen zeigten. So habe er jetzt die Erschie-ßung der Teltower Bankräuber befohlen. Himmler werde sich noch heute deshalb an mich wenden. 14.10.39. Gürtner«.[48]

In der Folgezeit begnügte sich der Reichsjustizminister mit dem Versuch, einen Überblick über die von Himmlers Apparat durchgeführten Morde zu behalten. In persönlichen Aufzeichnungen vermerkte er neben der Zahl der ihm bekannt gewordenen Morde durch die SS auch die Zahl der durch die Gerichte gefällten Todesurteile: zwischen dem 1.9.1939 und dem 31.7.1942 2153 Todesurteile von Gerichten im Reichsgebiet (1. Kriegsjahr: 381; 2. Kriegsjahr: 529; bis 31.7.42: 1243), 1794 Todesurteile von Sonderge-richten im ehemals polnischen Gebiet (ohne »General-Gouvernement«; 1. Kriegsjahr: 382; 2. Kriegsjahr: 557; bis 31.7.1942: 855). Die Zahl der SS-Exekutionen, die im Reichsjustizministerium bekannt wurden – also längst nicht alle–, belief sich auf 96 (1. Kriegsjahr: 31; 2. Kriegsjahr: 36; bis 31.7.1942: 29).[49]

Je länger die Todesmaschinerie arbeitete, desto mehr verlieren sich die Spuren in den Akten. Heinrich Müller, an dessen Schreibtisch in der Prinz-Albrecht-Straße 8 die meisten »Sonderbehandlungen« entschieden oder, auf Anweisung Himmlers, administrativ umgesetzt wurden, protokollierte die Morde im Laufe der Jahre längst nicht mehr so ausführlich wie noch im Sep-tember 1939. Den Staatspolizei(leit)stellen ließ er auf ihre Exekutionsanträge hin nur noch ein fernschriftliches ebenso lakonisches wie eindeutiges »einver-standen« mitteilen. Der ebenso lakonische Antwortfernspruch der Konzen-trationslager war daraufhin meist: »Obengenannte wurden befehlsgemäß am 6.12.1944 im hiesigen Lager durch Erschießen exekutiert«.[50]

Der Reichsführer-SS
unu
Chef der Deutschen Polizei
S IV D 2 - 45o/42 g - 81 -

Berlin SW 11, den 6. Januar 1943

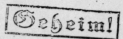

Durchführungsbestimmungen für
Exekutionen.
==============================

355

I. Vorbehandlung.

a) Alle Sonderbehandlungsfälle sind ebenso gründlich wie beschleu-
nigt zu bearbeiten. Der Tatbestand ist in klarer, knapper
Form darzustellen. Gründe, die einer Exekution entgegenstehen, sind anzugeben.

b) Bei Fremdvölkischen sind die Sondererlasse zu beachten, nach
denen zum Teil besondere Unterlagen beizufügen sind (Beurteilung über Eindeutschungsfähigkeit usw.).

c) Sonderbehandlungsvorschläge für Deutsche und Angehörige stam-
mesgleicher Rassen müssen Angaben über die Familienverhält-
nisse (Zahl der Kinder), den Beruf sowie das politische und
kriminelle Vorleben enthalten. Ferner sind beizufügen:

    1. ein neueres Lichtbild,
    2. eine charakterliche Beurteilung,
    3. ein auf den neuesten Stand gebrachter Strafregister-
                        auszug.

II. Befehlsdurchgabe.

a) Die Anordnung der Exekution erfolgt mittels Schnellbriefes
oder FS an die zuständige Staatspolizei-leit-stelle bezw. den
Kommandeur der Sicherheitspolizei und des SD. Diese Dienststelle hat von der Anordnung zu verständigen:

    1. den Höheren SS- und Polizeiführer,
    2. den Befehlshaber bezw. den Inspekteur der Sicher-
       heitspolizei und des SD.

Die Anordnung wird gezeichnet vom Chef des Amtes IV des RSHA.
oder von einem besonders Beauftragten.

b) Falls die Exekution im KL durchgeführt wird, setzt sich die
Staatspolizei-leit-stelle unverzüglich mit dem Lagerkommandanten in Verbindung und teilt den Zeitpunkt der Überstellung
des Häftlings mit. Gleichzeitig leitet sie diesem eine beglau-
bigte Abschrift der Exekutionsanordnung zu.

c) Bestätigte Standgerichtsurteile sind auf Antrag des Leiters
der Dienststelle des Standgerichtes auch ohne Weisung des
RSHA. zu vollziehen.

*Im Januar 1943 legt Heinrich Himmler »Durchführungsbestimmungen für Exekutio-
nen« vor. »Sonderbehandlungsfälle« sollen nach einem genauen Schema vorgeschlagen,
von Himmler entschieden und danach »exekutiert« werden.*

II. Durchführung der Exekutionen.

Die Exekutionen erfolgen bei deutschen Häftlingen in der Regel
im KL., und zwar grundsätzlich im Lager, das dem Haftort des
Delinquenten am nächsten liegt. Bei ausländischen Häftlingen
werden sie aus Abschreckungsgründen auch in der Nähe des Tat-
ortes vorgenommen.

A) Exekution im Lager.

   a) Der Exekution haben beizuwohnen:
      Der Lagerkommandant oder ein von ihm beauftragter ⸫-Führer,
      der Lagerarzt.

   b) Die Erschiessungen erfolgen an einer besonders bestimmten
      Stelle des Lagers, und zwar im Abstand von etwa 2 Metern
      von dem Kugelfang. Der Delinquent ist zu befragen, ob er
      mit dem Gesicht oder dem Rücken gegen die Wand stehen will.
      Die Erschiessung wird unter dem Befehl eines ⸫-Unter-
      sturmführers oder ⸫-Scharführers von mindestens 6 ⸫-Männern
      ausgeführt, die etwa 5 Schritte von dem Verurteilten ent-
      fernt aufzustellen sind.

   c) Erhängungen sind durch einen Schutzhäftling durchzuführen.
      Sie haben so zu erfolgen, dass ein Versagen der mechani-
      schen Einrichtungen ausgeschlossen ist. Der Schutzhäft-
      ling erhält für den Vollzug 3 Zigaretten.

   d) Kurz vor der Exekution ist dem Delinquenten in Gegen-
      wart der beteiligten ⸫-Männer vom Lagerkommandanten bezw.
      dessen beauftragten ⸫-Führer zu eröffnen, dass er exeku-
      tiert wird. Die Bekanntgabe hat etwa in folgender Form zu
      erfolgen:

        " Der Delinquent hat das und das getan und da-
        mit wegen seines Verbrechens sein Leben ver-
        wirkt. Zum Schutze von Volk und Reich ist er
        vom Leben zum Tode zu befördern. Das Urteil
        werde vollstreckt."

   e) Dem Delinquenten sind vertretbare Wünsche möglichst zu
      erfüllen.

   f) Lichtbilder oder Filme dürfen von der Durchführung der
      Exekution nicht aufgenommen werden. Ausnahmen bedürfen

                                meiner

meiner besonderen Genehmigung.

g). Nach der Exekution bestätigt der Lagerarzt schriftlich den eingetretenen Tod (mit Zeitangabe). Dem
Reichssicherheitshauptamt - Amt IV - ist sofort fern-
schriftlich kurze Vollzugsmeldung zu erstatten. Eine
Übermittlung des Exekutionsprotokolls oder der Todes-
bescheinigung ist in Zukunft nicht mehr erforderlich.
Diese sind bei der exekutierenden Stelle aufzubewah-
ren.

h) Nach jeder Exekution sind die daran beteiligten
ℋ-Männer bezw. Beamten durch den Lagerkommandanten
oder den von ihm beauftragten ℋ-Führer über die Recht-
mässigkeit der Exekution aufzuklären und in ihrer inneren Haltung so zu beeinflussen, dass sie keinen Schaden nehmen. Hierbei ist die Notwendigkeit der Aus-
merzung aller solcher Elemente im Interesse der
Volksgemeinschaft besonders hervorzuheben.

Die Aufklärung ist inwirklich kameradschaftli-
cher Weise vorzunehmen. Sie kann von Zeit zu Zeit in
Form eines kameradschaftlichen Beisammenseins erfolgen.

B. Exekution ausserhalb des Lagers.

a) Der Exekution haben beizuwohnen:

Der Leiter der Staatspolizei-leitstelle oder ein von
ihm beauftragter ℋ-Führer seiner Dienststelle,
ein Amts- oder ℋ-Arzt.

b) Die Exekutionen sind an einem geeigneten, von aussen
nicht einzusehenden Orte (Steinbruch, Waldstück usw.)
vorzunehmen. Innerhalb von Dörfern, Gehöften usw.
werden sie nur in besonders bestimmten Ausnahmefällen
vollzogen. Bei der Auswahl des Exekutionsplatzes sind
nach Möglichkeit die Anregungen des zuständigen Bürgermeisters und Ortsgruppenleiters sowie berechtigte
Bedenken der Grundstückseigentümer zu berücksichtigen.

Bei

Treppenhaus im Geheimen Staatspolizeiamt, 1933/34.

Kapitel VI

Einzelne Gestapo-Aktionen

Frühe Morde: Der Fall Ali Höhler und die Beseitigung führender Kommunisten

Der erste Gestapo-Chef Rudolf Diels beteuerte nach dem Krieg immer wieder, wie sehr er sich mit allen ihm zu Gebote stehenden Mitteln gegen den nationalsozialistischen Terror gewandt habe. In Wirklichkeit spielte Diels eine Schlüsselrolle bei der nationalsozialistischen Machtergreifung in Preußen. Während das Geheime Staatspolizeiamt noch unter seiner Leitung stand, wurden bereits Häftlinge aus dem Hausgefängnis ermordet beziehungsweise zur Ermordung an die SA ausgeliefert.

Am 14. Januar 1930 schoß der arbeitslose Berliner Tischler Albrecht (Ali) Höhler den Studenten und SA-Sturmführer Horst Wessel im Verlauf eines privaten Streites aus nicht restlos geklärten Gründen nieder. Wessel starb am 23. Februar 1930 im Krankenhaus Friedrichshain. Da Höhler und andere, die an der Auseinandersetzung mit Wessel beteiligt waren, der Kommunistischen Partei angehörten, wurde die Tat von der nationalsozialistischen Propaganda als politischer Mord angeprangert; die Kommunisten konterten mit der Darstellung, es habe sich um eine private Auseinandersetzung unter Zuhältern gehandelt. Obwohl der Sachverhalt verworren blieb, mobilisierte er auf der rechten wie linken Seite heftige Emotionen. Bei der Beerdigung von Horst Wessel kam es zu kommunistischen Massendemonstrationen und Störungen, selbst noch auf dem Friedhof. Der Gauleiter der NSDAP in Berlin, Joseph Goebbels, stilisierte Horst Wessel zum Märtyrer der Bewegung, wobei er geschickt von der Tatsache Gebrauch machte, daß Wessel ein altes Arbeiterlied mit einem neuen Text versehen hatte; als »Horst-Wessel-Lied« wurde es zur offiziellen Hymne der NSDAP und 1933 dem Deutschlandlied an die Seite gestellt.

Ali Höhler wurde im September 1930 vom Moabiter Schwurgericht wegen Totschlags zu sechs Jahren Zuchthaus verurteilt. Die Nationalsozialisten empörten sich über dieses »ungeheuerlich milde Urteil«, und es war deshalb zu erwarten, daß der Fall nach dem Januar 1933 wieder aufgerollt werden würde. Im Verlauf des Wiederaufnahmeverfahrens wurde Ali Höhler aus einem Zuchthaus bei Breslau zu neuerlichen Vernehmungen in ein Berliner Justizgefängnis verlegt. Dann forderte Rudolf Diels seine Überstellung in das

Die Polizei provoziert durch schikanöse Anordnungen Zwischenfälle
bei der Beerdigungsfeier für Horst Wessel

Berlin, 27. Februar.

Das preußische Innenministerium hat nunmehr endgültig verboten, den von kommunistischen Meuchlern ermordeten Sturmführer Horst Wessel ein würdiges Leichenbegängnis zu bereiten. Die Teilnahme an dem Trauerzuge in Zivil ist zwar gestattet, jedoch behält sich die Polizei vor, die Teilnehmerzahl zu beschränken (!), wodurch der Willkür Tür und Tor geöffnet sind. Da zweifellos Zehntausende es sich nicht nehmen lassen werden, diesem Märtyrer der natio-

nalsozialistischen Bewegung das letzte Geleite zu geben, ist zu befürchten, daß die Polizei die Gelegenheit wieder zu wüsten Ausschreitungen gegen die Trauernden ergreifen wird. Die Feier auf dem Nicolai-Friedhof selbst ist gestattet worden, die Gauleitung hat daher angeordnet, daß die uniformierte S.A. sich direkt zum Friedhof begibt, während die zivilen Parteigenossen sich dem Trauerzuge anschließen und das übrige nationale Berlin schweigend Spalier bildet. Es bleibt dann abzuwarten, ob die Polizei die Schande auf sich laden wird, das Leichen-

begängnis durch ihre Kosaken-Methoden zu entweihen. Bezeichnend ist in diesem Zusammenhang, daß dasselbe Innenministerium, das dem nationalen Deutschland die würdige Ehrung eines ihrer Toten verbietet, für das Reichsbanner das Demonstrationsverbot zu einer Ebert-Gedenkfeier am Freitag aufgehoben hat. Das unterdrückte deutsche Berlin wird auf diese schamlose Tyrannei durch eine Massenbeteiligung an dem Trauerzuge für Horst Wessel antworten und es der Polizei überlassen, sich vor jedem anständig Denkenden bloßzustellen.

Völkischer Beobachter, 1. März 1930.

Hausgefängnis der Prinz-Albrecht-Straße 8. Über das weitere Geschehen berichtete Diels nach dem Krieg: »... Ich interessierte mich für den schmächtigen, bleichen Jungen, der aus irgendeinem Berliner Gefängnis auch zu Vernehmungen in das Staatspolizeiamt geführt wurde. Schon früh hatte er seine Laufbahn als Berufsverbrecher im dunkelsten Berlin begonnen. Er war eines Abends an der Spitze eines kommunistischen Sprengtrupps in die Studentenbude Wessels eingedrungen und hatte ihn mit der Pistole in das Gesicht geschossen ... Wenn für einen feststand, daß er diese Zeit nicht überleben werde, so galt es wohl für den kleinen Zuhälter Ali Höhler. Sein nackter Körper war über und über mit obszönen Tätowierungen bedeckt. Er erschien vor mir im rostbraunen, plumpen Anzug des lebenslänglich verurteilten Zuchthäuslers, mit klobigem Schuhwerk. Müde und monoton berichtete er noch einmal von seiner Tat, nachdem er auch längst über die Einzelheiten seines Fluchtweges und seiner Helfer nach vollbrachter Tat ›ausgepackt‹ hatte. Mich jammerte die armselige Gestalt. ›Sie wissen, Ali, was sich inzwischen abgespielt hat. Die Nationalsozialisten sind an der Herrschaft. Sie fordern die Wiederaufnahme des Verfahrens gegen Sie. Was halten Sie davon?‹ Er erwiderte im reinsten Berlinisch: ›Det mir mal eene geballert wird, det is amtlich.‹ Die Forderung der SA-Gruppe auf Herausgabe des Ali Höhler, um ihn ihrerseits zu ›vernehmen‹, hatte der Kriminalrat Heller abgelehnt. Als ich seine Weigerung bestätigte, führte die SA bei Göring Beschwerde. Göring war verständnislos für meine Gedankengänge und eröffnete mir, daß man der SA nicht verwehren dürfte, ihre Vergeltung an dem Mörder ihres Sturmführers zu üben. Schließlich ließ er sich noch einmal davon überzeugen, daß ein ordentliches Gericht diese Vergeltung viel eindrucksvoller herbeiführen könnte ... Eines frühen Morgens entführten SA-Männer Ali Höhler unter

140

dem Vorwand, ihn nach seinem schlesischen Zuchthaus zurückzubefördern und mit Hilfe von SA-Männern, die im Gefängnis Dienst taten. Angehörige des Sturmes Horst Wessels erschossen ihn eine Stunde später im Morgengrauen auf einer Waldlichtung östlich von Berlin. Als ich Göring einige Tage später über den Fund der Leiche berichtete, hatte er nichts gegen den Vorgang einzuwenden. Als ich durch die Mordkommission die Ermittlungen aufnehmen ließ, schritt Freisler ein. Ernst gab seine Beteiligung an der Sache zu. Er berief sich auf einen Befehl des Stabschefs Röhm; als ich bei diesem in die Sache einzudringen versuchte, eröffnete er mir, Hitler selbst habe den Befehl zur ›standrechtlichen Erschießung‹ Höhlers erteilt«.[1]

Mehrere Dokumente aus den Jahren 1933 und 1934 widerlegen diese verschleiernde Version. Bereits am 23. September 1933 – drei Tage nach der Entführung und Ermordung Höhlers – schrieb Diels an den preußischen Ministerpräsidenten, »der Strafgefangene Albrecht Höhler sei am 11. August 1933 zur Vernehmung wegen neuer Beweismittel und zur Wiederaufnahme seines Verfahrens in das Gestapa überführt worden und habe am 20. September durch *Beamte des Gestapa* wieder in seine Strafanstalt gebracht werden sollen. Dabei sei der Wagen durch unbekannte Männer in SA-Uniform überfallen und Höhler nach einem unbekannten Ort entführt worden. ›Mit seinem Tode‹ – so fährt Diels fort – ›dürfte indes mit Sicherheit zu rechnen sein«.[2]

Diels ließ keine Ermittlungen nach den Tätern durchführen, sondern schlug bereits drei Tage nach dem Mord vor: »Da die Tat im Hinblick auf die Person des Höhler aus besonderen Beweggründen verübt wurde, erlaube ich mir gehorsamst, die Bitte auszusprechen, anliegenden Erlaß an den Reichsjustizminister unterfertigen zu wollen, in dem die Einstellung des Verfahrens gegen unbekannt angeordnet wird«.[3]

Im Jahr 1934 verlangte das Reichsjustizministerium die Akten über den Fall Höhler. Der Referent des Reichsjustizministeriums faßte für das Diensttagebuch den Inhalt der einzelnen Blätter in der chaotischen Akte aus dem Geheimen Staatspolizeiamt zusammen:

»GehStaaPA (8.11.) übersendet Vorgänge Ali Höhler.

Bl. 1: Vorführungsbefehl 20.9.33

Bl. 2: Geheimnotiz 1.8.33, Höhler habe bezüglich des Hergangs des Mordes an Horst Wessel besondere Angaben zu machen.

Bl. 3 ff: Vernehmung des Höhler 11.8. Keine sachdienlichen Angaben (›Die näheren Einzelheiten über diese Tat habe ich bereits früher angegeben‹). Als unmittelbaren Anlaß behauptet Höhler Streitigkeiten zwischen Wessel und seiner Wirtin (Frau Salm), die ihn aus der Wohnung daraufhin habe hinauswerfen wollen.

Bl. 7: Höhler beschwert sich über die Behandlung und wünscht, nach Wohlau zurücktransportiert zu werden. ...

Bl. 8: Verfügung 19.9., Höhler aus Polizeigefängnis entlassen und dem Kriminalbeamten Polentz zu übergeben.

Bl. 10: Bericht des Polentz, 12 km von Frankfurt sei das Polizeiauto von 7-8 bewaffneten SA-Männern angehalten werden; er habe Chausseekontrolle vermutet; SA-Männer hätten Höhler entführt. Widerstand zwecklos. 3 SA-Männer wären bei Polizeiauto geblieben und hätten dieses 1 Stunde lang festgehalten. Es sei nicht möglich gewesen, festzustellen, welcher Formation die SA-Männer angehörten. Wagen der SA-Männer ohne Erkennungszeichen.

Bl. 11: Bericht GehStaaPA 21.9.33 an Min.Präs. durch die Hand des Min. Dirigenten Fischer: Darstellung des Sachverhalts ...

Bl. 13: Auffindung der Leiche des Höhler.

Bl. 18: Direktor der Strafanstalt Wohlau erfährt auf telefonische Rückfrage bei GehStaaPA, daß Höhler von Beamten des GehStaaPA nach Berlin transportiert und dort verstorben. Übersendungsschreiben GehStaaPA ›Die seinerzeit aufgrund des Berichts vom 20.9.33 durchgeführten Ermittlungen nach den Entführern blieben erfolglos‹ (Durchführung der Ermittlungen aus den Akten nicht zu ersehen)«.[4]

Von Anfang an widmete sich die Gestapo mit besonderer Intensität der Verfolgung von Kommunisten:

- In den Tagen nach dem Reichstagsbrand wurden neben dem vermeintlichen Brandstifter Marinus van der Lubbe auch der KPD-Reichstagsabgeordnete Ernst Torgler sowie einige bulgarische Kommunisten verhaftet, unter ihnen der spätere Führer der kommunistischen Internationale Georgi Dimitroff.
- Am 3. März 1933 wurde in Berlin Ernst Thälmann, Vorsitzender des ZK der KPD, von einem Spitzel verraten und von der Politischen Polizei verhaftet. Thälmann wurde zuerst im Polizeipräsidium, später im Untersuchungsgefängnis Moabit festgehalten. Die Zeitungen kündigten an, daß in kürzester Zeit ein Hochverratsverfahren gegen ihn vor dem Reichsgericht stattfinden werde. Nachfolger Ernst Thälmanns wurde das ZK-Mitglied John Schehr.
- Am 9. November 1933 wurde auch John Schehr – ebenfalls nach der Denunziation durch einen Spitzel – verhaftet und bald darauf in das Columbiahaus eingeliefert. Von dort wurde er mehrmals zur Vernehmung in das Geheime Staatspolizeiamt gefahren und, wie auch im Columbiahaus, gefoltert. Zur gleichen Zeit wurden weitere führende KPD-Mitglieder festgenommen; gegen Ende des Jahres 1933 befand sich ein großer Teil der Leitung der illegalen KPD in den Händen der Gestapo.

Im Reichstagsbrandprozeß kurz vor Weihnachten 1933 zeigte sich, daß die Justiz noch nicht bereit war, die Kommunisten allein wegen ihrer politischen

I. Ernst Thälmann

II. Franz Dahlem

III. Hermann Remmele

IV. Helene Overlach

V. Frieda Krüger
sind wegen Hochverrats festzunehmen.
Siehe Nummer 1490 (11).

VI. Artur Goite

Das Blatt wird wegen seiner großen Auflage auf der Rotationsmaschine gedruckt, daher eignen sich nur klare und scharfe Bildaufnahmen zur Wiedergabe. Aus demselben Grunde können auch nur hier hergestellte Druckstöcke verwendet werden.

Deutsches Kriminalpolizeiblatt vom 1. März 1933: »Nachstehende Mitglieder des Zentralkomitees der Kommunistischen Partei sind wegen Verstoßes gegen § 86 des RStGB (Hochverrat) festzunehmen: Parteivorsitzender Transportarbeiter Ernst Thälmann, 16.4.86 Hamburg, in Berlin-Charlottenburg, Bismarckstraße 24 b. Kowalski, gemeldet (Bild 1); Redakteur Franz Dahlem, 14.1.92 Rohrbach, Greifswalder Straße 147 wohnhaft (Bild II); ... Parteisekretär Hermann Remmele, 15.11.80 Ziegelhausen, Berlin-Schöneberg, Luitpoldstraße 47 wohnhaft (Bild III); ...«

Überzeugung zu verurteilen; sie verlangte zu dieser Zeit noch, daß eine gesetzlich bestimmte Straftat vorlag. Deshalb mußten Ernst Torgler und die drei bulgarischen Kommunisten von der Anklage freigesprochen werden. Auch das Ermittlungsverfahren gegen Thälmann kam nicht voran. Nach vielen Vernehmungen und polizeilichen Ermittlungen lag noch immer nicht genügend beweiskräftiges Material vor. Daher wurde Thälmann am 9. Januar 1934 in das Gestapa überführt und dort bis zum 23. Januar unter Folter mehrfach verhört. Aber auch das brachte der Staatsanwaltschaft keine neuen Erkenntnisse über die behauptete »hochverräterische Tätigkeit«. Ein Prozeß mit dem gewünschten Ergebnis – Todesurteil – war bei der vorhandenen Beweislage nicht möglich. Vor einem offenen Mord an dem KPD-Vorsitzenden scheute die nationalsozialistische Führung damals noch zurück. Statt dessen suchte man sich vier andere führende KPD-Funktionäre als Opfer:

– John Schehr (1896-1934), MdR seit 1932, MdL Preußen seit 1932, Mitglied des ZK der KPD und direkter Nachfolger Ernst Thälmanns in der KPD-Inlandsleitung,
– Rudolf Schwarz (1904-1934), Führender Mitarbeiter im ZK des Kommunistischen Jugendverbandes (KJVD), vom ZK der KPD mit der Koordination zur Vorbereitung des Überganges in die Illegalität beauftragt,
– Erich Steinfurth (1896-1934), MdL Preußen, Bezirksleiter und Mitglied des Zentralvorstandes der Roten Hilfe Deutschlands, und
– Eugen Schönhaar (1898-1934), Mitarbeiter des ZK-Sekretariats, 1933 mit der Organisation des illegalen Literaturvertriebs betraut.

Ein an den preußischen Ministerpräsidenten gerichteter Gestapobericht vom Februar 1934 schildert einen angeblichen »Fluchtversuch« auf der Fahrt zwischen Gestapa und dem Columbiahaus: »Auf dem Transport sprangen sie beim Passieren des sogenannten Kilometerberges aus dem Kraftwagen und versuchten im angrenzenden Waldgelände zu entkommen. Die Polizeibeamten nahmen sofort die Verfolgung auf. Als sie auf mehrmalige Halt-Rufe nicht standen, ihrerseits vielmehr mit Gewalt vorzugehen versuchten, feuerten diese in ihrer Bedrängnis aus den Dienstwaffen. Die Kommunisten sanken getroffen zu Boden und verstarben kurze Zeit darauf«.[5]

Dieser Bericht ist so unglaubwürdig, daß er nur als Zynismus aufgefaßt werden kann: Der Kilometerberg in Wannsee liegt weder auf dem Weg zwischen der Prinz-Albrecht-Straße und dem Columbiahaus, noch auf dem Weg zwischen der Prinz-Albrecht-Straße und einem bei Berlin liegenden Konzentrationslager. Auch sind die Häftlinge, die beim Transport immer gefesselt waren, wohl kaum »mit Gewalt« gegen bewaffnete Polizeibeamte vorgegangen, die »in ihrer Bedrängnis« von der »Dienstwaffe« Gebrauch machten. Möglich ist, daß wir es mit einer Tarnaktion zu tun haben, die die Morde an den vier KPD-Führern zu verschiedenen Zeitpunkten verschleiern sollte.[6]

Aktionen gegen die KPD 1935-1937

Im Sommer 1935 ließ sich Heinrich Himmler von Heydrich über die Zahl der Schutzhäftlinge in Preußen informieren. Kurz darauf teilte ein Himmlerscher Adjutant dem Gestapa-Leiter mit: »Reichsführer SS hat angeordnet, daß die Zahl der Schutzhäftlinge aus den Reihen der ehem. KPD-Funktionäre in dem folgenden Monat um tausend vermehrt werden soll«.[7] Heydrich reagierte prompt und weitete die Weisung auf alle deutschen Politischen Polizeien aus: »Die in letzter Zeit besonders zunehmende Aktivität der kommunistischen Funktionäre macht es unbedingt erforderlich, ihnen und allen Mitarbeitern besondere Aufmerksamkeit zu schenken und für ihre schärfste Bekämpfung zu sorgen. In der Erkenntnis, daß illegale Bewegungen mit Strafgesetzen allein niemals bekämpft werden können, daß vielmehr die Präventivmaßnahmen vorherrschend sein müssen, ordne ich an:
1. Personen, die sich bis zum Umbruch im kommunistischen Sinne betätigt haben und nunmehr neuerdings im Verdacht illegaler Betätigung stehen, sind in Schutzhaft zu nehmen und einem Konzentrationslager zu überstellen.
2. Personen, die sich seit dem Umbruch bereits illegal betätigt haben, sind dann sofort in Schutzhaft zu nehmen, wenn ihr Verhalten erkennen läßt, daß sie nach wie vor staatsfeindlich eingestellt sind, und der Verdacht besteht, daß sie in versteckter Form gegen den Staat hetzen.
3. Kommunistische Funktionäre, die nunmehr nach Strafverbüßung zur Entlassung kommen sollen, sind grundsätzlich in Schutzhaft zu nehmen, sofern es sich bei ihnen um gefährliche Staatsgegner handelt oder anzunehmen ist, daß sie sich wieder der illegalen KPD zur Verfügung stellen werden.
4. Jene Kommunisten, welche zum zweitenmal in Schutzhaft genommen werden mußten, sind auf absehbare Zeit nicht mehr zu entlassen.«[8]

Himmlers geforderte Zahl von eintausend Häftlingen muß weit überschritten worden sein; aus einem Schreiben der sächsischen Gestapo geht hervor, daß allein in Sachsen über 700 Häftlinge neu gemeldet wurden.[9]

Als es Ende 1935 zu einer Schießerei zwischen »Kommunisten« und Grenzpolizisten in der Nähe der tschechoslowakischen Grenze kam, ließ Himmler als Vergeltung in Sachsen über 300 unbeteiligte Personen in Schutzhaft nehmen.[10]

Am 6. April 1937 trafen sich Reinhard Heydrich und die Leiter einiger größerer Staatspolizei(leit)stellen, die ihren Sitz in stark industrialisierten Gegenden hatten (Berlin, Dresden, Leipzig, Chemnitz, Zwickau, Plauen, Halle, Düsseldorf und Hamburg). Auf dieser Besprechung ordnete Heydrich an, in den folgenden Wochen eine Aktion gegen die KPD durchzuführen und dabei auch Verdächtige festzunehmen, bei denen das Beweismaterial für eine Schutzhaft nicht ausreiche. Aus Personalakten geht hervor, daß sich diese Aktion vor allem gegen Kommunisten richtete, die vor dem Januar 1933 aktiv und bereits einmal in Schutzhaft gewesen waren.[11] Der unmittelbare Anlaß für die Aktion ist nicht zu ermitteln gewesen; ähnlich wie 1935 ist ein Himmler-Befehl zur bloßen »Auffüllung« der Konzentrationslager denkbar.

Sicher ist, daß die Aktion zu einem »Erfolg« für die Gestapo wurde. Vor allem zwischen dem 16. und dem 22. April 1937 waren die Verhaftungskommandos aktiv. Heinrich Müller mußte am 22. April ein Fernschreiben an die Leiter der Staatspolizei(leit)stellen durchgeben, in dem er dringend zur Beendigung der Aktion aufforderte: »Die in der Besprechung vom 6.4.37 angeordnete Aktion ersuche ich abzubrechen und von weiteren Festnahmen auf Grund polizeilicher Präventiv-Maßnahmen Abstand zu nehmen, da die K.Z.-Lager z.Z. überfüllt sind«.[12] Gleichzeitig erklärte sich Müller damit einverstanden, daß Häftlinge entlassen wurden, bei denen sich kein neues Belastungsmaterial gefunden hatte.

Homosexuelle als Staatsfeinde

Homosexualität unter Männern war in Deutschland seit jeher mit erheblicher Strafe bedroht. Der § 175 des noch aus der Kaiserzeit stammenden Strafgesetzbuches galt in der Weimarer Republik unverändert fort und wurde trotz einiger Liberalisierungsbemühungen nach wie vor angewandt. Die Strafverfolgung lag in der Hand der Kriminalpolizei.

Die Nationalsozialisten sahen in der Homosexualität jedoch mehr als einen strafbaren Verstoß gegen die herrschende Sexualmoral: Homosexualität galt ihnen als schwerer Angriff auf die natürliche Ordnung des Volks- und Staatslebens. Bei der Strafrechtsreform 1935 wurde daher die Strafandrohung des § 175 im Strafgesetzbuch erheblich verschärft. Schon im Oktober 1934 begann die Geheime Staatspolizei mit der Erfassung und Verfolgung von Homosexuellen. In diesem Monat erging – der vorgeschobene Anlaß war die »Entdeckung« der Homosexualität in den Reihen der SA-Führung – die Weisung zur listenmäßigen Erfassung. Das Geheime Staatspolizeiamt wollte von den Gestapo-Stellen einen Überblick über die Zahl der »Verdächtigen« erhalten. 1935 unternahm die Geheime Staatspolizei erste Razzien gegen Homosexuellentreffpunkte und -lokale.[13]

In Berlin führte das Geheime Staatspolizeiamt bereits vor der Verschärfung des § 175 Razzien gegen Homosexuellentreffpunkte durch, und zwar

Mannschaftswagen vor dem Geheimen Staatspolizeiamt.

mit Hilfe der in Lichterfelde stationierten Leibstandarte SS Adolf Hitler. Die Zusammenarbeit von Gestapo und SS läßt sich an dem Bericht eines SS-Obersturmführers aus dem März 1935 ablesen: »Am 9.3.35 stellte der Sturm unter meiner Führung ein Kommando von 20 Mann, das zur Unterstützung von Kriminalbeamten der Gestapo zur Razzia auf Homosexuelle bestimmt war. Um 21.15 Uhr fuhr das Kommando auf zwei LKWs von der Kaserne ab und meldete sich befehlsgemäß um 22 Uhr beim Kriminalkommissar Kanthak. Außer unserem Kommando waren für die geplante Razzia 10-12 Kriminalbeamte bestimmt, die zum Teil zur Sicherung der Durchführung vorher eingesetzt wurden. Einige von diesen kamen vor unserem Einsatz wieder zurück. Während dieser Zeit unterrichtete Kriminalkommissar K. mich über das Vorhaben.

Um 22.45 Uhr fuhren wir vom Gestapa ab und begaben uns mit mehreren Transportwagen nach dem Lokal ›Weinmeister Klause‹ in der Weinmeisterstraße, in dem sich viele homosexuell veranlagte Menschen aufhalten sollten. Gemäß der vorherigen Besprechung besetzten je zwei Mann von uns die beiden Ausgänge des Lokals mit dem Auftrag, keinen raus-, aber jeden Einlaßbegehrenden reinzulassen. Acht Mann, die vorher bestimmt waren, riegelten den Raum vor dem Schanktisch nach dem andern Teil des Lokals ab. Zwei Mann durchsuchten die Toiletten. Krimko K. holte mit seinen Beamten all die Personen von den Tischen weg, die ihm verdächtig erschienen. Diese mußten sich auch zu denen vor dem Schanktisch stellen, und von hier aus wurden sie dann auf die Transportwagen verladen und unter Bewachung durch unsere Männer in das Gestapa gebracht.

Unter den Festgenommenen befand sich auch eine Frau, die sowjetrussische Hetzschriften bei sich getragen haben soll. Vom Hof der Gestapa wurden die Festgenommenen wieder unter Bewachung auf den Korridor der sich im vierten Stock befindlichen und für diese Fälle in Frage kommenden Abteilungen gebracht. Hier wurden sie alphabetisch geordnet aufgestellt und mußten mit dem Gesicht zur Wand unter Bewachung durch unsere Männer auf ihre Vernehmung warten, die sofort durch den größten Teil der vorhin erwähnten Kriminalbeamten einsetzte. Nach diesen Vernehmungen kamen diese Leute bis zur Entscheidung ihrer Schuld in einen anderen Teil des Korridors, wo sie auch wieder durch einen Teil unserer Leute bewacht wurden.

Nachdem die Vernehmungen der zuerst Festgenommenen begonnen hatten, setzte Krimko K. mit einigen seiner Leute, die für die Vernehmungen nicht gleich benötigt wurden und dem Rest unserer Männer die Razzia fort. Das zweite Lokal, in dem Homosexuelle festgenommen werden sollten, war ein Bierlokal am Cottbusser Damm. Die Abriegelung und Durchsuchung erfolgte in der selben Art wie zuerst geschildert. Von hier aus wurden auch annähernd zwei Transportwagen voll ins Gestapa gebracht und in gleicher Art mit ihnen verfahren. Unmittelbar im Anschluss daran wollte Krimko K. mit sechs Männern von uns und vier Kriminalbeamten die Residenzfestsäle in der Landsberger Straße ausheben. Hieraus wurde aber nichts, weil, wie er später sagte, die Aktion gegen sich dort befindliche Elemente um acht Tage verspätet hätte. Aufgrund eines telefonischen Anrufes sollte auf dem Wege dorthin noch ein Lokal in der Alten Jakobstraße 50 durchsucht werden, in dem sich vorwiegend SA und SS Männer, die mit homosexuell Veranlagten verkehren sollten, aufhalten sollten. Diese Aktion verlief ebenfalls ergebnislos. Nachdem wir in das Gestapa wieder zurückgekehrt waren, setzten mit Nachdruck die Vernehmungen ein und einer der Kriminalbeamten mußte mit den Personalien aller bis jetzt Festgenommenen ins Polizeipräsidium zum Feststellen evtl. anderer Strafdelikte fahren ...

Im Anschluß hieran setzte die nächste Aktion ein und mit wiederum vier Kriminalbeamten und ca. acht Männern von uns wurden die ›Milch Bar‹ in der Augsburger Straße und eine andere Bar in der Kant-Ecke Fasanenstraße ausgehoben. Hier war die Beute ein Transportwagen voll. Nachdem wir die Festgenommenen wiederum ins Gestapa geschafft hatten, wollte Krimko K. gern noch eine bestimmte Persönlichkeit, deren Namen er aber nicht nannte, festnehmen. Zu diesem Zweck begab er sich mit zwei Kriminalbeamten und drei Männern von uns und mir auf die Fahrt. Zunächst durchsuchten wir ein größeres Bierlokal am Schiffbauerdamm und nachdem diese Durchsuchung ergebnislos verlaufen war, fuhren wir nach Schöneberg und hielten vor dem Lokal ›Die Insel‹. Dieses betrat Krimko K. und seine Beamten nur allein, während wir Uniformierten den Eingang besetzten. Nachdem diese Durchsuchung auch ergebnislos verlaufen war, wurde die Razzia abgeschlossen und im Gestapa mit der Sortierung der Festgenommenen begonnen. Am 10.3.35 ging der erste Transport Schuldiger unter meiner Führung und Bewachung durch acht SS Männer in das Columbiahaus. Nachdem alle Vernehmungen beendet waren, wurden diejenigen, denen nichts nachzuweisen war, entlassen. Hierzu mußte das Kommando von uns eine Kette bis zum Ausgang bilden, die alle zur Entlassung Gekommenen passieren mußten. Gegen 10 Uhr war alles bis auf die nächsten Schuldigen entlassen. Diese haben wir dann auf unserem Rückweg zur Kaserne, wo wir gegen 11.15 Uhr wieder eintrafen, mit in das Columbiahaus genommen.«[14]

Neben der gerichtlichen Verfolgung traf die so »überführten« Homosexuellen nach der Strafverbüßung oft noch die Einweisung in ein Konzentrationslager. Aufgrund der verschärften Bestimmungen über die Verfolgung von »Asozialen« und »Berufsverbrechern« war es möglich, sie auf unbeschränkte Zeit dort festzuhalten. Neuere Schätzungen sprechen von 10.000 bis 15.000 Inhaftierten. Ihre Überlebenschancen im Konzentrationslager waren im Durchschnitt noch geringer als die anderer KZ-Insassen.[15]

Nach der Eingliederung der Kriminalpolizei in den Geschäftsbereich von Heydrich übernahm in den späten dreißiger Jahren wieder die Kriminalpolizei die Strafverfolgung nach § 175 und die Einweisung Homosexueller in die Konzentrationslager. Von der Gestapo wurden nur noch wichtige Einzelfälle verfolgt.

Die Verfolgung von »Asozialen« und »Berufsverbrechern«

Die Geschichte der Verfolgten, die im Dritten Reich als »Asoziale« oder »Berufsverbrecher« abgestempelt wurden und in vielen Fällen wegen einer Bagatelle im Konzentrationslager landeten, ist noch nicht geschrieben.

Schon Mitte 1933 wandten sich die neuen Machthaber scharf gegen die Kleinkriminalität. Im Land sollten »Ruhe und Ordnung« herrschen, die Kriminalität gesenkt und der Nationalsozialismus als ordnender Faktor empfunden werden. Im »Gesetz gegen gefährliche Berufsverbrecher und über Maßregeln der Sicherung und Besserung« vom November 1933 wurden die gerichtlichen Zwangsmittel auf Reichsebene verschärft.[16] Am 13. November 1933 ordnete Hermann Göring als preußischer Ministerpräsident in einem Erlaß die »Vorbeugungshaft« für alle Personen in Preußen an, die in den zurückliegenden fünf Jahren mindestens drei sechsmonatige Freiheitsstrafen verbüßt hatten. In den folgenden Jahren waren diese Häftlinge zunächst in Lichtenburg, später in Esterwegen untergebracht. Dort saßen 1935 allein 476 »Berufsverbrecher« als »Vorbeugungshäftlinge« ein.[17]

Heinrich Himmler bediente sich vor allem der Kriminalpolizei, aber auch der Gestapo, bei der »Bekämpfung der Asozialen«. Ein Beispiel mag verdeutlichen, wie willkürlich dieser Begriff gehandhabt wurde. Bei einer Aktion im Jahre 1938 sollten in einer rheinischen Kleinstadt »arbeitsscheue, asoziale, ... aber arbeitsfähige Personen« erfaßt werden. Ins Konzentrationslager kamen ein wegen Veruntreuung zu zwei Monaten Gefängnis Verurteilter und ein Wilddieb, dessen Urteil – vier Monate Gefängnis – noch nicht einmal rechtskräftig geworden war.[18]

Am 27. Januar 1937 ordnete das preußische Landeskriminalpolizeiamt – von Himmler am 20. September 1936 mit der fachlichen Leitung der Kriminalpolizei aller deutschen Länder beauftragt – die schlagartige Verhaftung von »Berufs-und Gewohnheitsverbrechern« am 9. März 1937 an. Himmler ergänzte diesen Erlaß noch einmal am 23. Februar 1937: »Aus der Zahl der mir von den Kriminalpolizeistellen namhaft gemachten gemeingefährlichen Sittlichkeitsverbrecher und nicht in Arbeit befindlichen Berufs- und Gewohnheitsverbrecher ersuche ich etwa 2000 auszuwählen, schlagartig an einem Tage im gesamten Reichsgebiet festnehmen und in den Konzentrationslagern unterbringen zu lassen.«[19]

Als der Hamburger Generalstaatsanwalt Ende März 1937 »vertraulich« von der Kriminalpolizei erfahren wollte, wie die »Berufsverbrecher-Eigenschaft der Betroffenen« definiert worden war, erhielt er vom preußischen Landeskriminalpolizeiamt die lapidare Auskunft: »In Hamburg sind 167 berufs- und gewohnheitsmäßige Sittlichkeitsverbrecher am 9.3.1937 in vorbeugende Polizeihaft genommen worden. Die Durchführung der Maßnahme erfolgte auf Grund einer Geheimanweisung des Reichsführers-SS und Chefs der Deutschen Polizei.« Der Staatsanwalt hatte daraufhin keine Fragen mehr.[20]

Vom 14. Dezember 1937 an konnten auch nicht vorbestrafte Personen festgenommen und in ein Konzentrationslager verbracht werden. Ein »Grundlegender Erlaß« des Reichs- und Preußischen Innenministers über »vorbeugende Verbrechensbekämpfung durch die Polizei« ahndete »asoziales Verhalten« endgültig mit Konzentrationslagerhaft.

Heinrich Himmler nutzte die Gelegenheit. Bereits am 26. Januar des folgenden Jahres ordnete er eine Verhaftungsaktion gegen »arbeitsscheue Elemente« in der Woche vom 14. bis 19. März 1938 an. Wichtig, so Himmler, sei vor allem die Arbeitsfähigkeit der Verhafteten. Himmler hatte zu dieser Zeit die Absicht, aus den Konzentrationslagern gewinnbringende Gewerbebetriebe zu machen, und benötigte Arbeitskräfte sowohl für die Steinbrüche in Flossenbürg als auch für die Werkstätten in Dachau.

Der »Anschluß« Österreichs am 12. März 1938 zwang Himmler, die Aktion zu verschieben.[21] Da die Zahl der Verhafteten weitaus geringer war als erhofft, ließ Himmler im Juni 1938 »arbeitsfähige, männliche Personen, ... die in keinem festen Arbeitsverhältnis stehen«, festnehmen. In der Woche zwischen dem 13. und 18. Juni sollten in jedem Kriminalpolizeileitstellenbezirk mindestens zweihundert »männliche, asoziale Personen« festgenommen und in Konzentrationslager gebracht werden.[22] »Besonders berücksichtigt« werden sollten:

»a) Landstreicher, die zur Zeit ohne Arbeit von Ort zu Ort ziehen;
  b) Bettler, auch wenn diese einen festen Wohnsitz haben;
  c) Zigeuner und nach Zigeunerart umherziehende Personen, wenn sie keinen Willen zur geregelten Arbeit gezeigt haben oder straffällig geworden sind;
  d) Zuhälter, ... oder Personen, die im dringenden Verdacht stehen, sich zuhälterisch zu betätigen;
  e) solche Personen, die zahlreiche Vorstrafen wegen Widerstandes, Körperverletzung, Raufhandels, Hausfriedensbruchs u. dgl. erhalten und dadurch gezeigt haben, daß sie sich in die Ordnung der Volksgemeinschaft nicht einfügen wollen ...
Ferner sind ebenfalls in der Woche vom 13. bis 18. Juni alle männlichen Juden des Kriminalpolizeileitstellenbezirks, die mit mindestens einer Gefängnisstrafe von mehr als einem Monat bestraft sind, in polizeiliche Vorbeugungshaft zu nehmen.«[23]

Dieser Erlaß gelangte bis hinunter zu den Gemeindekriminalpolizeibehörden und verlieh der Verfolgung eine neue Qualität: Das Stadtbild konnte ohne viel Aufhebens von störenden Elementen gereinigt werden, um die sich in Zukunft der Staat kümmerte. Die Aktion wurde konsequent durchgeführt. Allein im Konzentrationslager Buchenwald stieg die Zahl der Häftlinge unter der Bezeichnung »Arbeitsscheu Reich« zwischen dem 16. Mai und dem 1. Juli 1938 von 216 auf 4582, die Gesamthäftlingszahl von 3145 auf 7723. 1268 der neu hinzugekommenen »Arbeitsscheuen« waren Juden.[24]

Der Chef der Sicherheitspolizei   Berlin, den 11. Juli 1941.
und des SD
- IV A 1 - B.Nr. 1 B/41g.Rs. -

32 Ausfertigungen
19. Ausfertigung

Geheime Reichsſache!

Ereignismeldung UdSSR.Nr.19.

I) Politische Übersicht.

Im Reich und in den besetzten Gebieten.
Es liegen keine besonderen Meldungen vor.

II) Meldungen der Einsatzgruppen und -kommandos.

Aus organisatorischen Gründen ist ab sofort folgende Änderung in der Bezeichnung der Einsatzgruppen eingetreten:

Einsatzgruppe Dr.Stahlecker = Einsatzgruppe A
Einsatzgruppe Nebe   = Einsatzgruppe B bisher C
Einsatzgruppe Dr.Dr.Rasch   = Einsatzgruppe C bisher B
Einsatzgruppe Ohlendorf   = Einsatzgruppe D.

Die Bezeichnungen der Einsatzkommandos
bleiben aus technischen Gründen unverändert.

Gemeinsam mit dem SD-Abschnitt Tilsit wur-
den im litauischen Grenzgebiet seitens der Stapo
Tilsit weitere Großaktionen durchgeführt. So wurden
am 2.Juli in Tauroggen 133 Personen, am 3.Juli in
Georgenburg 322 Personen (darunter 5 Frauen), in
Augustowo 316 Personen (darunter 10 Frauen) und in
Mariampol 68 Personen erschossen.

Ferner wurden noch folgende Exekutionen
durchgeführt:

1) GPP. Schirwindt
    in Wladislawo (Neustadt) und Umgebung

                               192 Personen

2) GPP. Laugszargen
    in Tauroggen und Umgebung   122 Personen

3) GPK. Memel bezw. GPP. Bajohren
    in Krottingen und Umgebung   63 Personen

4) GPP. Schmalleningken   1 Person.

Mithin wurden bisher

insgesamt 1743 Personen

erschossen.

Kapitel VII

Massenmord

Die »Einsatzgruppen des Chefs der Sicherheitspolizei und des SD«

Nicht nur in Deutschland wütete der von Hitler angeordnete, von Himmler und Heydrich inszenierte Terror. Nach dem deutschen Überfall auf Polen am 1. September 1939 griff auch die Schreckensherrschaft der Geheimen Staatspolizei über die Grenzen und brachte in vielfacher Form unendliches Leid über die Menschen in fast ganz Europa. Eigene Befehlswege, die immer im Reichssicherheitshauptamt endeten, gaben den uniformierten Mördern der Gestapo und der übrigen Polizei ihre Unabhängigkeit gegenüber den Formationen der Wehrmacht, die in den besetzten Gebieten nur selten gegen den Gestapo-Terror protestierte. »Höhere SS- und Polizeiführer« konnten sich direkt an Heydrich und Himmler wenden; sie organisierten die brutale Gewalt aller Polizeikräfte in ihrem Gebiet.[1] Gestapo, SD, Kriminal- und Ordnungspolizei – alle waren am Massenmord beteiligt.

Unmittelbar hinter den Truppen der Wehrmacht stießen fünf, später sechs Einsatzgruppen – jede mit mehreren Einsatzkommandos – auf das polnische Gebiet vor.[2] Ein eigens hierfür eingerichtetes Referat in der Prinz-Albrecht-Straße 8 übernahm die Koordination des »Unternehmens Tannenberg«; hier liefen auch die Ereignis- und Standortmeldungen der einzelnen Einsatzgruppen ein. Den Einsatzgruppen gehörten sowohl Beamte der Geheimen Staatspolizei als auch der Kriminalpolizei an, unterstützt durch Angehörige des SD. Sie hatten zunächst die Bezeichnungen der Städte erhalten, in denen sie aufgestellt worden waren, aber bereits am 4. September ordnete Heydrich die Verwendung römischer Zahlen an (Wien I; Oppeln II; Breslau III; Dramburg IV; Allenstein V). Die Einsatzgruppe VI wurde nach dem 12. September aufgestellt, ein zusätzliches Einsatzkommando EK 16 am gleichen Tag. Hinzu kam eine »Einsatzgruppe z.b.V.« unter dem SS-Obergruppenführer Udo von Woyrsch. Die Gesamtstärke der Einsatzgruppen in Polen betrug nach der Aufstellung der letzten Kommandos etwa dreitausend Mann.

Ein Abkommen zwischen der Sicherheitspolizei und dem Oberkommando des Heeres definierte die Kompetenzen der Einsatzgruppen: »Aufgabe der sicherheitspolizeilichen Einsatzkommandos ist die Bekämpfung aller reichs- und deutschfeindlichen Elemente in Feindesland rückwärts der fechtenden Truppe ... Mißhandlungen oder Tötungen festgenommener Personen sind strengstens untersagt, und, soweit derartiges von anderen Personen unternommen werden sollte, zu verhindern«.

Dieses Abkommen war jedoch lediglich Augenwischerei. In Wahrheit besaßen die Einsatzgruppen vom ersten Tag an den Befehl, die polnische Intelligenz und Führungsschicht zu liquidieren. Im Juli 1940 schrieb Heydrich in einem als Geheime Reichssache klassifizierten Vermerk über die Schwierigkeiten mit der Wehrmacht: »Während bis zum polnischen Einsatz diese Schwierigkeiten durch persönliche Fühlungnahme und Aufklärung zu meistern waren, bestand diese Möglichkeit beim polnischen Einsatz nicht. Die Ursache lag jedoch darin, daß die Weisungen, nach denen der polizeiliche Einsatz handelte, außerordentlich radikal waren (z.B: Liquidierungsbefehl für zahlreiche polnische Führungskreise, der in die Tausende ging), daß den gesamten führenden Heeresbefehlsstellen und selbstverständlich auch ihren Stabsmitgliedern dieser Befehl nicht mitgeteilt werden konnte, so daß nach außen hin das Handeln der Polizei und SS als willkürliche, brutale Eigenmächtigkeit in Erscheinung trat«.[3]

Insgesamt fielen den Einsatzgruppen der Sicherheitspolizei und des SD zwischen September 1939 und Frühjahr 1940 60.000 bis 80.000 Menschen zum Opfer. Die Wehrmachtsstellen, die anfangs noch Einspruch erhoben hatten, fanden sich am Ende damit ab. Im Krieg gegen die Sowjetunion akzeptierten sie die Einsatzgruppen. Teilweise unterstützten Heeresverbände sogar die Mordaktionen; Himmler und Heydrich hatten keinen Widerstand mehr zu befürchten.

Bereits im März 1941 vereinbarten Sicherheitspolizei und Wehrmachtsführung, daß bei dem geplanten militärischen Überfall auf die UdSSR die Einsatzgruppen der Sicherheitspolizei und des SD selbständiger als in Polen vorgehen durften. Sie sollten in der Lage sein, »Exekutivmaßnahmen« gegen die Zivilbevölkerung zu treffen, die ausschließlich gegenüber dem Reichsführer-SS zu verantworten waren.

Ab Mai 1941 begannen in der Grenzpolizeischule Pretzsch an der Elbe und in zwei benachbarten Orten die Vorbereitungen für die Aktionen der Einsatzgruppen. Etwa dreitausend Angehörige der Polizei wurden hier zusammengezogen. Zu ihnen gehörten, neben Mitarbeitern der Gestapo, der Kriminalpolizei und des SD, ein gesamter Lehrgang der Führungsschule der Sicherheitspolizei in Berlin-Charlottenburg, ein Polizeibataillon der Ordnungspolizei und eine Reihe von Fachkräften (Dolmetscher, Fahrer, Verwaltungsbeamte) aus allen Zweigen der Polizei.

Die vier Einsatzgruppen mit jeweils zwei bis drei Einsatzkommandos und zwei Sonderkommandos wurden – der militärischen Planung entsprechend – den einzelnen Heeresgruppen zugeordnet. Am 2. Juli 1941 schrieb Heydrich an die Höheren SS- und Polizeiführer, die für den Einsatz in der Sowjetunion vorgesehen waren, welche Aufgaben sie dort erwarteten: »Nahziel des Gesamteinsatzes ist die politische, d.h. im wesentlichen die sicherheitspolizeiliche Befriedung der neu zu besetzenden Gebiete. Endziel ist die wirtschaftliche Befriedung. Wenn auch die zu treffenden Maßnahmen schließlich auf das Endziel, auf welchem das Schwergewicht zu liegen hat, abzustellen sind, so sind sie doch im Hinblick auf die jahrzehntelang anhaltende bolschewistische Gestaltung des Landes mit rücksichtsloser Schärfe auf umfassendstem Gebiet durchzuführen ... Zu exekutieren sind alle

Funktionäre der Komintern (wie überhaupt die kommunistischen Berufspolitiker schlechthin)

die höheren, mittleren und radikalen unteren Funktionäre der Partei, der Zentralkomitees, der Gau- und Gebietskomitees

Volkskommissare

Juden in Partei und Staatsstellungen

sonstigen radikalen Elemente (Saboteure, Propagandeure, Heckenschützen, Attentäter, Hetzer usw.)

soweit sie im Einzelfall nicht oder nicht mehr benötigt werden, um Auskünfte in politischer oder wirtschaftlicher Hinsicht zu geben, die für die weiteren sicherheitspolizeilichen Maßnahmen oder für den wirtschaftlichen Wiederaufbau der besetzten Gebiet besonders wichtig sind. Insbesondere ist Bedacht zu nehmen, daß Wirtschafts-, Gewerkschafts- und Handelsgremien nicht restlos liquidiert werden, so daß keine geeigneten Auskunftspersonen mehr vorhanden sind ...«[4]

Obwohl das Bild der Einsatzgruppen zu Recht von den Massenexekutionen geprägt ist, darf die umfassende polizeiliche und nachrichtendienstliche Arbeit dieser Einheiten nicht übersehen werden. Einsatzgruppen waren nicht nur für alle polizeilichen Maßnahmen, sondern auch für eine umfangreiche Berichterstattung an die Zentralbehörde in Berlin zuständig. Die Zusammenstellung der Einsatzgruppenberichte erfolgte in der Prinz-Albrecht-Straße 8. Empfänger der für einen ausgewählten Kreis angefertigten »Ereignismeldungen UdSSR« waren neben Himmler, Heydrich, Daluege und den Amtschefs im RSHA auch die beteiligten Sachreferate des Amtes IV (Gestapo). Mit der Zeit wuchs die Zahl der Empfänger; die später als »Meldungen aus den besetzten Ostgebieten« bezeichneten Berichte wurden in rund 100 Exemplaren verteilt, unter anderem auch an zahlreiche oberste Reichsbehörden.

Die »Endlösung der Judenfrage«

Die Adresse Prinz-Albrecht-Straße 8 ist untrennbar mit dem Massenmord an Millionen jüdischer Menschen in den vom Deutschen Reich besetzten Gebieten verbunden. Jeder Versuch, dieses letzte und wohl dunkelste Kapitel deutscher Geschichte auch nur annähernd in den Griff zu bekommen, ist ein Unterfangen ohne Ende. Aber Geschichte, die große wie auch die, mit der sich zu befassen die Nachgeborenen viel Überwindung kostet, lebt von Symbolen. Das weltweite Synonym für den vielfachen Völkermord heißt Auschwitz. Auschwitz aber – und das, was sich dahinter verbarg – wurde geplant in jenen Amtsstuben zwischen Wilhelmstraße, Prinz-Albrecht-Straße und Kurfürstenstraße, in denen vertrauliche Aktennotizen und als geheime Reichssache deklarierte Schnellbriefe ein- und ausgingen, ohne daß auch nur einer der Verantwortlichen gefragt hätte, welches Leben es denn war, mit dem leere Begriffe wie »Sonderbehandlung«, »Evakuierung«, »Abschiebung«, »Endlösung« täglich aufs neue gefüllt werden mußten.

Nachdem Heydrichs Sicherheitspolizei zunächst vor allem die Aufgabe hatte, die Auswanderungspolitik gegenüber den Juden zu forcieren und ihre wirtschaftliche Entrechtung voranzutreiben, nahm die Entwicklung im November 1938 eine unerwartet radikale Wendung. In diesem Herbst hatte die polnische Regierung die Überprüfung der Pässe aller im Ausland lebenden Polen angekündigt. Polen, die länger als fünf Jahre außerhalb des Landes gelebt hatten, sollten ihre polnische Staatsangehörigkeit verlieren. Von dieser Regelung wären vor allem zahlreiche der in Deutschland lebenden Juden mit polnischer Staatsangehörigkeit betroffen gewesen.[5]

Die nationalsozialistische Führung beschloß, alle in Deutschland lebenden polnischen Juden vor Ablauf der von der polnischen Regierung gesetzten Frist nach Polen auszuweisen. Am 27. und 28. Oktober 1938 wurden etwa 15.000 bis 17.000 Personen über die deutsch-polnische Grenze abgeschoben. Da die polnischen Behörden die Einreise verweigerten, saßen die Betroffenen zum großen Teil in Niemandsland.

Zu den ausgewiesenen Polen gehörten die Eltern des in Paris lebenden 17jährigen Herszel Grynszpan. Grynszpan erwarb einen Revolver und schoß am Vormittag des 7. November 1938 in der deutschen Botschaft auf den Legationssekretär Ernst vom Rath. Am frühen Abend des 9. November erlag vom Rath seinen Verletzungen. Der 9. November gehörte zu den höchsten Feiertagen des Dritten Reiches: Auch am 9. November 1938 war die gesamte Partei- und Staatsführung zur Ehrung der gefallenen Putschisten von 1923 in München versammelt. Als Goebbels die Nachricht vom Tode Ernst vom

```
Zu meinem Sonderreferenten im Reichssicherheitshaupt-
amt, Amt IV, habe ich den ⚡-Hauptsturmführer E i c h-
m a n n (Vertreter ⚡-Hauptsturmführer G ü n t h e r)
bestellt. Der Dienstsitz dieses Sonderreferates befin-
det sich in Berlin W 62, Kurfürstenstrasse 115-116,
Tel. Nr. 25 92 51.
Der Schriftverkehr ist über das Reichssicherheitshaupt-
amt, Amt IV, Berlin SW 11, Prinz-Albrecht-Str. 8 zu
leiten.
              Der Chef der Sicherheitspolizei und des SD.
                      gez.  H e y d r i c h
                      ⚡-Grup,enführer.

- - - - - - - - - - - - - - - - -
```

*Adolf Eichmanns Referat liegt in der Kurfürstenstraße 116; Entscheidungen werden
jedoch weiterhin in der Prinz-Albrecht-Straße 8 oder in Himmlers Sonderzug »Heinrich« im jeweiligen Führerhauptquartier gefällt.*

Raths an die anwesenden Gauleiter weitergab, verband er damit die Aufforderung zum organisierten Pogrom gegen die Juden. Die Gauleiter veranlaß-
ten, durch die regionalen Propagandaämter unterstützt, sofortige massive
Maßnahmen gegen alle jüdischen Einrichtungen und Geschäfte. Noch in der
gleichen Nacht brannten die Synagogen in ganz Deutschland, verwüsteten
SA-Trupps jüdische Geschäfte, wurden Juden mißhandelt und getötet.

Himmler und Heydrich waren zwar ebenfalls in München, wurden aber –
so unglaublich dies klingt – von der Aktion völlig überrascht. Pogromartige
Ausschreitungen konnten die systematische Auswanderungs- oder besser
Ausweisungspolitik nur beeinträchtigen. Ein Gegensteuern war in dieser
Nacht allerdings nicht mehr möglich. So gab Heydrich, nach Rücksprache
Himmlers bei Hitler, zu später Stunde Befehl, die »Demonstrationen« nicht
zu behindern und »deutsches« Leben und Eigentum soweit wie möglich zu
schützen. Die eigentliche Aufgabe der Gestapo nannte Heydrich in Punkt 5
seines Blitztelegramms: »Sobald der Ablauf der Ereignisse dieser Nacht die
Verwendung der eingesetzten Beamten hierfür zuläßt, sind in allen Bezirken
so viele Juden – insbesondere wohlhabende – festzunehmen, als in den vorhandenen Haft räumen untergebracht werden können. Es sind zunächst nur
gesunde, männliche Juden nicht zu hohen Alters festzunehmen«.[6] Die Zahl
der in den nächsten Tagen verhafteten Juden wird auf 30.000 geschätzt:
11.000 kamen ins Konzentrationslager Dachau, rund 9.800 nach Buchenwald
und etwa 6.000 nach Sachsenhausen; viele von ihnen starben innerhalb kurzer Zeit an Mißhandlungen und Entbehrungen. Eine Freilassung wurde nur
denen gewährt, die die nötigen Auswanderungspapiere vorlegen konnten.

Der Chef der Sicherheitspolizei   Berlin, den 11. Febr. 1939

S-PP (II)

An

a) die Obersten Reichsbehörden

dem Herrn Reichsminister des Innern,
dem Herrn Reichsminister des Auswärtigen,
dem Herrn Reichswirtschaftsminister
dem Herrn Reichsfinanzminister
nachrichtlich im Anschluß an mein Schreiben
vom 30. 1. 1939 - S V 1 Nr. 703^{VI}/38 151.

b) den Herrn Preußischen Ministerpräsidenten,

c) den Herrn Preußischen Finanzminister,

d) den Herrn Reichsarbeitsführer,

e) den Herrn Chef der Ordnungspolizei

Nachrichtlich an

die Herren Reichsstatthalter (einschl. Österreich),

die außerpreuß. Landesregierungen (einschl. Österreich),

den Herrn Reichskommissar für das Saarland,

den Herrn Reichskommissar für die sudetendeutschen Gebiete,

die Herren Preußischen Oberpräsidenten,

den Herrn Stadtpräsidenten der Reichshauptstadt Berlin,

die Herren Preußischen Regierungspräsidenten,

die Herren Regierungspräsidenten in Karlsbad, Aussig und Troppau,

den Herrn Polizeipräsidenten in Berlin,

den Herrn Präsidenten der Preußischen Bau- und Finanzdirektion,

den Herrn Oberbürgermeister der Reichshauptstadt Berlin.

Betrifft: Reichszentrale für die jüdische Auswanderung.

In der Anlage übersende ich eine Abschrift des Schreibens des Herrn Generalfeldmarschalls Göring als Beauftragten für den Vierjahresplan vom 24. 1. 1939 an

den Herrn Reichsminister des Innern, auf Grund dessen
im Reichsministerium des Innern eine Reichszentrale für
die jüdische Auswanderung zu bilden ist, deren Leitung
mir übertragen ist.

Die Reichszentrale für die jüdische Auswanderung
ist inzwischen gebildet worden. Ihrem Ausschuß gehören
außer den beteiligten Referenten meines Amtes und den in
dem letzten Absatz des Schreibens des Herrn Generalfeldmarschalls genannten Herren, Gesandten Eisenlohr und
Ministerialdirektor Wohltat, als Vertreter des Herrn
Reichsministers des Auswärtigen Herr Legationsrat Dr.
Schumburg, als Vertreter des Herrn Reichswirtschaftsmi-
nisters Herr Oberregierungsrat Gotthardt, als Vertreter
des Herrn Reichsministers der Finanzen Herr Ministerialrat Dr. Schwandt und als Vertreter der Abteilung I des
Reichsministeriums des Innern Herr Ministerialrat Dr.
Lösener an.

Zum Geschäftsführer habe ich ϟϟ-Standartenführer
Oberregierungsrat Müller bestimmt.

Ich bitte mich an allen Angelegenheiten, die die
Auswanderung der Juden aus Deutschland berühren, zu
beteiligen.

gez. Heydrich

Beglaubigt:

Kanzleiangestellte

Die zentrale Bedeutung der SS- und Polizeiführung in der Prinz-Albrecht-Straße 8 bei den Vorbereitungen zur planmäßigen Vernichtung der europäischen Juden bis zum Herbst 1944 kann hier nur stichwortartig festgehalten werden:[7]

– Am 24. Februar 1939, rund zwei Monate nach den Pogromen vom November 1938, beauftragt der Bevollmächtigte für den Vierjahresplan, Hermann Göring, Reinhard Heydrich als Chef der Sicherheitspolizei mit der Aufsicht und Leitung der »Reichszentrale für jüdische Auswanderung«. Heydrich wird damit offiziell zum Koordinator aller antijüdischen Maßnahmen.

– Von seinem Amtssitz in der Prinz-Albrecht-Straße 8 aus organisiert der Chef der Sicherheitspolizei ab September 1939 die »Vertreibung des Judentums, die in der Vernichtung gipfelte«.[8] Das »Judenreferat« IV B 4 unter Adolf Eichmann in der Kurfürstenstraße 116 legt alle wichtigen Entscheidungen in der Prinz-Albrecht-Straße vor.

– Am 31. Juli 1941 beauftragt Hermann Göring Heydrich, »alle erforderlichen Vorbereitungen in organisatorischer, sachlicher und materieller Hinsicht zu treffen für eine Gesamtlösung der Judenfrage im deutschen Einflußgebiet«.

– Nach den ersten Massenerschießungen in der Sowjetunion beginnen am 14. Oktober 1941 die Deportationen der Juden aus dem Reichsgebiet in die Ghettos und Vernichtungslager im Osten.

– Während die letzten Vorbereitungen zur planmäßigen Massenvergasung in Auschwitz anlaufen, koordiniert Heydrich in der sogenannten »Wannsee-Konferenz« die mit der Judenfrage befaßten Instanzen. Die Konferenz, die am 20. Januar 1942 in der Villa am Großen Wannsee 56-58 stattfindet, wird zum verwaltungsmäßigen Endpunkt der »Endlösung«.

Der Terror der Geheimen Staatspolizei hatte seinen Höhepunkt erreicht. Die Entwicklung von der Unterdrückung des politischen Gegners mit Hilfe von Spitzeln, Denunzianten und Karteien bis hin zum millionenfachen Völkermord war abgeschlossen. Nationalsozialistische Wahnvorstellungen von »Herrenrasse« und »Untermenschentum« kumulierten in den Massenerschießungen in der Sowjetunion und den Massenvergasungen der »Aktion Reinhard« in den Lagern Belzec, Treblinka, Chelmno und Sobibor.

Zweiter Teil

Das Hausgefängnis
im Geheimen Staatspolizeiamt

Die durch Kriegseinwirkungen beschädigten Zellen im Südflügel der Prinz-Albrecht-Straße 8, Aufnahme nach Kriegsende.

Das Hausgefängnis

Das sogenannte Hausgefängnis in der Prinz-Albrecht-Straße diente in erster Linie der Unterbringung von Häftlingen, die im Gebäude verhört werden sollten. Es war gewissermaßen das hauseigene Untersuchungsgefängnis der Gestapo-Zentrale, ein – wie es in den Haushaltsanforderungen 1935 vieldeutig hieß – »Polizeigewahrsam besonderer Art«.[1]

Wer in die Prinz-Albrecht-Straße eingeliefert wurde, mußte im allgemeinen mit quälenden Vernehmungen rechnen. Die Gestapo versuchte unter Anwendung aller Mittel, verdächtige Vorgänge aufzuklären und wirklichem oder vermeintlichem Widerstand gegen das Regime auf die Spur zu kommen. Wo dies zweckmäßig erschien, wurden brutalste Foltermethoden angewandt, um Querverbindungen, organisatorische Zusammenhänge, Kontakte ins Ausland oder auch bloße Mitwisser zu ermitteln. Reichten die Ergebnisse für ein Strafverfahren aus, so übergab die Gestapo das Belastungsmaterial im allgemeinen der Staatsanwaltschaft, die ein Verfahren wegen Hochverrats oder anderen politischen Delikten vor dem Volksgerichtshof oder den Sondergerichten in Gang brachte. Kam ein solches Verfahren nicht in Betracht, so wies die Gestapo den Häftling, wenn sie von seiner »Gefährlichkeit« überzeugt war, meist in ein KZ ein; Freilassungen wurden, vor allem nach Kriegsbeginn, zu immer selteneren Ausnahmen.

In den ersten Jahren nach der Machtübernahme wurden Personen manchmal auch nur zur Einschüchterung in die Prinz-Albrecht-Straße gebracht. Die Gestapo wollte sie auf diese Weise gefügig machen, von unerwünschten Handlungen abschrecken oder auch nur allgemein Angst und Unsicherheit verbreiten.

Auch nach Abschluß der Ausbaumaßnahmen bot das Hausgefängnis bei normaler Belegung nur Platz für maximal fünfzig Häftlinge. Verglichen mit dem Polizeigefängnis am Alexanderplatz, den verschiedenen Untersuchungsgefängnissen der Justiz und dem Columbiahaus mit ihren Hunderten von politischen Häftlingen war das Gefängnis im Geheimen Staatspolizeiamt eine ausgesprochen kleine Einrichtung. Viele Zeitzeugen berichten, daß Gefangene morgens zu den Verhören in die Prinz-Albrecht-Straße gebracht und abends wieder abgeholt wurden; Werner Peuke wurde auf diese Weise drei Monate lang täglich zwischen Columbiahaus und Gestapo »verschubt«. In diesen Fällen dienten die Zellen zum Aufenthalt vor, zwischen und nach den Vernehmungen. Von Anfang an blieb ein Teil der Häftlinge aber offensichtlich auch während der Nacht dort. Längere, gar mehrmonatige

Aufenthalte galten jedoch, wie Ferdinand Friedensburg für das Jahr 1935 berichtet, als ungewöhnlich. Später wurde dies offenbar anders: Kurt Schumacher war immerhin vier Monate lang in der Prinz-Albrecht-Straße (1939), Rudolf Breitscheid und Kurt Lehmann jeweils elf Monate (1941/42), Berthold Jacob angeblich sogar zwei Jahre (1942/44). Auch die meisten Widerstandskämpfer aus dem Kreis der Harnack/Schulze-Boysen-Organisation und die Teilnehmer an der Verschwörung des 20. Juli 1944 mußten in der Prinz-Albrecht-Straße wochenlange Vernehmungen über sich ergehen lassen.

Als die Geheime Staatspolizei im Mai 1933 das Gebäude in der Prinz-Albrecht-Straße 8 bezog, waren dort keinerlei Einrichtungen zur Gefangenenverwahrung vorhanden. Häftlinge wurden zunächst notdürftig über die einzelnen Stockwerke verteilt oder in der Mansarde untergebracht. Die erforderlichen Gefängniszellen mußten durch Umbau vorhandener Räume geschaffen werden. Man wählte hierfür den Südflügel des Gebäudes, in dem ursprünglich die hohen Atelierräume der Bildhauer untergebracht waren. Auf der Gartenseite hatte man diese Ateliers bereits 1925 mit einer Zwischendecke versehen und die beiden so entstandenen Stockwerke anschließend zu Bürozwecken genutzt. Auf der Hofseite hatte man die Bildhauerateliers in Garagen umgewandelt. Während die Garagen ihre Funktion zunächst behielten, wurde der zum Garten hin liegende Gebäudeteil 1933 zum Gefängnis umgebaut. Nach einem von der staatlichen Baubehörde – der preußischen Bau- und Finanzdirektion – erstellten Plan entstanden aus dem Untergeschoß zweier ehemaliger Ateliers elf Haftzellen. Jede Zelle war 1,40 bis 1,70 Meter breit und 3,60 Meter lang. Weitere acht Zellen und ein Wachraum wurden in der nebenliegenden Rohrmeisterwohnung errichtet; ein in der Rohrmeisterwohnung vorhandenes WC wurde vergittert. Außer diesem WC standen den Häftlingen der neunzehn Zellen vier Klosettbecken, drei Urinale und ein Handwaschbecken zur Verfügung.

In Zeugenberichten und späteren Schilderungen ist immer wieder vom »Keller«-Gefängnis und den Folter-»Kellern« die Rede. Wer das Gestapo-Gebäude von der Prinz-Albrecht-Straße her betrat, mußte in der Tat, um zu den Zellen zu gelangen, eine Treppe hinabsteigen. Auch die bauliche Ausstattung und das spärliche Licht dürften Kellerverhältnissen entsprochen haben. Bautechnisch gehörten die Räume freilich zum Sockelgeschoß des Südflügels, das ein halbes Stockwerk unter Vorder- und Mittelflügel lag. Zum Hof hin waren die Räume ebenerdig. Nur auf der Gartenseite lagen sie etwas tiefer, aber auch hier bildeten sie eher ein Souterrain als ein Kellergeschoß.

Ende Sommer 1933 waren die Zellen fertiggestellt. Gestapo-Chef Diels bestritt dies zwar nach dem Krieg – »Ein Gefängnis der Geheimen Staatspolizei gab es in diesen Monaten noch nicht«[2] –, seine Darstellung wird aber durch die Berichte zahlreicher Häftlinge widerlegt. Auch ein noch unter

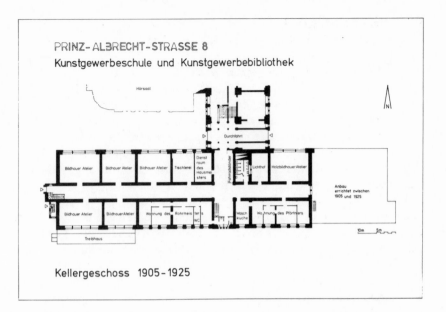

PRINZ-ALBRECHT-STRASSE 8
Kunstgewerbeschule und Kunstgewerbebibliothek

Kellergeschoss 1905-1925

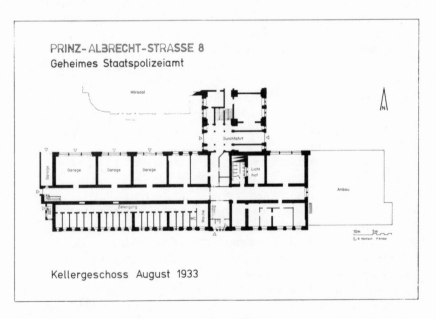

PRINZ-ALBRECHT-STRASSE 8
Geheimes Staatspolizeiamt

Kellergeschoss August 1933

Diels' Amtsführung fertiggestellter Haushaltsplan aus dem Januar 1934 zeigt, daß bereits zwei Planstellen für »Polizeigefängnisaufseher« vorhanden waren.[3]

Neben diesen Gefängnisaufsehern waren zusätzlich bewaffnete, »nicht-beamtete Hilfskräfte« eingesetzt. Bis zum Sommer 1934 wurden sie vor allem von der Berliner SS-Standarte 42 gestellt, der auch die Bewachung des Columbiahauses oblag. Nach dem sogenannten Röhm-Putsch wurde die Bewachung der »Leibstandarte SS Adolf Hitler« übertragen.

Das Urteil der Häftlinge über ihre Wächter ist sehr unterschiedlich. Über die zum Polizeidienst gehörenden Gefängnisaufseher gibt es kaum Klagen; zum Teil werden sie sogar lobend erwähnt. Die SS-Wachposten dagegen werden im allgemeinen als hart und grausam geschildert. Sie vergingen sich nicht nur an den Häftlingen, sondern nahmen ihre Aufgaben auch sonst höchst undiszipliniert wahr. Die erhaltenen Restakten sind 1934/35 voll von amtlichen Klagen über schlafende Wachposten, ungenügende Sicherung und andere Mängel.[4]

Der Transport von Gefangenen aus dem Polizeigefängnis am Alexanderplatz und dem Columbiahaus zur Prinz-Albrecht-Straße und zurück wurde von der Gestapo besorgt. Ursprünglich geschah dies mit Personenwagen. Im Mai 1935 ordnete Himmler den Sammeltransport in »Schubwagen« an; die täglichen Rundfahrten zwischen den drei Einrichtungen wurden nach genauem Zeitplan festgelegt. Der Schubwagen mußte auch Verpflegung für die Häftlinge aus dem Columbiahaus mitbringen. Bezeichnenderweise unterschied die Anordnung zwischen »Gefangenen«, die offenbar am Abend wieder zurücktransportiert wurden, und »Insassen« des Hausgefängnisses, die dort auch über Nacht untergebracht waren. Der Transport von Gestapo-Häftlingen zu Justizbehörden oder anderen amtlichen Stellen wurde dem Gefangenen-Fuhramt des Polizeipräsidiums überlassen. In beiden Fällen waren zahlreiche bürokratische Formalitäten einzuhalten.

Im Winter 1935/36 kam es zu einer Erweiterung des Gefängnistraktes, für die im Haushaltsplan insgesamt 18.000 RM angesetzt waren. Der Umbau stand im Zusammenhang mit umfangreichen Baumaßnahmen, durch die vor allem Luftschutzräume für die SS-Führung und die Gestapo-Mitarbeiter geschaffen wurden. Gegenüber der ersten Zellenreihe entstanden in den ehemaligen Garagen 17 weitere Einzelzellen und eine Gemeinschaftszelle. Die neuen Einzelzellen waren ähnlich breit wie die bisherigen (zwischen 1,50 und 1,60 Meter), aber wesentlich länger (knapp 5 Meter statt 3,60 Meter) und wirkten dadurch eng und schlauchförmig. Da die hygienischen Verhältnisse im Hausgefängnis inzwischen auch in den Augen der Gestapo untragbar geworden waren, wurde auf der anderen Seite des Treppenhauses, das die

Preussische Geheime Staatspolizei   Berlin, den 14. Mai 1935.
stellvertretende Chef und Inspekteur
   B.Nr. 705/35 - I A -

120

Betrifft: Regelung der Gefangenentransporte
         Geheimes Staatspolizeiamt - Konzentrationslager
         Columbia - Polizeipräsidium Berlin.

     Zum Zwecke der Entlastung des Kraftwagenparks des
Geheimen Staatspolizeiamts ordne ich mit sofortiger
Wirksamkeit folgendes an :

     Die Transporte von Gefangenen sind nur noch mittels
Schubwagen durchzuführen. Die Verwendung von Personen -
kraftwagen für Gefangenentransporte hat sich lediglich
auf Ausnahmefälle zu beschränken. Der Transportleiter hat
gleichzeitig die Tagesverpflegung für die Insassen des
Gefängnisses des Gestapa sowie die Mittagskost für Ge -
fangene des Konzentrationslagers Columbia, die sich vorübergehend beim Geheimen Staatspolizeiamt zur Vernehmung
aufhalten, im Konzentrationslager Columbia in Empfang zu
nehmen.

     Die Fahrzeiten für den Schubwagen werden wie folgt
festgesetzt:

A. Wochentags.

   7,30 Uhr Gestapa - Konzentrationslager Columbia und im
        Bedarfsfalle Polizeipräsidium Berlin.

   13,00 Uhr wie vor.

   17,00 Uhr wie vor

                                    B.

An alle
   Dienststellen
    i/Hause.

B. Sonn - und Feiertags.

   8,oo Uhr Gestapa - Konzentrationslager Columbia und
               im Bedarfsfalle Polizeipräsidium Berlin.

13,oo Uhr wie vor.

    Für genaue Innehaltung der Abfahrzeiten hat die
Fahrdienstleitung des Geheimen Staatspolizeiamts Sorge
zu tragen.

    Die Dienststellen des Geheimen Staatspolizeiamts
fordern die zur Vernehmung benötigten Gefangenen des
Konzentrationslagers Columbia mittels eines in zwei -
facher Ausfertigung zu erteilenden Anforderungsscheines
beim Gefängnis des Gestapa an.Die erste Ausfertigung
der Anforderung ist unter Beidrückung des Dienstsiegels
unterschriftlich zu vollziehen.Die Anforderungsscheine
für Gefangene,die mit dem ersten Tagestransport abzu-
holen sind,müssen am Vortage und zwar Wochentags bis
spätestens 16,30 Uhr und Sonn - und Feiertags bis spätestens 11 Uhr dem Gefängnis des Gestapa zugestellt sein.
Im übrigen sind die Anforderungsscheine mindestens eine
halbe Stunde vor Abgang des Schubwagens beim Gefängnis
des Gestapa abzugeben.

    Die dem Konzentrationslager Columbia bzw.dem Poli-
zeipräsidium Berlin vom Gestapa zuzuführenden Gefangenen
sind jeweils eine halbe Stunde vor Abgang des Schub -
wagens mit den Überweisungspapieren bzw.,den schrift =
lichen Ersuchen der Dienststellen um Rücktransport der
Vernommenen,beim Gefängnis des Gestapa einzuliefern.

    Die Kommandantur des Konzentrationslagers Columbia
hat die dem Gefängnis des Gestapa und dem Gefängnis des

Polizeipräsidiums zu überweisenden Gefangenen sowie die **122**
Verpflegung für die Insassen des Gefängnisses des Gestapa
so rechtzeitig bereit = bzw.fertigzustellen,dass der jeweilige Transport keine Verzögerung erleidet.Die Mittagskost für Gefangene des Konzentrationslagers Columbia,die
während der Mittagszeit beim Gestapa verbleiben,hat das
Konzentrationslager Columbia dem Gefängnis des Gestapa
mit dem um 13 Uhr verkehrenden Schubwagen zu übersenden.

Die Anmeldung der erforderlichen Verpflegung ge –
schieht in folgender Weise :

Das Gefängnis des Gestapa übersendet täglich mit dem
um 13 Uhr verkehrenden Schubwagen dem Konzentrationslager
Columbia eine Voranzeige über die voraussichtlich für den
nächsten Tag für Gefangene des Gestapa benötigte Tages –
verpflegung.Die endgültige Anmeldung der erforderlichen
Portionen an Morgen-,Mittags – und Abendkost wird dem
Konzentrationslager Columbia mit den jeweils die Verpflegung abholenden Transportwagen zugestellt.Auf dem An –
forderungsschein für die Mittagsportionen des Gestapa
wird gleichzeitig die Zahl der Gefangenen des Konzen –
trationslager Columbia,die über Mittag beim Geheimen
Staatspolizeiamt verbleiben,angezeigt.

gez. H. Himmler.

Beglaubigt :

Kanzlei – Angestellte.

beiden Seiten des Südflügels trennte, der untere Teil eines Lichtschachtes in einen Gefangenenwaschraum umgewandelt. Die Gestapo ließ dort drei Brausen, fünf Handwaschbecken sowie ein großes Waschbecken anbringen und anschließend das alte WC im Zellengang beseitigen.

Über die Einrichtung der Zellen in den Jahren vor 1939 sind nur sehr spärliche Informationen vorhanden. Die Zellen enthielten meist eine Holzpritsche, einen Hocker, einen an der Wand befestigten Tisch und einen WC-Kübel. Wie es in der neu errichteten, etwa 6x7 Meter großen Gemeinschaftszelle aussah, läßt sich nicht mehr ermitteln. Die Einrichtung dort wird noch kärglicher gewesen sein.

Aufgrund der Erweiterung des Gefängnisses benötigte man mehr Wachpersonal. In den Haushaltsverhandlungen 1936 forderte das Gestapa für die Verwaltung des Gefängnisses eine Polizeisekretärstelle und zusätzlich zu den bereits vorhandenen zwei sechs weitere Stellen für Gefängnisaufseher. Wahrscheinlich wurden auch weiterhin »nichtbeamtete« SS-Männer zur Bewachung mit herangezogen. Gegenüber dem Finanzministerium begründete die Gestapo ihre Forderungen: »Das Gefängnis des Geheimen Staatspolizeiamtes ist ein Polizeigewahrsam besonderer Art und wird in allernächster Zeit erheblich vergrößert und weiter ausgebaut. Die Zahl der vorhandenen 19 Zellen wird auf 35 und um einen Gemeinschaftsraum für etwa 15 Gefangene erhöht. Die Zellen sind fast ständig voll besetzt. Täglich werden vom Gefängnis Columbiastraße und dem Polizeigefängnis Berlin Schutzhäftlinge zugeführt, die tagsüber unter Aufsicht den einzelnen Dienststellen im Hause zur Vernehmung vorgeführt werden müssen. Da es sich ausschließlich um politische Häftlinge handelt, deren sichere Verwahrung im staatspolitischen Interresse unbedingt gewährleistet sein muß, ist eine Vermehrung des Aufsichtspersonals dringend notwendig«.[5]

Ende 1936/Anfang 1937 führte die Geheime Staatspolizei im Keller des Südflügels noch einmal Umbauten durch. Im alten Gang zwischen den Bildhauerateliers errichtete sie einen luftangriffssicheren »Schutzraum« mit Nottoiletten und einer Gasschleuse. Dieser Schutzraum diente zugleich als Aufenthaltsraum für Gefangene oder Warteraum für Häftlinge, die tagsüber ins Geheime Staatspolizeiamt zu Vernehmungen geführt und abends wieder in andere Gefängnisse zurücktransportiert wurden. An den beiden Längsseiten des 20,40 Meter tiefen und 3,50 Meter breiten Schutzraumes waren zwei lange, in die Wand eingelassene Holzbänke befestigt, auf denen die Häftlinge sitzen konnten. Alle 90 Zentimeter war die Bank durch ein senkrechtes Brett unterbrochen.

Im Zuge der Stützmaßnahmen für den Schutzraum wurde von der Gemeinschaftszelle eine Einzelzelle abgetrennt, so daß ab 1937 eine Gemeinschaftszelle, ein Tagesaufenthaltsraum und 38 Einzelzellen zur Verfügung standen.

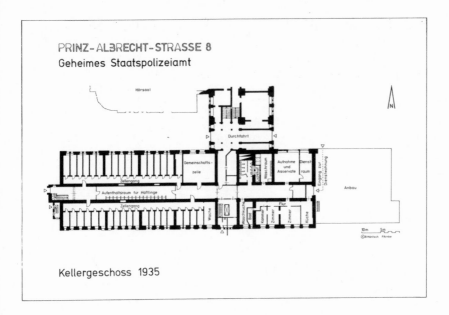

PRINZ-ALBRECHT-STRASSE 8
Geheimes Staatspolizeiamt

Kellergeschoss 1935

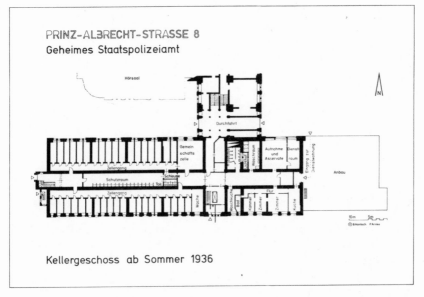

PRINZ-ALBRECHT-STRASSE 8
Geheimes Staatspolizeiamt

Kellergeschoss ab Sommer 1936

Der zwischen der Wache und der Waschküche eingezeichnete Lift, der auch in vielen Berichten der Häftlinge erwähnt wird, ist bereits 1935/36 geplant, wird aber erst 1937 installiert.

Geheimes Staatspolizeiamt

Dienststelle ....

Berlin, den .... 193..

Uhr ....

Annahmebefehl

I. D..... am .... vom Geheimen Staatspolizeiamt, Dienststelle ....

wegen ....

festgenommene

Beruf: ....

Vor- und Zuname: ....

Geburtszeit, -Ort: ....

Staatsangehörigkeit: ....

ist bis auf Weiteres in Verwahrung zu nehmen.

Bemerkungen: ....

....

....

....

II. An die

Verwaltung des Haus-Gefängnisses

Konzentr.-Lagers Columbia

(Dienststempel)

Unterschrift des Dezernenten oder Dienststellenleiters

Die Häftlinge

Unterlagen der Verwaltung des Hausgefängnisses über Zu- und Abgänge von Häftlingen, die es aufgrund der detaillierten Regelung des Schriftverkehrs beim Gefangenentransport gegeben haben muß, sind nie gefunden worden. Alle Schätzungen, wie viele Gefangene in den Jahren 1933 bis 1945 im Hausgefängnis der Prinz-Albrecht-Straße waren, bleiben Spekulation. Hält man sich an die in den Berichten immer wieder erwähnte Tatsache, daß das Gefängnis voll belegt war, scheint eine Gesamtzahl von mehreren tausend Häftlingen mit Sicherheit nicht zu niedrig gegriffen.

Unter den wenigen Akten, die erhalten geblieben sind, befindet sich die ab 1. Januar 1934 geführte »Sistiertenkladde« aus dem »Marxismus«-Dezernat.[6] Dieses Dezernat war innerhalb des Geheimen Staatspolizeiamtes zuständig für die Verfolgung von Aktivitäten der SPD, der SAP und anderer sozialistischer Gruppen, des Reichsbanners und der allgemeinen Gewerkschaften. Nachdem der Widerstand dieser Organisationen zum größten Teil zerschlagen war, verlor das Dezernat ab 1939 an Bedeutung. Vermutlich wurde die Häftlingsliste deshalb als »Altakte« aus Berlin ausgelagert; auf diese Weise ist sie der befohlenen Vernichtung am Ende des Krieges entgangen.

Die »Sistiertenkladde« verzeichnet alle aus dem Kreis der »Marxisten« in Berlin Inhaftierten. Zu denen, die mit Sicherheit in die Prinz-Albrecht-Straße eingeliefert wurden und einige Zeit in den dortigen Zellen verbringen mußten, gehörten:

Franz Bobzien, SAP-Vorsitzender in Hamburg

Dr. Rudolf Breitscheid, Mitglied der SPD-Reichstagsfraktion und ihr außenpolitischer Sprecher

Dr. Hermann Brill, Mitglied der SPD-Fraktion im Reichstag und im thüringischen Landtag, Angehöriger der Widerstandsgruppe »Deutsche Volksfront«; nach 1945 hessischer Staatssekretär und MdB

Dr. Georg Eliasberg, leitendes Mitglied der Widerstandsgruppe »Neu Beginnen«

Fritz Erler, Mitglied des Berliner SAJ-Vorstandes und der Widerstandsgruppe »Neu Beginnen«; nach 1949 Fraktionsvorsitzender und stellv. Parteivorsitzender der SPD

Dr. Theodor Haubach, führendes Mitglied im Reichsbanner und im Kreisauer Kreis; hingerichtet im Anschluß an den 20. Juli 1944

Franz Künstler, bis zu seinem Tod 1943 letzter Vorsitzender des Bezirks Groß-Berlin in der SPD

Dr. Carlo Mierendorff, Mitglied der SPD-Reichstagsfraktion; führendes Mitglied im Kreisauer Kreis

Alfred Nau, Sekretär des SPD-Parteivorstandes in Berlin; nach 1945 Schatzmeister der SPD und Vorsitzender der Friedrich-Ebert-Stiftung

Franz Neumann, Jugendpolitiker der Berliner SPD nach dem Krieg lange Jahre Vorsitzender der Berliner SPD

Dr. Kurt Schumacher, Mitglied der SPD-Reichstagsfraktion; 1933-1945 im KZ. Nach 1945 erster Vorsitzender der SPD

Wie dargestellt, wurden die meisten Gefangenen in die Prinz-Albrecht-Straße 8 gebracht, um dort von der Gestapo verhört zu werden. Viele stammten aus Berlin oder waren zumindest hier verhaftet worden: Von den Personen, über deren Aufenthalt im Hausgefängnis Näheres ermittelt werden konnte, lebten zum Zeitpunkt ihrer Verhaftung mehr als zwei Drittel in Berlin. Inwieweit diese Zahlen repräsentativ sind, kann nicht gesagt werden. Immerhin war die Reichshauptstadt als ehemalige Hochburg der Arbeiterbewegung ein Zentrum des Widerstands gegen den Nationalsozialismus, so daß die Verhaftungen in diesem Umkreis eher überproportional gewesen sein müssen. Andererseits ließ das Gestapa Häftlinge über Hunderte von Kilometern nach Berlin bringen, wenn der Fall überregionale Bedeutung zu haben schien, so auch zahlreiche Emigranten, deren man habhaft geworden war, wie Berthold Jacob, Rudolf Breitscheid, Kurt und Werner Lehmann. Besonders deutlich wird die zentrale Zusammenfassung der Ermittlungen bei der »Roten Kapelle« und nach der Verschwörung vom 20. Juli 1944. Das Gestapa bildete in diesen Fällen eigene Untersuchungskommissionen und verlegte die Verhafteten aus allen Teilen des Reiches nach Berlin, insbesondere in das Hausgefängnis in der Prinz-Albrecht-Straße.

Männliche Häftlinge überwogen eindeutig. Unter den 36 hier vorgelegten Häftlingsberichten finden sich immerhin fünf, die von Frauen stammen. Unter Heydrich wollte man die Unterbringung weiblicher Häftlinge in den Gefängniszellen offenbar prinzipiell abschaffen. In einer hausinternen Anordnung vom 29. Mai 1935 wurden die Gefängnisbeamten angewiesen, »die Annahme jedes weiblichen Häftlinges abzulehnen«.[7] Frauen, die zur Vernehmung in die Prinz-Albrecht-Straße gebracht wurden, sollten, soweit erforderlich, in den Räumen der vernehmenden Dienststelle selbst verwahrt werden.

Die Verhöre waren im allgemeinen schicksalsentscheidend, nicht nur für die Häftlinge, sondern auch für ihre Mitverschworenen. Verständlicherweise konzentrieren sich deshalb die meisten Erinnerungen an die Haftzeit auf die Stunden und Tage höchster Anspannung: auf die Vernehmungen. Ein nicht unerheblicher Teil der Betroffenen bestätigt, dabei im großen und ganzen korrekt behandelt worden zu sein. Dagegen stehen jedoch mindestens ebenso viele Berichte über Folterungen oft grausamster Art, vor allem wenn die Beamten vermuteten, daß wichtige Informationen verschwiegen wurden. Es wäre sicher falsch, einen Teil der Gestapo-Beamten mit den wild drauflosprügelnden SA-Leuten während der ersten Monate nach dem Reichstagsbrand zu vergleichen. Dazu war die Gestapo von Anfang an eine viel zu sehr auf rationale Ziele ausgerichtete Kriminalbehörde. Gerade höhere Gestapo-Beamte waren bemüht, die gewünschten Vernehmungsergebnisse zunächst ohne Folter zu erreichen, und griffen zu Terror-Methoden erst, wenn sie mit anderen Vorgehensweisen keinen Erfolg hatten. Darüber hinaus ist zu beobachten, daß die Gestapo sehr geschickt die ihr jeweils am sinnvollsten erscheinenden Methoden einsetzte. Das kann man deutlich an den Häftlingen der Harnack/Schulze-Boysen-Widerstandsorganisation sehen: Während Mildred und Arvid Harnack, Karl Behrens, Adam Kuckhoff und viele weitere brutal gefoltert wurden, erhielten andere, von denen sich die Gestapo eine Zusammenarbeit erhoffte, eine wesentlich bessere Behandlung. Auch bei den nach dem 20. Juli 1944 eingelieferten Häftlingen zeigt sich ein ähnliches Bild: Viele mußten entsetzliche Folterungen über sich ergehen lassen; Goerdeler konnte dagegen vor der Hinrichtung an seinen Memoranden arbeiten, und für den ehemaligen Reichsbankpräsidenten Schacht war das schlimmste, daß er in der Haft keine Zigarren mehr kaufen konnte.

In den Anfangsjahren ähnelte die Folter einer wüsten Prügelei, bei der die Häftlinge mit Stöcken, Riemen und Peitschen oft bis zur Bewußtlosigkeit geschlagen wurden. Die Berichte zeigen einen im wesentlichen immer wiederkehrenden Ablauf: Der eingelieferte Häftling kam in eines der Büros im Mansardengeschoß, wo die KPD- und SPD-Referate saßen. Hier – und nicht im Keller – wurden die Vernehmungen samt Folter durchgeführt. Der Gestapo-Beamte stellte, oft eingeleitet durch einige harmlose Bemerkungen, eine direkte Frage. Erhielt er nicht die gewünschte Auskunft, wurde der Gefangene von dem Vernehmungsbeamten selbst oder auch von herbeigerufenen »Hilfskräften« zusammengeschlagen. Hieran schloß sich meist unmittelbar die zweite Vernehmungsrunde an. Konnte oder wollte der Häftling auch jetzt keine Aussage machen, folgte eine weitere Prügelorgie. War der Gefangene so zerschlagen, daß er beim besten Willen nicht mehr antworten konnte, wurde er in seine Zelle zurückgeschickt, wo er oft 24 Stunden lang ohne Nahrung und Wasser gelassen und dann von neuem verhört, geschlagen und gequält wurde. Bei manchen Häftlingen zogen sich diese Mißhandlungen über Wochen hin.

Später wurde die Folter, verharmlosend als »verschärfte Vernehmung« bezeichnet, bürokratisch genau geregelt und systematisiert. Ein interner Erlaß vom 12. Juli 1942 gestattete ihre Anwendung ohne vorherige Genehmigung bei neun Häftlingsgruppen.[8] Auch der Vollzug wurde nun so gestaltet, daß persönliche Aggressionen weitgehend ausgeschaltet blieben und die verschiedenen Stufen der Folter programmgemäß abliefen. Das entsprach der eiskalten Distanz, wie sie auch für das Verhältnis zwischen Bewachern und Häftlingen in den Konzentrationslagern gefordert war.

Nachdem in den ersten Jahren mehrere Gerichte die Anerkennung von Geständnissen verweigert hatten, bei denen sich aus den Niederschriften ergab, daß sie unter Gewaltanwendung zustande gekommen waren, verbot Heydrich jede Erwähnung von Foltermaßnahmen in den Ermittlungsakten. Statt dessen ordnete er die streng geheime Führung gesonderter Unterlagen über »verschärfte Vernehmungen« an. 1942 war die Position der Gestapo allerdings so stark geworden, daß den Gerichten solche Maßnahmen wieder »kurz mitgeteilt« werden konnten. Aber selbst in diesen letzten Jahren des nationalsozialistischen Regimes, als Terrorurteile zur Normalität geworden waren, sträubte sich die Justiz zuweilen immer noch gegen die Folter als geeignetes Mittel der Wahrheitsfindung. So gelang es von Schlabrendorff, den Volksgerichtshof – allerdings nach dem Tod Freislers – davon zu überzeugen, daß er in der Prinz-Albrecht-Straße barbarisch gequält worden war; er wurde daraufhin freigesprochen.

Viele Gefangene widerstanden auch schwersten Folterungen. In mehreren Berichten ist eindrucksvoll dokumentiert, wie die Betroffenen mit eiserner Willensstärke an ihrem einmal gefaßten Entschluß festhielten, keine sich selbst oder andere belastenden Aussagen zu machen. Daß es sogar möglich war, die Peiniger durch überlegenes Verhalten davon zu überzeugen, daß ihre Foltermaßnahmen zwecklos seien, beweisen Havemann und Harnack; beide bleiben in ihrer überragenden Souveränität allerdings denkwürdige Sonderfälle. Um Gefangene systematisch zu schikanieren und zu zermürben, waren den Beamten in der Prinz-Albrecht-Straße alle Mittel recht: Manche Häftlinge waren wochenlang gefesselt, andere mußten schwere Eisenketten an den Füßen mit sich herumschleppen.[9] Erniedrigungen waren an der Tagesordnung.

Manche sahen angesichts der drohenden Folter keinen anderen Ausweg als den Freitod. Die uns zugänglichen Unterlagen weisen auf mindestens vier Fälle hin:
- Margarete Walter, KJVD-Funktionärin und Widerstandskämpferin (Oktober 1935),
- eine dem Namen nach unbekannte Frau (August 1936),
- John Sieg, führender KPD-Funktionär und wichtiges Mitglied der Harnack/Schulze-Boysen-Organisation (Oktober 1942),
- Kurt Freiherr von Plettenberg, Widerstandskämpfer im Zusammenhang mit dem Attentat vom 20. Juli 1944.

John Sieg wurde in seiner Zelle erhängt aufgefunden; die anderen sollen beim Gang zur Vernehmung einen unbewachten Augenblick dazu benutzt haben, sich aus einem Fenster in die Tiefe zu stürzen.

176

2 d

Chef der Sicherheitspolizei   Berlin,den 12.Juni 1942
   und des SD

B.Nr. IV- 226/42 geh.Rs.

                              120 Ausfertigungen
                              110. Ausfertigung   337

                                          //

Als Geheime Reichssache

   an alle Befehlshaber d.Sicherheitspolizei u.d.SD
   an die Leiter der Gruppen IV A,IV B,IV C,IV D und IV E
                     des RSHA

   an alle Kommandeure der Sicherheitspolizei u.d.
   an alle Leiter der Stapo (leit) stellen

nachrichtlich

   an die Jnspekteure d.Sicherheitspolizei und des SD

Betrifft:
Verschärfte Vernehmung

Anlage: 1 Empfangsbestätigung

============================

        Jm Zuge der Vereinfachung wird der Erlaß des Chefs der
Sicherheitspolizei und des SD vom 1.7.37 B.Nr. PP(II) 301/37 g.Rs.
(ist unter Beachtung der Verschlußvorschriften zu vernichten)
mit sofortiger Wirkung durch folgende Neuregelung ersetzt:

        1) Verschärfte Vernehmung darf nur angewendet werden,
wenn aufgrund des Vorermittelungsergebnisses festgestellt ist,
dass der Häftling über wichtige staats = oder reichsfeindli =
che Sachverhalte,Verbindungen oder Planungen Auskunft geben
kann,seine Kenntnisse aber nicht preisgeben will und im Er-
mittelungswege nicht feststellbar sind.

338

2) Die verschärfte Vernehmung darf unter dieser Voraus =
setzung nur angewendet werden gegen Kommunisten,Marxisten,Bi =
belforscher,Saboteure,Terroristen,Angehörige der Widerstandsbe=
wegungen,Fallschirmagenten,Asoziale,polnische oder sowjetrussi =
sche Arbeitsverweigerer oder Bummelanten.

Jn allen übrigen Fällen bedarf es grundsätzlich meiner
vorherigen Genehmigung.

3) Zur Herbeiführung von Geständnissen über eigene Straf=
taten darf die verschärfte Vernehmung nicht angewendet werden.
Ebenso darf dieses Mittel nicht angewendet werden gegenüber Per=
sonen,die zeitweilig von der Justiz zwecks weiterer Ermitte =
lungen überstellt worden sind.

Ausnahmefälle bedürfen ebenfalls meiner vorherigen Geneh =
migung.

4) Die Verschärfung kann je nach Sachlage u.a. bestehen in:
einfachste Verpflegung (Wasser und Brot),
hartes Lager,
Dunkelzelle,
Schlafentzug,
Ermüdungsübungen,
aber auch in der Verabreichung von Stockhieben (bei mehr als
20 Stockhieben muss ein Arzt beigezogen werden).

5) Soweit ich mir die Genehmigung nicht selbst vorbehalten
habe,genehmigt Art und Umfang der verschärften Vernehmung der
Dienststellenleiter persönlich, bei dessen Abwesenheit der Ver=
treter.

339

Die Genehmigung hat schriftlich zu erfolgen.

Die Genehmigungsbescheide werden von der Dienststelle zentral gesammelt und auf die Dauer von 3 Jahren verwahrt.

Art und Umfang der verschärften Vernehmung darf nicht überschritten werden; sie darf auch nur inseweit zur Anwendung gelangen,als es der Zweck erforderlich macht.

Bei der Durchführung müssen stets mindestens zwei Beamte anwesend sein.

Körperliche Einwirkungen dürfen nicht von dem vernehmen - den Beamten ausgeführt werden.

6) Wird ein Häftling, der verschärft vernommen ist, dem Richter vorgeführt,so ist gleichzeitig dem zuständigen Ober - staatsanwalt schriftlich als Geheime Reichssache mitzuteilen, dass der Häftling aus den kurz auszuführenden Gründen in der anzugebenden Art verschärft vernommen worden ist.

7) Es ist selbstverständlich, dass das Mittel der ver - schärften Vernehmung nur in wirklich notwendigen und wichtigen Fällen angewendet wird.Jn Zweifelsfällen ist vorher meine Genehmigung einzuholen.

Verstöße gegen diesen Erlaß werden strafrechtlich und disziplinär geahndet.

Dauernde Belehrung der Beamten und Angestellten ist daher unerlässlich.

So niederdrückend es war, Gefangener in der Prinz-Albrecht-Straße 8 zu sein: man traf dort auf allgemeine Haftbedingungen, die in vielem erträglicher zu sein schienen als in anderen Berliner Gefängnissen. Ferdinand Friedensburg erfuhr während seiner Haft im Frühjahr 1935, daß die Anstalt angeblich Mustercharakter trage. Vier Jahre später hatte sich an dieser Auffassung der Gestapo nichts geändert: Gestapo-Chef Müller stellte am 28. Oktober 1939 in einer innerdienstlichen Verfügung ausdrücklich fest, daß die Unterbringung und Verpflegung im Polizeigefängnis am Alexanderplatz »nicht annähernd an die im Hause gewährte heranreicht«; eine Unterbringung im Polizeigefängnis komme erst in Betracht, »wenn der Häftling keine außergewöhnlich gute Behandlung verdient und nur selten zu Vernehmungen gebraucht wird«. Offensichtlich war dies nicht zynisch gemeint. [10]

Die Ernährung wurde im Lauf des Krieges ausgesprochen schlecht und bestand schließlich nur mehr aus Hungerrationen. Ein Formular mit den Normalrationen für Häftlinge ist überliefert;[11] offensichtlich wurden aber selbst diese Verpflegungssätze noch unterschritten.

Auch wenn in der Prinz-Albrecht-Straße jegliche Rechtsgarantien aufgehoben waren, gab es hier doch auch den normalen Gefängnisalltag mit althergebrachten Justizreglements, die routinemäßig eingehalten wurden. Die Häftlinge konnten besucht werden, im allgemeinen allerdings erst, wenn die Ermittlungen abgeschlossen waren. Gerade bei Gefangenen aus dem Kreis der Roten Kapelle oder bei den Beteiligten des 20. Juli 1944 sind Verwandtenbesuche vielfach bezeugt. Auch Lesen und Schreiben sowie der Empfang von Paketen waren unter bestimmten Bedingungen offenbar gestattet. Solche Vergünstigungen wurden den Häftlingen jedoch ohne weiteres entzogen, wenn die Gestapo dies aus Gründen der Ermittlung für zweckmäßig hielt.

An alle

Referate der Abteilung II,
ausser II P, II J und II P,
(nachrichtlich an Abteilung III).

137

I.   Die Erfahrungen der letzten Jahre haben gezeigt,daß
das im Hause befindliche Polizeigefängnis bei weitem nicht ausreicht, um alle zu Vernehmungen benötigten Häftlinge unterzubringen. Es muss deshalb immer wieder in zeitweilig sehr großem Umfange auf das Polizeigefängnis im Polizeipräsidium zu-
rückgegriffen werden. Da dort die Unterbringung und Verpflegung nicht annähernd an die im Hause gewährte heranreicht und
die dauernden Überstellungen von Häftlingen zu Vernehmungen
und zurück in das Polizeigefängnis am Alexanderplatz erhebli-
che Zeit in Anspruch nehmen und besondere Kosten verursachen,
sprechen dienstliche Gründe dafür, dass von der Möglichkeit
der Unterbringung von Häftlingen im Polizeigefängnis des Polizeipräsidiums Berlin nur dann Gebrauch gemacht wird,wenn dies
nicht zum Schaden der Ermittlungstätigkeit ausläuft.Die Gefäng-
nisverwaltung im Hause versucht, den Verhältnissen nach Möglichkeit gerecht zu werden. Es ist jedoch Sache der vernehmenden
Dienststelle, möglichst in jedem Falle selbst anzuordnen, ob
der betreffende Häftling unbedingt im hiesigen Gefängnis untergebracht werden muss, oder ob gegen seine Überführung in das
Polizeigefängnis am Alexanderplatz keine Bedenken bestehen.
Letzteres wird immer dann der Fall sein, wenn der Häftling keine aussergewöhnlich gute Behandlung verdient und nur selten zu
Vernehmungen gebraucht wird.

V.8v

Speisezettel

der Küche des Polizeigefängniſſes im Geheimen Staatspolizeiamt

für die Woche vom   bis   194

	Sonntag	Montag	Dienstag	Mittwoch
Frühkoſt	Kaffee Brot mit	Kaffee Brot mit	Kaffee Brot mit	Kaffee Brot mit
Mittagskoſt	Brot	Brot	Brot	Brot
Abendkoſt				

	Donnerstag	Freitag	Sonnabend
Frühkoſt	Kaffee Brot mit	Kaffee Brot mit	Kaffee Brot mit
Mittagskoſt	Brot	Brot	Brot
Abendkoſt			

Vorgelegt   Genehmigt

Berlin, den _____ 194   Berlin, den _____ 194

Gefängnisverwalter   Polizeirat

Die Berichte

Eine Arbeitsgruppe des Berliner August-Bebel-Instituts hat im Herbst 1983 damit begonnen, Angaben über Häftlinge im Gefängnis des Geheimen Staatspolizeiamts systematisch zu sammeln und auszuwerten. Möglichst viele Berichte über die Lebensbedingungen und den Alltag der Häftlinge in diesem Gefängnis sollten zusammenkommen. Aufgrund des vorliegenden Materials und nach Durchsicht vieler Gestapo-Sachakten lassen sich vier Phasen der politischen Verfolgung unter dem Nationalsozialismus erkennen:

- In der ersten Phase schaltete die Geheime Staatspolizei die »alte«, aus den Weimarer Parteien und politischen Verbänden entstandene Opposition aus. Das Hauptziel der Gestapo war zunächst die Zerschlagung jedes Widerstands, danach die Verhinderung neuer Opposition. Aus dieser Zeit stammen die Berichte von und über Hans Otto, Edith Walz, Willi Gleitze, Walter Höppner, Franz Neumann, Ernst Thälmann und andere.
- Am 30. Juni 1934 ermordete die nationalsozialistische Führung nicht nur mißliebig gewordene SA-Führer, sondern auch politische Gegner. Im Umfeld dieser Ereignisse stehen die Berichte von Fritz Günther von Tschirschky, Elisabeth von Gustedt und Werner Pünder.
- Bei den Versuchen, eine Opposition aufzubauen und neue Möglichkeiten der illegalen Arbeit zu erproben, wurden Mitte der dreißiger Jahre viele Kommunisten und Sozialdemokraten von der Geheimen Staatspolizei gefaßt. Die den Freitod wählende Margarete Walter, Werner Peuke und Fritz Erler stehen stellvertretend für diese Phase.
- Mit dem deutschen Überfall auf Polen vergrößerte sich der Machtbereich der Geheimen Staatspolizei; die Häftlingszahlen stiegen. Bereits im Oktober 1939 erwies sich das Hausgefängnis als zu klein. Die Sachreferenten im Gestapa erhielten mehr Entscheidungsbefugnis: Sie konnten nun einfacher über die Entlassung eines Häftlings oder seine Einweisung in ein Konzentrationslager verfügen. Die neuformierte Opposition, die sich nun immer mehr in Gruppen, Zirkeln und Gesprächskreisen zusammenfand und von der Diskussion zur Aktion überging, war das Ziel der Gestapo ab 1940. Neben den Widerstandskämpfern der Harnack/Schulze-Boysen-Organisation – von denen 1942 über einhundert verhaftet wurden – kamen ab Sommer 1944 vor allem Widerstandskämpfer aus den militärischen und zivilen Gruppen des 20. Juli in die Prinz-Albrecht-Straße.

Den mutigen Widerstand des einzelnen unterdrückte die Gestapo während der gesamten Dauer des Dritten Reiches ebenso unnachsichtig wie jede politische Gruppenbildung. Der evangelische Pfarrer Paul Gerhard Braune und der katholische Priester Max Josef Metzger sind hier zu nennen.

Jüdische Häftlinge konnten in der Prinz-Albrecht-Straße 8 nur wenige ermittelt werden. Wenn sie dort untergebracht waren, dann aus eher aktuell-politischem Anlaß. Der Rechtsanwalt Dr. Max Naumann etwa, 1933 Ehren-vorsitzender und geschäftsführendes Vorstandsmitglied des Verbands natio-naldeutscher Juden e.V., kam am 18. November 1935 als Schutzhäftling in das Konzentrationslager Columbiahaus. Angeblich hatte er falsche Angaben über die NSV (Nationalsozialistische Volkswohlfahrt) gemacht. Vom 6. bis 14. Dezember 1935 war er dann als Schutzhäftling im Geheimen Staatspoli-zeiamt. Am Tage seines Transports in die Prinz-Albrecht-Straße schrieb Rein-hard Heydrich an Göring: »Ich darf in diesem Zusammenhang noch darauf hinweisen, daß Naumann sich während der Schutzhaft wiederholt ungehö-rig geäußert hat und u.a. die mit seiner Bewachung beauftragten SS-Männer als ›Henkersknechte‹ bezeichnet hat.«[12]

Auch über ausländische Häftlinge konnte bisher wenig in Erfahrung gebracht werden. Immer wieder finden sich Hinweise auf Gefangene aus allen von der deutschen Wehrmacht besetzten Gebieten, auf sowjetische Kriegsgefangene, tschechoslowakische und polnische Widerstandskämpfer. Ihre Überlebenschancen waren noch geringer als die der deutschen Häft-linge.

Abschließend einige Bemerkungen zur Edition: die Berichte, Briefe und Interviews sind bewußt knapp kommentiert. Sie sollen für sich sprechen und geben jeweils nur einen kleinen, sehr persönlichen Ausschnitt aus der Wirk-lichkeit eines umfassenden Unterdrückungsapparates. Um den Charakter der Berichte möglichst zu erhalten, wurde auf ausführliche Anmerkungen zu den einzelnen Texten verzichtet. Bei allen hier abgedruckten Dokumenten ist der Entstehungshintergrund zu berücksichtigen; dies gilt namentlich für die Briefe aus der Haft, die grundsätzlich der Zensur unterlagen.

Die Berichte geben so die subjektiven Eindrücke und Wahrnehmungen der Menschen wieder, die in der Prinz-Albrecht-Straße 8 inhaftiert waren. Da die Quellenüberlieferung bruchstückhaft ist, konnten die Angaben in den Berich-ten nicht in jedem Fall auf ihre sachliche Richtigkeit überprüft werden. So sind in vielen Fällen weder die Identitäten der Gestapo-Beamten noch die der Mithäftlinge genau festzustellen. Rechtschreibfehler, Namen und Ortsanga-ben wurden stillschweigend verbessert; die meisten Berichte wurden für diese Publikation leicht gekürzt. Wir legen hier keine wissenschaftlich kom-mentierte Edition vor. Um etwas über den Alltag im Zentralgefängnis der Geheimen Staatspolizei zu erfahren, genügt es, denen zuzuhören, für die die Prinz-Albrecht-Straße 8 oft die letzte Station eines langen und konsequent geführten Kampfes war.

Hans Otto

(November 1933)

Der Schauspieler Hans Otto (geb. 1900) war einer der bedeutendsten Heldendarsteller des deutschen Theaters zu Beginn der dreißiger Jahre. Schon bald nach Beginn seiner Schauspielerkarriere hatte er den Sprung an das Berliner Staatstheater geschafft. Als führendes Mitglied der »Genossenschaft Deutscher Bühnen-Angehörigen« stand Otto dem aufkommenden Nationalsozialismus kämpferisch gegenüber. 1933 wurde er vom Staatstheater fristlos entlassen. Die Ursache hierfür waren sein Eintreten für verfemte Kollegen sowie seine allzu deutlichen Sympathien für die KPD. Am 13. November 1933 wurde Otto von der SA in Berlin verschleppt. Sein Kollege Gerhard Hinze[1] schrieb 1948:

Hans Otto wurde verhaftet am Mittwoch, dem 13. November, abends in einem kleinen Restaurant am Viktoria-Luise-Platz in Berlin. Ein Verräter hatte die SA dort hingeführt. Wir wurden einander gegenübergestellt im SA-Lokal »Café Komet« in Stralau-Rummelsburg. Damit begann unsere Leidenszeit. Während im Café eine Tanzkapelle spielte, wurden wir abwechselnd verprügelt, ins Gesicht geschlagen und mit Fußtritten traktiert, bis unsere Folterknechte ermüdeten. Hans hatte während der ganzen Zeit kaum einen Ton von sich gegeben. Nur ein- oder zweimal konnte er ein leises Stöhnen nicht unterdrücken, wenn sie ihn mit ihren schweren Stiefeln in den Leib traten. Namen und Verbindungen zu anderen Untergrundkämpfern wollten sie herauskriegen. Nicht ein Anhaltspunkt, nicht ein einziger Name kam über seine Lippen.

Und so blieb es während der ganzen acht Tage. Ob sie tobten oder ihn mit dem Kopf gegen die Wand schleuderten, ihm Tritte und Stöße in den Unterleib versetzten und alle die bekannten entmenschten Foltermethoden anwandten, er blieb stumm. Seine körperlichen Kräfte ließen nach, seine geistige Widerstandskraft wuchs. Nach vier Tagen wurden wir nach Köpenick verschleppt. Hier, in einem feuchten und stinkenden Bunker, in dieser mittelalterlich anmutenden Umgebung waren wir zusammen mit anderen Gefangenen, Männern und Frauen, die anscheinend schon längere Zeit hier waren und von der SA übel zugerichtet worden waren. Obwohl Hans selbst von tage- und nächtelangen Mißhandlungen und Verhören erschöpft war, ging er sofort daran, Hilfe zu leisten. Er bat die SA-Wache um ein Becken mit warmem Wasser; und sein ruhiger Ernst veranlaßte sie, es ihm zu geben. Er riß sein Hemd in Fetzen und begann die Wunden zu reinigen. Und welche Liebe sprach aus seinen Worten zu diesen gequälten Menschen. Schon nach kurzer Zeit verbreitete sich eine, ich möchte fast sagen heitere Stimmung in dieser dumpfen Atmosphäre. Niemand wußte, wer er war. Die Art und Weise, wie er etwas tat, war von größter Selbstverständlichkeit. Seine Hilfs- und Opferbereitschaft war grenzenlos. Ich werde nie vergessen, wie er, als ich nach einer »Sitzung« zurückkam, mir das Blut abwusch, Erleichterung zu verschaffen suchte, Mut zusprach und seinen Humor nicht verlor, sondern sogar Scherzworte fand und behauptete, das sei eine unserer besten Rollen, die wir je gespielt hätten.

Wir hatten später keine Möglichkeit mehr, miteinander zu sprechen. Auf dem Transport ein gelegentlicher Händedruck, stark und voll Sehnsucht in dieser tödlichen und menschenfeindlichen Umgebung. Von Köpenick wurden wir nach dem SA-Quartier in der Moellendorfstraße gebracht und von dort zur Gestapo in der Prinz-Albrecht-Straße. Die ganze Zeit Verhöre und Mißhandlungen. Am Donnerstag ging es dann zur Voßstraße. Seit der Einlieferung in der Prinz-Albrecht-Straße hatten wir nichts mehr zu essen und zu trinken bekommen. Aber alles das war nur ein Vorspiel gewesen zu dem, was sich nun in der Voßstraße abspielte.

Noch einmal sah ich in dieser grauenvollen Nacht Hans Otto. Es muß ungefähr um Mitternacht gewesen sein. Er konnte nicht mehr sprechen, er lallte nur noch. Sein Mund und seine Augen waren dick verschwollen. Und doch, als er mich sah, versuchte er zu lächeln. Dieser Blick aus seinen todmüden Augen in einem schmerzentstellten Gesicht bei der letzten Gegenüberstellung in den Stunden kurz vor seinem Tod, das war alles, was er zu geben imstande war. Aber er gab, gab, solange er bei Bewußtsein war. Einige Stunden später sah ich ihn zum letztenmal. Er war halbnackt, und ich konnte sein Gesicht nicht wiedererkennen. Sein Körper war eine blutige Masse. Er war bewußtlos.

In der SA-Kaserne in der Voßstraße wurde Hans Otto aus dem Fenster gestürzt. Die Umstände sind bis heute ungeklärt. Hans Otto starb am 24. November 1933 im Berliner Staatskrankenhaus. Bertolt Brecht hat ihm in seinem »Brief an den Schauspieler Heinrich George« ebenso ein Denkmal gesetzt wie Klaus Mann in seinem Roman »Mephisto« in der Figur des Otto Ulrichs.

Edith Walz

(Dezember 1933)

Edith Walz (geb. 1911) kam im Alter von vier Jahren mit ihren Eltern und drei Geschwistern aus Magdeburg nach Berlin. 1919 starb die Mutter. Der Vater heiratete wieder, die Stiefmutter brachte zwei weitere Kinder in die Ehe. Die achtköpfige Familie wohnte in einer 1 1/2-Zimmerwohnung in der Danckelmannstraße. In dem 8 m² großen Schlafzimmer schliefen sieben Menschen. Nach Beendigung der Schule begann sie eine Lehre als Rechtsanwaltsgehilfin. 1928 trat sie in die »Sozialistische Arbeiterjugend Deutschlands« (SAJ), zwei Jahre später in die SPD ein. 1931 spaltete sich die SAJ; Edith Walz ging mit ihrer Arbeitsgruppe in den »Sozialistischen Jugendverband«, eine Jugendorganisation der SAP. Die Gruppe behielt 1933 trotz Verbot ihren Zusammenhalt und leistete Widerstand: Die Mitglieder verteilten Flugblätter, die sie per Schreibmaschine vervielfältigt hatten, und pinselten nachts Parolen auf die Hauswände. – Am 6. Dezember 1933 erschien die Gestapo im Büro des Rechtsanwalts, bei dem sie arbeitete. Edith Walz² berichtete 1984:

Ich saß im Büro, da kamen sie durch die Eingangstür in den Vorraum und vom Vorraum gleich in mein Zimmer. Mein Chef war, weil nicht Sprechstunde war, selbst zur Tür gegangen und hatte aufgemacht. Die Haushälterin meines Chefs kam auch gleich angerannt. Die Gestapo-Leute sagten, sie wollten mich abholen. Und da sagte die Haushälterin, was ich nie vergessen werde: »Sehen Sie, Sie Rosa Luxemburg, ich habe Ihnen ja immer gesagt, wo Sie mal landen werden ...« Das hat sie mir auf den Weg mitgegeben, weil sie wußte, welche Einstellung ich hatte; ich bin ja manchmal in meiner Falkenkluft ins Büro gegangen, was ich nicht hätte tun sollen.

Innerlich war ich auf die Verhaftung vorbereitet und habe mich dumm gestellt: »Ja, wir hatten mal eine Jugendgruppe, wie das in Berlin so üblich ist. Wir wohnen ja alle in einfachen Verhältnissen und haben keine Möglichkeit, Geselligkeit auszuüben, und da sind wir als junge Menschen eben auf Fahrt gegangen (was ja auch der Wahrheit entsprach). Wir sind eben als junge Menschen zusammengekommen, weil wir in unsere beengten Verhältnisse niemanden einladen konnten; deshalb sind wir in dieser Jugendgruppe zusammengewesen. Wir haben uns vollkommen normal, bürgerlich, oder wie man das sonst nennen soll, verhalten.«

187

Mehr haben sie aus mir nicht herausbekommen. Dann sind wir in die Prinz-Albrecht-Straße gefahren. Dort fing man an, mich genauer auszufragen. Ehe sie mich verhafteten, hatten sie mein Zimmer zu Hause durchsucht und Bücher und Fotoalben beschlagnahmt. Aber meine Schreibmaschine hatten sie nicht gefunden. Aus den beschlagnahmten Sachen konnten sie nichts schließen. So konnte ich richtig draufloslügen, was ich auch tat: »Wir sind alle Hinterhofkinder. Um Freunde zu haben, mußten wir woanders zusammenkommen. Wir hatten auch Volkstanzkreise (das stimmte übrigens). Außerdem haben wir gemeinsam Bücher gelesen (auch das stimmte); Sie haben ja einige mitgenommen, zum Beispiel hier den Rilke. Und dann sind wir am Sonnabend/Sonntag mit Rucksack und wenig Geld rausgefahren in die Natur, weil wir in unseren Hinterhöfen nicht mal einen Baum sehen konnten.« Der Mann wurde nun aggressiver. Er sagte: »Das können Sie mir nicht erzählen, Sie haben sich doch politisch betätigt.« Ich sagte: »Ja, wenn Sie das politisch betätigen nennen, daß wir über die heutige Zeit gesprochen haben und wie unsere Eltern – mein Vater zum Beispiel – wieder zu Arbeit kommen können. Das waren unsere Gesprächsthemen. Wir haben uns mit der Gegenwart beschäftigt.«

Nun sah er, hier war nichts zu machen. Und da sagte er zu mir: »Na, dann kommen Sie mal mit!« Und er hat mich runtergenommen in den Keller, und das war das fürchterlichste Erlebnis, das ich als junger Mensch hatte. Der Keller war ja als Vernehmungskeller berüchtigt. Und dann hat er an die Türen geklopft von den einzelnen Zellen. Es waren richtige Zellen, ich saß ja nachher auch da drin. Da war ein Guckloch, eine Scheibe, die man wegschieben konnte; die drinnen konnten aber nicht nach draußen schauen. Und nun hat er mehrere durch Klopfen veranlaßt, sich vor das Guckloch zu stellen und hat zu mir gesagt: »Sehen Sie sich die Leute genau an, so machen wir es mit Ihnen auch!« Und die waren fürchterlich zerschlagen; die Augen, die sehe ich heute noch vor mir, die Augen blau, manche konnten überhaupt nicht aus den Augen gucken; die Gesichter, das waren gar keine Gesichter mehr, das waren nur noch Fleischmassen ...

Gerade in unserer Straße gab es viele Verhaftete, die nicht mehr wiedergekommen sind. Das alles stürzt dann auf dich ein, und du weißt ja nicht, was ist mit deinem Schicksal, was kriegen die raus. Und wie geschickt du auch geschwindelt hast hinten und vorne, du weißt doch nicht, ob sie nicht einen weichgekriegt haben, der mehr gesagt hat, und du dann eben in Verhören mit Dingen konfrontiert wirst, die dieser oder jener, den du kennst, gesagt hat. Das weißt du ja alles nicht, die haben dir ja nicht zu erkennen gegeben, wen sie aus der Gruppe mitgenommen haben. Die haben nicht mal von Herrn Zander gesprochen, der damals der Leiter unserer Gruppe war. Der Schlüssel geht zu, die Tür wird geschlossen, du hörst die Menschen schreien, und du weißt, was ihnen angetan wird, weil man es dir ja gezeigt hat.

Ich habe das ungeheure Glück gehabt, am Anfang dieser Zeit inhaftiert zu sein, und nur kurzfristig. In späteren Jahren, da hätten sie viel weiter gebohrt und viel mehr herausgeholt ... Sie haben mich wirklich für ein kleines Dummchen gehalten. Vielleicht war das auch meine Rettung. Sie hatten zum Beispiel das Album mit den FKK-Aufnahmen. Und da haben sie mich in so einer gemeinen Art – ich war ja ein junges, unbescholtenes Mädchen – mit obszönen Bemerkungen bombardiert, Blatt für Blatt ... Das war eine ganz bestimmte Art der Verhandlungsführung, ich war völlig fassungslos. Wie ich denn zu solchen Aufnahmen gekommen sei? Sie würden das schon herauskriegen. Die Erklärungen, die ich ihnen gegeben habe, waren nur Anlaß zu weiteren obszönen Bemerkungen, das habe ich noch ganz genau im Gedächtnis ... Teilweise haben sie mich auch in der Zelle vernommen. Da mußte man noch mehr Angst haben. Das wollten sie ja, das war ein psychologisches Moment. Wenn du in der Zelle vernommen wirst, dann bist du mit dem Vernehmenden ganz allein, und er kann mehr Druck auf dich ausüben, als wenn du oben in den Büroräumen bist, wo dieser mal reinkommt und jener mal reinkommt. Ich mußte bei diesen Verhören in der Zelle stehen, und der Beamte hat auf meinem Stuhl gesessen. Er hatte einen Bogen Papier vor sich, der aber meistens leer blieb, denn ich sagte immer wieder: »Ich kann nichts sagen ... ich weiß nichts ... ich habe in keiner Verbindung gearbeitet ...« Und da sie meine Schreibmaschine nicht gefunden hatten, konnten sie mir nichts beweisen. Damals ging es ja noch darum, daß sie dir etwas beweisen wollten. Später brauchten sie keine Beweise mehr. Da bist du genannt worden, da ist dein Name gefallen, und das reichte ... Ich habe manchmal gedacht, warum haben sie dich verschont? Vielleicht hatten sie doch ein bißchen Scheu, so ein junges Mädchen zusammenzuschlagen. Ich war ja noch ein halbes Kind ...

Nach ungefähr einer Woche wurde Edith Walz entlassen. Ein Strafverfahren blieb ihr erspart. Der Leiter der Gruppe wurde zu zwei Jahren Zuchthaus verurteilt und emigrierte sofort nach seiner Freilassung. Edith Walz lebt heute in Berlin.

Willi Gleitze

(Dezember 1933)

Der Sozialdemokrat Willi Gleitze (geb. 1904) beteiligte sich 1933 aktiv am Versuch, SPD und SAJ in die Illegalität zu überführen. Als Jugendsekretär der SAJ kümmerte er sich besonders um den Zusammenhalt der Leipziger Sozialdemokraten. Am 27. Dezember 1933 wurde er verhaftet und zur Geheimen Staatspolizei gebracht. In den siebziger Jahren beschrieb Gleitze seine Verhaftung und Vernehmung:[3]

Nach meiner Einlieferung im Gestapogebäude Prinz-Albrecht-Straße wurde ich durch einen Mann der Gestapo namens Müller vernommen. Er forderte mich auf, über alles zu berichten, was ich seit der Auflösung der SAJ in Leipzig und später hier in Berlin unternommen habe. Ich antwortete, daß ich mich um Arbeit – aber leider vergeblich – bemüht und mich sonst meiner Familie gewidmet hätte. Hier in Berlin mußte ich tagsüber meinen gerade ein Jahr alt gewordenen Sohn betreuen, da meine Frau das Glück hatte, wieder in ihrem alten Beruf tätig zu sein. Das wurde mir nicht geglaubt. Sein Argument war, wer so lange wie ich politisch tätig gewesen sei, könne nicht plötzlich als Privatmann leben. In diesem Sinne ging unsere Unterhaltung über eine längere Zeit hin und her. Plötzlich erschienen sechs jüngere Männer im Zimmer (es handelte sich um einen großen Raum). Sie verteilten sich und ergriffen an ihrem Platz bereitliegende Schlaginstrumente. Das waren Gummiknüppel, Ochsenziemer, Reitpeitschen und Stöcke. Kurz darauf stand Müller auf, man stürzte sich auf mich und schlug wahllos auf mich ein.

Soweit es ging, versuchte ich mich dem zu entziehen, kroch in den freien Raum des Schreibtisches, wurde herausgezerrt, nahm dann Zuflucht auf einem in der Ecke liegenden Bücherberg, konnte mich dort einige Zeit ziemlich schützen, wurde dann aber heruntergeholt, und die Schlägerei ging so lange weiter, bis Müller Einhalt gebot.

Die Vernehmung ging weiter, blieb aber für Müller ohne Erfolg. Ich blieb bei meinen bis dahin gemachten Aussagen. Nach einer geraumen Zeit erschien eine andere Schlägerkolonne und stellte sich wiederum an die Plätze, wo die Schlaginstrumente abgelegt waren. Nach einer kurzen Zeit erhob sich Müller wiederum von seinem Platz, und es begannen die gleichen Mißhandlungen wie zuvor. Zwei Stunden mußte ich das durchhalten. Müller beendete während dieser Zeit die Schlägereien immer dann, wenn er glaubte, durch weitere Befragungen zum Ziel zu kommen. Während dieser zwei Stunden waren es fünf verschiedene Schlägerkolonnen, die mich mißhandelten.

Einmal stellte ein Schläger einen Stuhl in die Mitte des Raumes. Er verlangte von mir, daß ich den rechten Arm erhebe und mit Heil Hitler grüße. Ich kam dem nicht nach. Daraufhin schlugen alle Umstehenden auf mich ein. Ich blieb hartnäckig und wurde weiter geschlagen. Mir wurde dann klar, daß ich nachgeben müsse. Nachdem ich mit Heil Hitler gegrüßt hatte, sagte derselbe Schläger: »Dieser Kerl wagt es, uns mit Heil Hitler zu grüßen.« Ich wurde wieder geschlagen, bis Müller Einhalt gebot.

Eine kürzere Zeit unterblieben weitere Fragen von Müller. Dann schlug er eine auf seinem Tisch liegende Akte auf und las mir einige knappe Sätze von Aussagen vor, die Gustav Weber über illegale Zusammenkünfte der SAJ in den verschiedensten Städten Deutschlands gemacht hatte. Er fragte mich dann, was in dieser Hinsicht in Leipzig geschehen sei. Ich antwortete nicht. Daraufhin schlug er in mein Gesicht, was mich nicht veranlaßte, eine Aussage zu machen. Als dann nach geraumer Zeit wieder eine Schlägerkolonne erschien, wiederholte sich das Zusammenschlagen, nachdem Müller sich von seinem Platz erhoben hatte.

Danach las er mir weitere Bruchstücke aus der Akte vor, aus denen ich erfuhr, daß Weber über unser Zusammentreffen in Leipzig ausgesagt hatte. Ich mußte dieses Zusammentreffen bestätigen, war aber nicht bereit zuzugeben, daß eine illegale Organisation zur Weiterführung der SAJ in Leipzig aufgebaut worden war. Nur ein enger Freundeskreis wäre öfter zusammengekommen, und ansonsten hätten wir nur Berührung mit Mitgliedern gehabt, die wir auf der Straße bzw. auf dem Arbeitsamt oder beim Baden getroffen hätten. Dieses Zusammentreffen sei niemals verabredet worden. Schließlich las mir Müller sämtliche Aussagen von Weber, Fröhbrodt und List vor. Inzwischen waren drei Stunden vergangen. Ich versuchte immer wieder, die von Müller vorgetragene Formulierung des Protokolls zu verändern, zumal er einen Tatbestand hineinschreiben wollte, der tatsächlich nicht zutraf ...

Bevor es zu der endgültigen Fassung des Protokolls kam, wurde eine längere Pause eingelegt. Ich war völlig erschöpft und von Schmerzen geplagt. Man bestellte für mich einen sehr starken Kaffee, damit ich wieder aufnahmefähiger wurde. Auf die endgültige Fassung des Protokolls, das ich unterschreiben mußte, hatte ich keinen Einfluß mehr.

Nach viereinhalbstündiger Vernehmung wurde ich in eine Zelle des Gestapo-Gebäudes eingeschlossen. Zu essen hatte ich den ganzen Tag nichts bekommen. Nach 20 Uhr wurde eine große Gruppe von Inhaftierten im Gefängniswagen zum Berliner Konzentrationslager Columbiahaus gebracht. Zwei der mir sämtlich unbekannten Männer fielen in dieser Gruppe auf. Ein Mitgefangener hatte völlig blaue, blutunterlaufene Augen.

Im August 1934 kam es zur Verhandlung vor dem vierten Strafsenat des Kammergerichts. Im Prozeß kamen die Folterungen im Columbiahaus und in der Prinz-Albrecht-Straße zur Sprache. Willi Gleitze wurde freigesprochen.

Franz Neumann

(Januar 1934)

Nach einer Schlosserlehre und einem Studium an der Hochschule für Politik, das er mit dem Jugendfürsorgeexamen beendete, war Franz Neumann (geb. 1904) Mitbegründer der sozialdemokratischen Jugendferienlager und bis 1933 für den Berliner Magistrat in der Jugendarbeit tätig. Als engagierter Sozialdemokrat versuchte er, nach dem Verbot der Partei im Juni 1933 eine illegale Parteiorganisation im Norden von Berlin aufzubauen. In einem Rundfunkinterview berichtete Neumann[4] 1974 über seine Verhaftung im Januar 1934:

Neumann: Ich wohnte damals schon in Tegel in der »Freien Scholle«. Meine Frau, die ja politisch sehr aktiv und die Sekretärin des damaligen Vorsitzenden der SPD Berlin war, war erschüttert, als ich ihr sagte, dieses System dauert lange an. Das war meine feste Überzeugung, daß wir, nachdem die Nazis angetreten waren, auf lange Zeit demokratische Zustände in Deutschland nicht mehr haben würden.

Frage: Standen Sie damit allein unter Ihren sozialdemokratischen Freunden, oder war das eine allgemeine Überzeugung, die sich damals breitmachte?

Neumann: Ich glaube, daß insbesondere meine Jahrgänge – die Jüngeren, ich war damals 28 Jahre alt – meiner Auffassung zuneigten. Meine alten Metallarbeiterkollegen, mit denen wir bis zu meiner Verhaftung einmal in der Woche in einem Lokal in der Innenstadt zusammenkamen, waren anderer Auffassung. Insbesondere aus dem Ausland kamen immer wieder die Stimmen, daß Hitler bald gestürzt werden würde.

Frage: Nun hat es ja auch nach der »Machtergreifung« zunächst noch ein paar Monate sozialdemokratische Arbeit gegeben. Wie sah die aus? War das auch schon eine Vorbereitung auf Widerstand, auf Untergrundarbeit hier in Berlin?

Neumann: Diese Arbeit fand in einem geringen Maße statt. Elitäre Gruppen waren das bloß. Im allgemeinen – wir: die Jüngeren. Als am 22. Juni dann die Hauptfunktionäre verhaftet wurden, waren wir allein auf uns gestellt. Ein Teil der Führung war ja ins Ausland gegangen. Wir hatten schon eine illegale Organisation aufgezogen. Das war keine zentrale Organisation. Wir hatten Beziehungen über ganz Berlin, aber es gab auch andere Gruppen, die über

Berlin ihre Organisation gezogen hatten. Wir bezogen den »Vorwärts«, den »Neuen Vorwärts« aus Prag. Wir hatten andere Zeitungen und hatten Querverbindungen der illegalen Gruppen untereinander. Dadurch waren die Verluste durch die Verhaftungen im Anfang auch zu schwer, weil vielleicht der eine oder andere doch von den Nazis in diese illegalen Organisationen geschmuggelt war.

Frage: Worin bestand die praktische Arbeit dieser Gruppen? Konnte überhaupt etwas getan werden? Oder war es mehr ein Durchhalten, eben etwa mit der Lektüre des »Neuen Vorwärts«, vielleicht Radiohören oder so etwas?

Neumann: Es waren illegale Zeitungen, die hier hergestellt wurden und die aus dem Ausland auch hergeschafft wurden. Am Freitag der vorigen Woche habe ich bei der Beerdigung des Jüngsten unserer Gruppe gesprochen, von Heinz Thiel, dem Jüngsten und Tapfersten, der als einer der Kuriere Zeitungen nach Berlin geschleust hatte. Wir haben den Fehler gemacht, daß er von draußen die Zeitungen holte und hier auch in Berlin an die Unterstellen wieder ablieferte. Dadurch ist die Gestapo sehr schnell einem größeren Kreis nähergekommen und konnte dann Ende des Jahres mit den großen Verhaftungen beginnen.

Frage: Zu den Verhafteten gehörten auch Sie?

Neumann: Ja, ich hatte das Glück, daß ich einer verkehrten Gruppe zugeordnet wurde. Aber ich hatte auch schwere Belastungen bei der Gestapo-Zentrale, so daß ich schwersten Mißhandlungen – mit einigen anderen – ausgesetzt war. Die Gesundheit ist dadurch für das ganze Leben dann gestört worden. Wir waren trotz unserer Verhaftungen guten Mutes. Wir glaubten doch daran, daß wir – die Jüngeren – das überstehen würden. Für einen Menschen, der nicht 28 oder 30 ist, ist es ja viel schwerer als für uns Junge, eine solche schwere Zeit in der Prinz-Albrecht-Straße – der Gestapo-Zentrale – oder im Columbiahaus oder im Lager Oranienburg zu überstehen. Aber wir haben durchgehalten. Wir sind nach unserer Haftentlassung wieder illegal zusammengewesen. Bloß wir wurden noch vorsichtiger in unseren Bemühungen, Zusammenhalte in Berlin zu schaffen.

Franz Neumann wurde zu eineinhalb Jahren Gefängnis verurteilt und konnte nach Verbüßung dieser Strafe wieder in der Metallindustrie arbeiten. Im August 1945 übernahm er das Amt des stellvertretenden Bezirksbürgermeisters in Berlin-Reinickendorf; 1946 war er maßgeblich an der Durchsetzung der Urabstimmung in der Berliner SPD über die Vereinigung von SPD und KPD beteiligt. Von 1946 bis 1958 war er Berliner Landesvorsitzender der SPD, zwischen 1949 und 1969 Berliner Mitglied des Deutschen Bundestages. Franz Neumann starb 1974.

Walter Höppner

(Januar 1934)

Walter Höppner (geb. 1900) wurde im Zusammenhang mit der Widerstandsgruppe um Franz Neumann verhaftet. Er gehörte in seinem Tegeler Wohngebiet »Freie Scholle« zu einer Gruppe von Sozialdemokraten, die den organisatorischen Zusammenhalt aufrechterhalten wollten und bemüht waren, das wenige illegale Material, das sie erhielten, zu verteilen. Walter Höppner[5] berichtete 1983:

Die Gruppe um Franz Neumann flog im Dezember 1933 auf. Ich war einer der letzten, die sie verhafteten. Am 3. Januar 1934 klingelte es morgens an der Tür, so zwischen vier und fünf Uhr. Dort stand ein Beamter vom Tegeler Revier in der Veitstraße, das heute nicht mehr existiert. Der nahm mich fest, durchsuchte noch einmal flüchtig die Wohnung, fand aber nichts. Wir sind dann zusammen mit der Straßenbahn in die Innenstadt gefahren, zur Prinz-Albrecht-Straße. Der Tegeler Polizist lieferte mich ab, sagte nur: Ich bringe hier den und den, und hier sind seine Personalpapiere und die sonstigen Unterlagen. Ein anderer Polizist brachte mich dann gleich nach oben in das oberste Stockwerk; da war ein großer Stuhl. Dort mußten der Polizist und ich ein paar Minuten warten, und dann brachten sie mich in ein großes Zimmer mit sehr großen Fenstern. Der Polizeibeamte hat mich reingeführt und ging dann wieder.

Dann begann die Vernehmung. Ich wurde von zwei Männern in Zivil vernommen, die hatten keinerlei Uniform oder etwas ähnliches an. Das waren ganz normale Zivilisten. Sie wollten Namen von mir wissen, da sie ja noch nicht alle aus unserer Gruppe hatten. Da gab es außerdem noch eine zweite Gruppe, aber von der haben wir nie wieder etwas gehört. Vielleicht waren es deren Namen, die die beiden mir vorhielten. Im gleichen Raum saßen noch zwei andere Männer in Zivil und machten ihre Arbeit.

Die beiden, die mich vernommen haben, fragten mich erst nach Namen, die ich nicht wissen konnte, und dann fingen sie an, zu schlagen und glaubten nun, durch das Schlagen etwas mehr herauszukriegen. Das waren die beiden Zivilisten, die mich vorher vernommen hatten. Sie schlugen mich mit den Händen, und vor allem haben sie mich mit dem Ochsenziemer geprügelt. Bei dieser ersten Prügelei haben sie mich auch so aufs Trommelfell geschlagen, daß es kaputtging. Zum Arzt konnte ich damit erst 1935 nach der Entlassung aus Tegel.

Vor dem Schlagen mußte ich die Brille abnehmen. Ich war ganz erstaunt, wozu sollst du die Brille abnehmen? Nachher habe ich das dann gewußt: Die wollten mir die Brille nicht zerschlagen und sich selbst vermutlich auch nicht verletzen.

Das dauerte so alles insgesamt zwei bis drei Stunden. Als ich mittendrin bewußtlos wurde, haben sie mir Wasser über den Kopf gegossen, und dann ging die Prügelei noch einmal von vorne los. Immer nur die beiden Zivilisten, vor allem mit ihren Ochsenziemern. Ich war vollkommen zerschlagen. Sie vernahmen mich, schlugen mich und vernahmen mich wieder. Ich habe nichts unterschrieben, kein Protokoll, nichts. Auch einen Haftbefehl oder etwas ähnliches habe ich erst später, am Alexanderplatz, etwa Mitte Januar, erhalten. Auch der Mann vom Tegeler Revier hatte mir morgens nicht gesagt, warum ich nun festgenommen war.

Dann wurde ich in den Keller geschafft, so gegen elf Uhr morgens. Kahle Keller waren das, keine Sitzgelegenheit, nichts. Auf der Erde mußten wir sitzen. Da waren noch ein paar andere da unten, so wie ich auf der Erde und auch zerschlagen und verprügelt. Es war ein großer Kellerraum, zum Hof hin, keine richtige Zelle. Es war kein Wachposten drinnen in der Zelle, keine Sitzgelegenheit, kein Licht. Unter der Decke oben waren ein paar vergitterte Fenster, durch die konnten wir ein bißchen auf den Hof sehen. Der Raum war nicht sehr hoch. Auf dem Hof, das konnten wir sehen, stand zu dieser Zeit das Auto von Ernst Thälmann, so ein kleiner roter Wagen.[6] Der Ernst Thälmann war ja auch zu dieser Zeit in der Prinz-Albrecht-Straße. Gesehen habe ich ihn allerdings in der kurzen Zeit nicht. Ich mußte ja immer nur in der Zelle bleiben. Um elf Uhr hatte man mich runtergebracht, ein Beamter in Zivil, den man dazu gerufen hatte. Danach hat mich an dem Tag keiner mehr vernommen, keiner brachte etwas zu essen oder zu trinken, kein Licht, nichts. Ab und zu holten sie einen raus, manchmal kam ein anderer dazu. Wir konnten uns kaum sehen, denn es war ja dunkel. Wenn sie jemanden rausholten, haben sie nur seinen Namen gerufen. Wir waren ja alle zerschlagen.

Am nächsten Tag haben sie mich noch einmal kurz vernommen, so um acht Uhr herum. Ich wurde noch einmal nach zwei Namen gefragt, die ich nicht kannte. Ich bin dann aber auch nicht mehr geschlagen worden, sondern wurde wieder nach unten geschafft und kam danach mit einem Transport in die Friesenstraße [Gestapo-Gefängnis Columbiastraße]. Ins Gestapa kam ich nicht mehr zurück.

Polizeipräsidium am Alexanderplatz, Berlin-Mitte.

Im Columbiahaus traf Walter Höppner seinen Freund Franz Neumann wieder. Am 18. Januar wurden alle bis dahin verhafteten Mitglieder dieser Gruppe im Polizeipräsidium am Alexanderplatz dem Haftrichter vorgeführt und einen Tag später ins Untersuchungsgefängnis Moabit verlegt. Am Alexanderplatz gelang es ihnen, Kassiber aus den Kellerfenstern zu werfen, die von Passanten weitergeleitet wurden. Walter Höppners Frau Wally erfuhr so vom Schicksal ihres Mannes. Beim Prozeß im Juni 1934 verteidigte ein Rechtsanwalt aus der Kanzlei des bereits emigrierten Ernst Fraenkel Walter Höppner, der bis zum 25. Juli 1935 seine Haft im Zuchthaus Tegel verbüßte. Walter Höppner lebte bis zu seinem Tode 1984 in der Baugenossenschaft »Freie Scholle« in Berlin-Tegel, deren ehrenamtlicher Vorstandsvorsitzender er zwischen 1947 und 1970 war.

Ernst Thälmann

(Januar 1934)

Ernst Thälmann (geb. 1886), Vorsitzender des Zentralkomitees der KPD, wurde bereits am 3. März 1933 in Berlin verhaftet und zunächst ins Polizeipräsidium am Alexanderplatz gebracht. Am 23. Mai 1933 verlegte man ihn in das Untersuchungsgefängnis Berlin-Moabit. Es gelang der Geheimen Staatspolizei und den Untersuchungsrichtern trotz monatelanger intensiver Bemühungen nicht, Material für einen Hochverratsprozeß gegen Thälmann zu finden. Die Erfahrungen des Reichstagsbrandprozesses in Leipzig hatten gezeigt, daß fingiertes Beweismaterial nicht ausreicht. Am 9. Januar 1934 kam Ernst Thälmann in das Gefängnis in der Prinz-Albrecht-Straße 8. Die im Institut für Marxismus-Leninismus beim ZK der SED erarbeitete Thälmann-Biographie[7] veröffentlichte 1980 einen Bericht Thälmanns:

Zu beschreiben, was jetzt in diesem Vernehmungszimmer innerhalb von viereinhalb Stunden, von abends 5 bis 9.30 Uhr geschah, ist fast unmöglich. Alle nur denkbaren grausamen Erpressungsmethoden wurden gegen mich angewandt, um unter allen Umständen Geständnisse und Angaben über Genossen, die verhaftet worden waren, und über politische Handlungen zu erzwingen. Zuerst begann es mit der freundschaftlichen Biedermannsmethode, da ich einzelne von diesen Burschen schon von der politischen Severing-Polizei her kannte, mit gutem Zureden usw., um im Spiel dieser Unterhaltungen über diese oder jene Genossen und sonstige interessierende Dinge etwas zu erfahren. Damit hatten sie keinen Erfolg. Darauf erfolgten brutale Angriffsmethoden gegen mich, in deren Verlauf mir vier Zähne aus den Kiefern herausgeschlagen wurden. Sie erzielten keine Erfolge. Als dritter Akt wurde die Hypnose gegen mich zur Anwendung gebracht, die aber völlig wirkungslos blieb ... Jedoch der Schlußakt wurde zum eigentlichen Höhepunkt dieses Dramas. Aufforderung an mich, sofort die Hose auszuziehen; gleich darauf packten mich zwei Mann im Nacken und legten mich über einen Schemel. Ein uniformierter Gestapomann, mit einer Nilpferdpeitsche in der Hand, schlug dann in gewissen Zeitabständen auf mein Gesäß ein. Von den Schmerzen getrieben, schrie ich aus Leibeskräften mehrmals ganz laut auf!

Dann wurde mir der Mund vorübergehend zugehalten und es gab Hiebe ins Gesicht und Peitschenschläge über Brust und Rücken. Hingestürzt, wälzte ich mich am Boden, mit dem Gesicht immer nach unten, und gab auf gestellte Fragen überhaupt keine Antwort mehr. Bekam einzelne Fußtritte hier und da, verdeckte mein Gesicht, war aber bereits so schlapp sowie von heftigen Herzbeklemmungen befallen, daß mir Hören und Sehen verging. Dazu kam der brennende Durst.

Nach mehreren Vernehmungen, die ähnlich verliefen, kam Ernst Thälmann am 23. Januar 1934 nach Moabit zurück. Ein Prozeß gegen ihn fand trotz der 1935 ausgehändigten Anklageschrift nicht statt. Nach mehreren Jahren Haft wurde Thälmann im August 1943 in das Zuchthaus Bautzen gebracht, wo er bis zum August 1944 verblieb. Ein Notizzettel[8] über den »Führervortrag« vom 14. August 1944 enthält in Himmlers Handschrift die lapidaren Worte: »Thälmann ist zu exekutieren«. In der Nacht zum 18. August 1944 wurde Ernst Thälmann, der zuvor heimlich von Bautzen nach Buchenwald überführt worden war, im Krematorium des Konzentrationslagers Buchenwald erschossen.

Georgi Dimitroff

(Januar 1934)

Georgi Dimitroff (geb. 1882) gehörte zu den führenden bulgarischen Sozialisten. 1923 nahm er als Kommunist an bewaffneten Aufständen in Bulgarien teil, die zwei Jahre später in einem großen Bombenattentat in der Kathedrale von Sofia gipfelten. Die Aufstände wurden blutig unterdrückt, Dimitroff mußte ins Ausland flüchten. Er war international als Funktionär der Komintern tätig. In Berlin wurde er wenige Wochen nach dem Reichstagsbrand in einem Lokal zusammen mit seinen Landsleuten Popoff und Taneff von der Polizei verhaftet. Die Nationalsozialisten benutzten diesen Umstand sofort, um ihrer These von der kommunistischen Urheberschaft des Reichstagsbrandes einen internationalen Akzent zu verleihen. Die drei Bulgaren wurden beschuldigt, den Brandanschlag als Drahtzieher der Komintern mitorganisiert zu haben, und zusammen mit Marinus van der Lubbe wegen gemeingefährlicher Brandstiftung angeklagt. In dem drei Monate dauernden Prozeß vor dem Reichsgericht in Leipzig gelang es dem rhetorisch versierten Dimitroff, die Anklage gegen ihn und seine beiden Landsleute in allen Punkten zu widerlegen. Höhepunkt war am 4. November 1933 eine Befragung des preußischen Ministerpräsidenten Hermann Göring, den Dimitroff bloßstellte und völlig in die Enge trieb. Am 23. Dezember 1933 sprach das Reichsgericht Dimitroff, Popoff und Taneff frei; für die Nationalsozialisten war dies eine internationale Blamage ersten Ranges. Nach dem Freispruch wurden die Bulgaren nicht freigelassen, sondern in das Hausgefängnis der Geheimen Staatspolizei eingeliefert. Am 7. Februar 1934 schrieb Dimitroff[9] an Reichsinnenminister Wilhelm Frick:

Berlin, 7. Februar 1934

An den Herrn Reichsinnenminister Dr. Frick

Sehr geehrter Herr Innenminister!
Seit der Urteilsverkündung im Reichstagsbrandprozeß sind schon anderthalb Monate verflossen, und wir, die drei freigesprochenen Bulgaren, sitzen immer noch im Gefängnis – in einer gesundheitsschädlichen und moralisch inquisitorischen Einzelhaft, fast hermetisch von der Außenwelt isoliert und wie lebendig begraben.

Mir ist z.B. nicht nur jede ausländische Zeitung verboten, sondern auch die bulgarischen Regierungszeitungen, die Zeitungen meines eigenen Landes. Bei der Besprechung mit meiner Mutter und Schwester dürfen diese mich nicht einmal über die Ereignisse in Bulgarien informieren!

199

Eine authentische, offizielle Erklärung über die tatsächlichen Gründe für diese Haft ist mir bis heute nicht bekannt.

Meine an Sie adressierten Telegramme und Schreiben sind ohne Antwort geblieben.

Aus Andeutungen verschiedener Beamter aber kann man zu folgenden verschiedenen Erklärungen kommen:

1. Wir sollen in Haft bleiben, weil wir eine politische Gefahr für die Regierung darstellen.

2. Wir werden unserer persönlichen Sicherheit wegen in Schutzhaft behalten.

3. Wir sitzen noch im Gefängnis, weil die notwendigen Verhandlungen mit anderen Ländern wegen unserer Ausweisung nicht abgeschlossen sind.

Die erste Erklärung ist offenbar nicht ernst zu nehmen. Eine Regierung, die sich so stark fühlt, kann ja gar nicht durch Freilassung und Ausweisung dreier bulgarischer Emigranten gefährdet werden.

Die zweite Erklärung ist grundlos, weil nicht anzunehmen ist, daß sich ein überzeugter Nationalsozialist finden würde, der auf eigene Initiative auf unschuldige ausländische Kommunisten einen Überfall unternehmen könnte.

Die dritte Erklärung ist schon durch die bloße Tatsache widerlegt, daß, wie feststeht, Polen bereit ist, uns das Transitvisum zu geben, und die Sowjetunion, uns als politische Emigranten aufzunehmen.

Und wenn trotz alledem diese Haft weiterdauert, dann kann sie unserer Meinung nach nur bezwecken – entweder uns langsam psychisch und moralisch zu Krüppeln zu machen oder bei »passender« Gelegenheit uns durch »unverantwortliche« Elemente erledigen zu lassen.

Ich denke, daß die Regierung kein politisches Interesse daran haben kann, und erwarte deswegen täglich die Liquidierung unseres Falles durch eine baldige Ausweisung nach der Sowjetunion oder nach einem der Nachbarländer Deutschlands.

Sollte das unglücklicherweise nicht bald der Fall sein, dann bleibt mir – das muß ich offen sagen, nicht als Drohung, sondern als ein mir aufgezwungenes Dilemma – nichts übrig, als zum einzigen persönlichen Verteidigungsmittel unschuldiger Gefangener zu greifen und in den Hungerstreik zu treten. Meine Gesundheit und meine Geduldvorräte sind fast erschöpft. Lieber ein schreckliches Ende als ein Schrecken ohne Ende. Ich bin ja genau elf Monate in der furchtbaren Haft.

Hochachtungsvoll G. Dimitroff

Mitte Februar verlieh die Sowjetunion den drei Bulgaren die russische Staatsbürgerschaft. Hitler selbst entschied nun gegen den ausdrücklichen Willen Görings, daß die drei Bulgaren am 27.2. 1934 nach Moskau ausreisen durften.

Fritz-Günther von Tschirschky

(Juni 1934)

Der Sohn eines schlesischen Gutsbesitzers (geb. 1900) besuchte eine Kadettenanstalt und beteiligte sich 1919 an Freikorpskämpfen. Als Beteiligter der »Schlesischen Herrengesellschaft« gehörte Tschirschky zu den exponierten Vertretern einer konservativen, stark autoritär geprägten Staatsauffassung. 1933 holte Franz von Papen ihn als Mitarbeiter seiner »Vizekanzlei« nach Berlin. Zusammen mit Edgar Jung, Wilhelm von Ketteler und Herbert von Bose versuchte er, Papen zu einer stärkeren konservativen Opposition gegen Hitler zu veranlassen. In seinen Lebenserinnerungen[10] beschrieb Fritz-Günther von Tschirschky seine Verhaftung am 30. Juni 1934:

Über einen Innenhof gelangten wir zu einem Hintereingang. Dort entstand wiederum ein Wortwechsel zwischen den beiden Gruppen von Kriminalbeamten. Ich griff erneut in die Debatte ein und schlug vor, das Mißverständnis dadurch zu klären, daß je ein Herr der beiden Gruppen zu einer hier im Hause befindlichen höheren Instanz gehen und entscheiden lassen solle, was zu geschehen habe; zu meiner Bewachung und der der beiden anderen Herren stünden ja noch zwei Kriminalbeamte und vier SS-Männer zur Verfügung. Dieser Vorschlag wurde angenommen. Die Herren kamen schließlich zurück und erklärten, das Mißverständnis habe sich aufgeklärt, wir könnten jetzt abtransportiert werden. Worauf wir auf einem längeren Weg durch das Gebäude ins Kellergeschoß geführt wurden, und zwar von drei SS-Männern, ohne Begleitung des Kriminalbeamten. Im Keller wurden wir ohne jeden Kommentar abgeliefert und erhielten von den dort diensttuenden SS-Männern den Befehl, uns auf eine in einem Gang an der Wand stehende Bank zu setzen. Es wurde uns untersagt, miteinander zu sprechen. Wir verbrachten so einige Stunden auf der Bank sitzend.

Der in diesem Keller diensttuende SS-Sturmführer trat einmal an uns heran und fragte mich: »Wer sind Sie denn eigentlich?« Worauf ich sagte: »Mein Name ist Tschirschky, ich bin in der Vizekanzlei verhaftet worden.« Er sagte darauf: »Aha, du bist also einer von den Papen-Schweinen.« Es wurden immer mehr Verhaftete in den großen Gang gebracht. Darunter waren Männer in SA- oder SS-Uniform, Stahlhelmer und Zivilisten. Sie wurden immer nur hereingeführt und unten ohne jeden Kommentar übergeben. Derselbe SS-Sturmführer, ein ganz junger Bursche, kam dann wieder einmal zu unserer Bank und fragte plötzlich: »Was ist denn heute da oben los?« Das wußte ich ja selbst nur im ungefähren und sagte: »Soweit mir bekannt ist, hat die SA revoltiert.« Worauf der junge Mann zurückgab: »Na, also doch, die Schweine ...« Er konnte den Satz nicht beenden, denn schon wieder kamen neue Häftlinge.

Unserer Bank genau gegenüber lag eine Tür, die in einen schmalen Gang führte, in dem sich ein WC und sechs Einzelzellen befanden. Die Tür stand offen, und auf besondere Bitte hin durfte man zum WC gehen, jedoch immer nur einzeln. Der SS-Sturmführer wurde unserer kleinen Gruppe gegenüber – unerklärlicherweise – allmählich fast freundlicher und beschaffte uns auch aus der Kantine etwas zu essen und zu trinken. Gegen Abend fragte ich ihn, ob ich nicht in eine dieser Einzelzellen gebracht werden könnte, um mich ein wenig hinzulegen. Darauf antwortete er:»Nein, das geht nicht, die sind alle voll, da sind große Schwerverbrecher drin.«

Im Laufe des Nachmittags wurde im Gang gegenüber unserer Bank eine Zelle geöffnet und zu meiner Verblüffung Edgar J. Jung herausgelassen, um zum WC zu gehen. Er erkannte mich, unsere Blicke begegneten sich, und in seinem Gesichtsausdruck konnte ich lesen:»Na, wenn der Tschirschky schon hier unten sitzt, dann ist es aus.« Später wurde Jung noch einmal aus seiner Zelle herausgelassen. Durch die immer neu hereinkommenden Häftlinge war es da unten schon so überfüllt und turbulent geworden, daß eine strenge Bewachung nicht mehr aufrechtzuerhalten war. Als ich Jung passieren sah, benutzte ich die Gelegenheit, schnell zum WC zu gehen, stellte mich neben ihn und sagte leise:»Seien Sie nicht beunruhigt, auch uns hier unten zu sehen. Oben ist Revolution. Wir sind in Schutzhaft genommen, aber es wird nichts passieren.« Ich hatte den Eindruck, daß diese Bemerkung, der ich bewußt den Anstrich der Harmlosigkeit gab, Jung doch etwas erleichterte. Er hatte schon mehrere Tage in Einzelhaft gesessen und wußte überhaupt nicht, was sich eigentlich abspielte. Für mich kam es in diesem Augenblick nicht darauf an, ihm die Wahrheit zu sagen, sondern darauf, ihn zu beruhigen. Dort im Kellergeschoß des Gestapo-Gebäudes habe ich Jung zum letztenmal gesehen; noch in derselben Nacht muß er abtransportiert worden sein.[11]

Kurz nachdem ich Jung gesprochen und mich wieder zu meinem Platz auf der Bank begeben hatte, wurde ein großer, stattlicher Mann, gefesselt und von drei mit Maschinenpistolen ausgerüsteten Männern begleitet, hereingeführt und an uns vorbei in den vor den Einzelzellen liegenden Gang gebracht. Ich erkannte in ihm sofort Gregor Straßer. Der Anführer des Trupps war ein SS-Hauptsturmführer, klein, schwarz, mit einer Armeepistole in der Hand. Ich hörte Kommandos »Türen bewachen!«; die Tür von unserem Raum zu diesem Gang wurde geschlossen. Es fielen fünf Schüsse. Unmittelbar nach den Schüssen kam der Hauptsturmführer mit der Pistole in der Hand aus der Tür wieder heraus, vor sich hin sagend:»Das Schwein wäre erledigt.« Im ganzen Raum herrschte fieberhafte Aufregung. Man hörte erschreckte Rufe und Schreie aus den Zellen. »Unser« junger SS-Mann war so aufgeregt, daß er meine Situation vergaß und mir, mit den Fingern illustrierend, bedeutete, der Betreffende – Gregor Straßer – sei durch drei Schüsse in die Schläfe und zwei in den Hinterkopf »erledigt worden«. Kurz darauf erschienen andere Beamte, begaben sich in den Raum, in dem Straßer ermordet worden war, und kamen dann mit blutigen Säcken wieder an uns Verhafteten vorbei. Als ich wieder einmal zum WC ging, sah ich in dem Gang Blutlachen und Kugeleinschüsse. Der Ermordete war offenbar sofort nach der Tat an Ort und Stelle zerstückelt und die Leichenteile in den Säcken, die wir gesehen hatten, herausgebracht worden.[12] Spät am Abend gab es Stroh für Lagerstätten der vielen Häftlinge. Ganze drei Tage habe ich in diesem Keller verbracht.

Einige Wochen später hatte Tschirschky – so sein eigener Bericht – die Gelegenheit, Hitler über die Begleitumstände beim Mord an Gregor Straßer zu informieren. Hitler sei daraufhin in Wut ausgebrochen und habe von ihm einen schriftlichen Bericht gefordert. Tschirschky fertigte diesen Bericht nicht an. Er nutzte die Gelegenheit, als Papens Mitarbeiter an die Deutsche Botschaft in Wien zu gehen. Nach mehreren Aufforderungen der Gestapo, sich in Berlin zu melden, und nachdem Franz von Papen ihn nicht mehr decken wollte, emigrierte Fritz-Günther von Tschirschky nach London. Nach dem Krieg war er lange Jahre leitender Mitarbeiter beim Protokoll der Bundesregierung.

Elisabeth von Gustedt

(Juli 1934)

Die Schriftstellerin Elisabeth von Gustedt (geb. 1885) stand vor 1933 dem Hitler-Riva-len Gregor Straßer nahe. Im Zusammenhang mit dessen Entmachtung legte Elisabeth von Gustedt, die aktiv in der Berliner NS-Frauenschaft gearbeitet hatte, ihre Parteiämter nieder. Als Straßer am 30. Juni 1934 im Keller der Geheimen Staatspolizei ermordet wurde, schmückte Elisabeth von Gustedt ein in ihrer Wohnung stehendes Straßer-Bild mit den Worten »Die Kinder der Finsternis hassen die Kinder des Lichts«. Sie wurde ver-haftet und am 20. oder 21. Juli 1934 in die Prinz-Albrecht-Straße gebracht. Hierüber berichtete sie:[13]

Ein offenes Auto wartet unten auf der anderen Straßenseite mit einem SS-Mann am Steuer. Wir fahren zur Innenstadt, und das Auto hält vor dem Gestapo-Hauptquartier in der Prinz-Albrecht-Straße. Lichterfelde dampft noch vom Blute des 30. Juni und auch hier im Gestapo-Hauptquartier herrscht dumpfe Schwüle und Erwartung. Auf allen Treppenpodesten stehen Wachen. Die Gänge dröhnen von schweren Schritten, und der ganze Bau erzittert unter einer geheimnisvollen Drohung. Die Spelunkenvisage und der tumbe Parzival haben sich verdoppelt, nein, verhundertfacht. Überall starren mich Galgengesichter an, wie ein Tier. Ein Hundeköpfiger, wie man ihn in Menagerien für Geld auf den Marktflecken zeigt und den die eigenen Eltern verhandelten. Ein Ausgestoßener der Menschheit. Er weist uns den Weg, paßt auf, daß wir ihm nicht entwischen. Endlich haben wir das oberste Stockwerk erreicht. In einem großen Saal sitzen Männer an Tischen und schreiben. Sie blicken kaum auf. An einem Seitentisch sitzt der Kommissar. Sie nennen ihn so und auch seinen Namen: Hemprich. Meine Personalien werden flüchtig von einem kleinen geduckten Beamten aufgenommen, und dann kümmert sich niemand weiter um mich. Man hat mir einen Stuhl angewiesen, und ich sitze in der Nähe des Tisches gegenüber von dem Kommissar, der aber zunächst gar keine Notiz von mir nimmt. Ich horche angespannt auf jedes der geflüsterten oder laut geschrienen Worte und warte, was geschehen wird. Der Hundeköpfige kommt und geht, und jedesmal wirft er auf mich einen seiner wölfischen Blicke, die das Herz zu Eis erstarren lassen. In welchem Erdloch barg sich dieses Scheusal vor den Blicken der Menschen? Nun krochen er und seinesgleichen hervor, denn sie wissen ihre Zeit gekommen, wie Schakale, die das Luder anlockt und die den Tod des Edelwildes wittern.

Am Tisch sitzt immer noch der Kommissar Hemprich in der schwarzen SS-Uniform. Langsam hebt er die schweren Augenlider, prüft mich mit sarkastischem Lächeln. Langsam greift seine dicke rote Hand nach der Pistole im Gürtel. Er vergewissert sich – und mich –, daß sie geladen ist. Dann, blitzschnell bringt er die Waffe in Anschlag. Seine Finger spielen am Hahn. Er blinzelt ein bißchen und zielt. Dann in ungeheurer Spannung blickt er mich an, kalt, neugierig. Mit ungeheuer erzwungener Ruhe gebe ich seinen Blick zurück. Er läßt die Hand sinken. Hebt die Waffe wieder! Dieses Spiel wiederholt sich mehrere Male. Ist es überhaupt ein Spiel? Ich weiß es nicht, und die furchtbarste seelische Anspannung jener Minuten geht für immer in meinen Herzschlag ein.

Hemprich springt auf, steckt die Waffe wieder ein, wie einer, den die Sache langweilt, weil der andere nicht »mitmacht«.

»Also dann vorwärts in den Keller!« Als habe er nur auf dieses Stichwort gewartet, ist auch der Hundeköpfige gleich zur Stelle. Auch der Kleine mit der Spelunkenvisage will nicht fehlen: »Sie werden jetzt in den Keller gebracht.«

Das Wort »Keller« klingt in seinem häßlichen Munde wie das Wort »Grab«! Zwei SA-Leute, groß und breit, die Hand an der Waffe, treten an meine Seite. Was soll ich im Keller? Was wollen die dort von mir? Mich erschießen? Mich foltern? Wird der Hundeköpfige mir die Kehle durchbeißen? Ich folge schweigend.

Hier unten im Keller des Gestapo-Hauptquartiers ist eine Wachstube und ein langer Gang, auf den viele numerierte Türen münden. Eine dieser Türen genau in der Mitte des Ganges öffnet sich für mich, und eine Gefangenenzelle nimmt mich auf. Es steht eine Holzpritsche in der Zelle mit einem Strohsack und blaukariertem Bettzeug darauf. Ich setze mich einen Augenblick auf den Bettrand, aber gleich wieder springe ich hoch und fange an, auf und ab zu gehen in der Zelle, hin und her. Dann wird die Tür aufgerissen. Ich muß noch einmal herauskommen. Am Eingang des Kellers hängt eine große schwarze Schultafel. Da sind die Namen der Inhaftierten mit Kreide darauf geschrieben. Ich muß meinen Namen buchstabieren. Ich überfliege schnell die Namen und behalte zwei: »von Schmidt-Pauli und Binz oder Benz«.

Dann werde ich wieder eingesperrt, aber ich bekomme einen kleinen Tisch hereingestellt, und der wachhabende SS-Mann bringt mir etwas Essen. Es ist das Essen der Wachmannschaft, von seinem Anteil gibt er mir etwas Kohl und Kartoffeln. Ich esse hastig ein paar Bissen und nehme meine Wanderung wieder auf.

Meine Zelle liegt unter der Erde. Das Klappfenster oben an der Außenwand schließt mit dem Hof oder dem Garten ab, der sich längs dieser Mauerfront hinzieht. Es muß der Garten sein. Die Schritte der Wachposten knirschen über den feinen Kies. Ein zweiter Wachposten kommt, sie sprechen von einem Baum, in dessen Schatten sie sich setzen wollen und – Dame und Mühle spielen! Die 22. »Bardie«, wie beide im schönsten Sächsisch verkünden. Ich verstehe jedes Wort ihrer Unterhaltung. Sie machen eine Pause, sprechen über die Erschießungen des 30. Juni und daß noch einige auf den Tod warten. Ein Binz (oder Benz), der hier unten sitzt, neben mir in einer der Zellen. Er ist seit 23 Tagen inhaftiert und noch nicht ein einziges Mal verhört worden. Welche Aussichten für mich?

Dem SS-Mann, der mir das Essen gebracht hatte, hatte ich 20 Pfennige gegeben, das einzige Geld, das ich bei mir führte, und ihn gebeten, mir ein paar Zigaretten zu bringen. Er kommt, ich bedanke mich. Seinen Namen möchte ich wissen. Nun ja, meinethalben. Er heißt: »Gogolla!«

Hier in den Zellen unter der Erde dunkelt es früh. Schritte kommen den Gang entlang, verhalten kurz von Zeit zu Zeit, und das Licht wird eingeschaltet. Dann bald danach kommt Gogolla. »Sie werden heute nicht mehr vernommen«, sagt er, und leise fährt er fort: »Ihr Name! Ich weiß, wer Sie sind. Ich werde Sie hier fortbringen lassen, über Nacht können Sie hier nicht bleiben. Ich selbst werde in zwei Stunden abgelöst, und über Nacht liegen hier 30 Mann Wache, ausgesuchte Burschen! Was glauben Sie wohl, wenn Sie allein über Nacht hier unten blieben! Ich werde Sie ins Polizeipräsidium bringen lassen. Ich werde sagen, hier sei kein rechter Platz. Ich werde das schon machen mit denen ›da oben‹. Nur sperren Sie sich nicht und seien Sie zu allem still.«

Ich bin also einverstanden, daß man mich hier fortschafft. Gogolla heißt dieser Wachhabende. Gogolla! Ich will das niemals vergessen.

Elisabeth von Gustedt war in den folgenden Tagen und Wochen im Polizeigefängnis am Alexanderplatz, im Columbiahaus und im KZ Moringen inhaftiert. Nach ihrer Entlassung blieb sie bis 1945 trotz ihrer Kontakte zu verschiedenen Widerstandsgruppen unbehelligt.

Theodor Haubach

(November 1934)

Nachdem er sich 1914 als Kriegsfreiwilliger gemeldet hatte, im Verlauf des Krieges aber zum engagierten Sozialisten geworden war, trat Theodor Haubach (geb. 1896) 1924 in die Redaktion des »Hamburger Echos« ein. 1928 holte Reichsinnenminister Carl Severing Haubach, der inzwischen Mitglied der Hamburger Bürgerschaft geworden war, als Pressechef nach Berlin. Ab 1930 leitete Haubach die Pressestelle des Berliner Polizeipräsidiums; nach Papens Staatsstreich am 20. Juli 1932 wurde er entlassen. Haubach organisierte – ab 1933 illegal – Gruppen der republikanischen Schutzorganisation, des »Reichsbanners«. Am 24. November 1934 wurde er verhaftet. Sein Freund Kurt Heyd[14] berichtete:

Aber ich erinnere mich auch an den schmerzlichen Ausruf seiner alten Mutter: »Vorhin haben sie den Theo abgeholt.« Ich fuhr gleich hinaus in die Meiningenallee. Seine Mutter hatte mich gebeten, ihm in die Prinz-Albrecht-Straße, zum Sitz der Gestapo, einige Sachen zu bringen.

Es war mir gar nicht wohl dabei, aber Theo hatte beim Abschied von seiner Mutter gesagt: »Benachrichtige den Kurt«, und auf die Frage der Gestapo-Leute, wer das sei, meinen Namen genannt. Was konnte also noch viel geschehen? Entweder sie holten mich sowieso, oder sie hielten mich für harmlos, dann konnte ich zur Höhle des Löwen. Vorher wurden nochmals Briefe und Adressen vernichtet.

Nach einigen Reibereien wurde ich bis hinunter in den berüchtigten Bunker der Prinz-Albrecht-Straße geführt, wo ich dem Wächter in der schwarzen Uniform das Paket für Theo übergab. Eine Zellentür wurde aufgeschlossen, ich sah durch den Spalt an den Angeln Theo, der das inzwischen von den Wachen gefilzte Päckchen in Empfang nahm.

Fast zwei Jahre blieb Theodor Haubach in Haft. Nachdem die Verhöre am 21. Dezember 1934 abgeschlossen waren, kam er über das Columbiahaus ins Konzentrationslager Esterwegen. Von dort wurde er im Mai 1936 wieder nach Berlin zurückgebracht. Noch einmal nennt das Gefangenenverzeichnis der Prinz-Albrecht-Straße seinen Namen am 19. Mai 1936. Seiner Freundin Alma de l'Aigle sagte Haubach damals: »Nur eins will ich Dir sagen: Alles, was man Furchtbares erzählt von den Konzentrationslagern, ist wahr – alles!«

1939 wurde Theodor Haubach zum zweiten Male verhaftet, war aber vor Weihnachten wieder frei. Nach Kriegsbeginn schloß sich Haubach verstärkt dem »Kreisauer Kreis« um Helmuth James Graf von Moltke, Adolf Reichwein, Adam von Trott zu Solz, Carlo Mierendorff, Alfred Delp und Eugen Gerstenmaier an. Haubach gehörte zu den dominierenden Persönlichkeiten und war vor allem bei der Diskussion innenpolitischer Themen ein wichtiger Gesprächspartner.

Nach der Verhaftung von Julius Leber und Adolf Reichwein schon vor dem 20. Juli 1944 reiste Haubach nach Oberstdorf zu seinem Freund Emil Henk und war hier auch am Tag des Attentats selbst. Am 9. August 1944 wurde Haubach in Berlin von der Gestapo verhaftet. Er kam in die Sicherheitspolizeischule Drögen bei Ravensbrück, später in das Ausweichgefängnis der Berliner Gestapo in der Lehrter Straße. Aus der Haft schrieb er an seine Verlobte Anneliese Schellhase: »Wo immer Deutschland in Not stand, stand auch immer ich. Einen kleinmütigen und verzagten Angeklagten werden die Herren in mir nicht kennenlernen. Vielleicht werden sie sich sogar wundern.« Am 23. Januar 1945 verurteilte der Volksgerichtshof Theodor Haubach zum Tod. Das Urteil wurde am gleichen Tag in Berlin-Plötzensee vollstreckt.

Ferdinand Friedensburg

(Februar 1935)

Ferdinand Friedensburg (geb. 1886) gehörte zu den Spitzenbeamten, die sich auch öffentlich zu Demokratie und Republik bekannten. Im Februar 1925 wurde er Vizepräsident der Berliner Polizei, 1927 Regierungspräsident in Kassel. 1933 abgesetzt, zog sich Friedensburg, der auch für die DDP im Reichstag gesessen hatte und Mitglied des »Reichsbanners« gewesen war, auf seine wissenschaftliche und publizistische Tätigkeit zurück. In seinen »Lebenserinnerungen« berichtete Ferdinand Friedensburg[15] 1969 über seine Verhaftung 1935:

Am Abend des 6. Februar 1935 wurde ich vom Polizeipräsidium Berlin angerufen, ob ich zu Hause sei und den Besuch von zwei Beamten empfangen könne, die von mir einige Auskünfte haben wollten ... Nach einer knappen Stunde fuhr ein Auto an unserem Hause in Wannsee vor, und es entstiegen ihm zwei Männer in der unverkennbaren, wenn auch betont unaufdringlichen Haltung und Kleidung von Kriminalpolizisten. Sie kamen herein, wiesen, statt einer namentlichen Vorstellung, die mir so vertrauten Blechmarken vor und erklärten mir, ich sei hiermit vorläufig festgenommen und solle ihnen folgen, möglichst unter Mitnahme von leichtem Übernachtungsgepäck. Irgendein Schriftstück konnten sie nicht vorweisen, auch keinerlei Auskunft über das Wieso, Warum, auf wessen Veranlassung, mit welcher Rechtsgrundlage, usw. geben. Sie schienen mir eher verlegen als bösartig; immerhin wollte ich nicht mit so fragwürdigen Voraussetzungen nachgeben und verlangte eine dienstliche Begründung. Daraufhin verbanden sie mich am Telefon mit einer Dienststelle der Geheimen Staatspolizei; von ihr erfuhr ich, daß die Weisung von dieser ausging, es sich also um eine politische Sache handele. Der Sprecher am Telefon bestätigte die Erklärung der beiden Kriminalbeamten und empfahl mir dringend, schon weit weniger höflich als diese, keine Schwierigkeiten zu machen; über die Gründe behauptete er ebenfalls keine Auskunft geben zu können ...

In rascher Fahrt ging es durch die westlichen Vororte nach Berlin. Unterwegs konnte ich meiner Frau einige Ratschläge geben, an wen sie sich wenden solle. Die Kriminalisten verboten zwar das Sprechen, konnten aber in dem engen Wagen nicht gut Zwang ausüben, als wir uns nicht nach ihnen richteten. Schließlich konnten sie ja alles mithören und feststellen, daß, soweit sie unsere Andeutungen verstanden, nichts Staatsgefährdendes zur Sprache kam. Wir fuhren am Potsdamer Bahnhof vorbei, die alte Königgrätzer, später Stresemannstraße hinunter bis zur Prinz-Albrecht-Straße ...

Es gab wieder eine kurze Auseinandersetzung mit meiner Frau, die darauf bestand, mich bis zu meinem endgültigen Aufenthaltsort zu begleiten; der anfängliche Widerspruch der Kriminalbeamten wurde wiederum von dem Schutzpolizisten zerstreut, der zusagte, sie nachher bestimmt nach Wannsee zurückzubringen. Ein Sperrgitter mit engem Durchlaß, ein paar Flure, einige abwärts führende Treppen, dann landeten wir im früheren Heizungskeller vor einer neuen Gittertür, hinter der sich ein Flur mit einer Reihe von Arrestzellen dehnte. Nach Öffnung der Gittertür empfing uns ein diensttuender Schutzpolizist, der mich erkannte und ausrief: »Um Gottes willen, jetzt kommt sogar unser alter Vizepräsident!« Meine Begleiter ignorierten diese Worte und lieferten mich vorschriftsmäßig ab. Meine Frau, sichtlich beruhigt durch den Anblick von so vertrauten Uniformen, ließ sich nun bewegen, mit dem ersten Schutzpolizisten zurückzufahren. Ein hastiger, wirrer Abschied, ein letzter, selbstverständlich erfolgloser Versuch, von meinen nunmehrigen Bewachern Näheres über Ursache und Sinn des ganzen Verfahrens zu hören. Dann öffnete sich eine Zellentür, und ich befand mich in dem Gewahrsam, das mich bis auf weiteres beherbergen sollte. Eine Pritsche, ein Tisch mit Schemel, ein Eimer, ein höchst einfacher Schrank waren die Einrichtung; ich packte mein Köfferchen aus, legte mich schlafen – es war nicht mehr weit vor Mitternacht – und verbrachte eine recht unruhige Nacht mit Nachdenken, was das Ganze eigentlich zu bedeuten habe. Am nächsten Morgen wurde früh geweckt, die Zellentür aufgeschlossen und die Weisung gegeben, im gemeinsamen Waschraum Toilette zu machen. Ob zur Bequemlichkeit der Wachhabenden oder weil die Vorschriften tatsächlich so lax waren, was an diesem Ort nicht recht wahrscheinlich war, jedenfalls war hier der Treffpunkt der Häftlinge mit allen Möglichkeiten des Austausches von Nachrichten, Lesematerial, Nahrungsmitteln, Rauchwaren und was sonst in einem Gefängnis von Hand zu Hand oder Mund zu Mund zu wandern pflegt ...

Die Aufsicht, bei der jetzt einige Leute in der schwarzen SS-Uniform mit dem Ärmelaufschlag »Leibstandarte Adolf Hitler« zusätzlich Dienst taten, wurde sehr lose, fast betont nachlässig ausgeübt, vielleicht mit Rücksicht auf die hohen Gäste, von denen niemand sagen konnte, wann sie wieder freigelassen und dann womöglich Posten mit hoher Machtfülle bekleiden würden. Die SS-Leute waren überdies ausgesprochen darauf aus, sich das Leben bequem zu machen; sie kümmerten sich weniger um die dreißig bis vierzig Häftlinge im Keller als um ihr Essen und verbrachten die ganze Zeit mit Schlafen, Rauchen und Skatspielen. Es waren fast durchweg von der Straße geholte Arbeitslose, die sich bei angenehmem Leben von den zurückliegenden Entbehrungen erholen wollten; sie duzten sich kameradschaftlich mit ihrem Gauleiter a.D. und dachten nicht daran, sich in diesen ungeklärten Verhältnissen unnötig irgendwelche Unannehmlichkeiten zuzuziehen. Während meiner ganzen Haftzeit habe ich nur einmal prügeln gehört; es geschah zur Nachtzeit offenbar bei der Einlieferung eines neuen Häftlings. Von Leidensgefährten wurde während dieser Zeit von Mißhandlungen in anderen Lagern und Gefängnissen erzählt, wobei es meinem preußischen Herzen wohltat, daß die Süddeutschen, namentlich die Oberbayern und die Österreicher, als Aufseher besonders gefürchtet waren. Hier in der Prinz-Albrecht-Straße galt das Prügeln von Gefangenen wenigstens damals als unvereinbar mit dem angeblichen Mustercharakter dieser Anstalt. Daß sie nicht immer »musterhaft« gewesen war, bewiesen die Blutflecken, die an einigen Zellenwänden deutlich sichtbar waren. In einem Falle soll es sich um das Blut von Gregor Straßer gehandelt haben, dessen Einfluß auf das Parteivolk Hitler gefürchtet hatte und der daher nicht wie die meisten Opfer des 30. Juni im Gelände der ehemaligen Hauptkadettenanstalt vor einem größeren Kreis mit einer gewissen Förmlichkeit erschossen, sondern von zwei ausgesuchten SS-Leuten in der Zelle ermordet worden war. Dort hatte man ihn in seinem Blute liegen und sterben lassen, obwohl er noch eine Stunde lang gestöhnt und nach Hilfe geschrien haben soll. Überhaupt wurde mit einem gewissen wollüstigen Grauen gern vom Morden gesprochen, in allen möglichen Ausdrücken wie »killen«, »umlegen«, »verschwinden lassen«, Begriffe, die man mit einer schwer begreiflichen Selbstverständlichkeit als Bestandteile des Alltags, ja des neuen deutschen Staatswesens ansah.

Es war nicht gerade behaglich, zwischen den schwatzenden Männern sehr andersartiger Natur Toilette zu machen. Aber ich wurde mit einer Welt bekannt, die ich bisher nur in ihren Auswirkungen auf die Außenwelt kannte, deren Denkweise, deren Verhalten aber eben doch von schrecklicher Bedeutung für unser Land waren. Natürlich befanden sich unter den Mithäftlingen auch Gegner und Opfer des Regimes wie ich; wahrscheinlich waren sie sogar in der Mehrzahl. Aber sie drängten nicht an mich heran, und sie wechselten rasch, so daß ich viele nicht kennenlernte. Das improvisierte Gefängnis im Keller der Gestapo diente im Grunde nur als Durchgangsstätte für Leute, die vorübergehend zu Vernehmungen in den oberen Stockwerken benötigt wurden. Selten blieb jemand länger als eine Woche, und Dauerhäftlinge wie Karpenstein und ich wurden als rare Phänomene, auch von den Bewachenden, angestaunt. Jedenfalls lernte ich alle die Kategorien von Leuten kennen, die jeweils zur Beseitigung oder Ausschaltung an der Reihe waren, die oppositionellen Zeitungsleute und die Kommunisten, die Freimaurer und die Homosexuellen, die Geistlichen, die sich nicht gleichschalten ließen, und die verbissenen Reaktionäre, die Pazifisten und die phantasievollen Weltverbesserer.

Mir mußte es darauf ankommen, nicht nur meine Freilassung, sondern

auch die einwandfreie Widerlegung des Vorwurfs des Landesverrats zu erreichen, da ich andernfalls kaum im nationalsozialistischen Deutschland verbleiben konnte. In dem Bemühen um dieses Ziel wurde ich auf das energischste
von meiner Frau unterstützt, die ihrerseits wiederum Rat und Hilfe bei unseren Freunden, mehreren Rechtsanwälten, aber auch bei dem Volksgerichtshof bzw. bei dem dort amtierenden Oberreichsanwalt Parisius fand. Es
gelang ihr, bei Parisius gegen mich die Einleitung eines förmlichen Ermitt-
lungsverfahrens wegen Landesverrats durchzusetzen, um den an sich ja
genügend klaren Fall aus der Zuständigkeit der willkürlich vorgehenden Politischen Polizei in die Hand einer damals noch einigermaßen rechtsstaatlichen
Einrichtung zu bringen ... Nach kurzen weiteren Ermittlungen stellte Parisius das Verfahren wegen Landesverrats unter dem 1. Mai 1935 förmlich ein;
um mir eine zuverlässige Handhabe für meine Bemühung um Freilassung zu
sichern, ließ er mir den Bescheid »durch besonderen Boten«, im Original rot
unterstrichen, »Im Gefängnis des Geheimen Staatspolizeiamtes« persönlich
zustellen. Damit war erreicht, was meine Frau und ich anstrebten, die rechtliche Klärung der gegen mich vorgebrachten Anschuldigungen durch die
höchste Instanz der nationalsozialistischen Justiz. Freilich dauerte es noch
sechs Wochen, bis sich Göring entschloß, die nun zwingend gegebene Konsequenz der Aufhebung seines Haftbefehls zu ziehen.

*Obwohl zwei Prozesse gegen Friedensburg erfolglos blieben, stand er weiterhin
unter Überwachung. 1946 bis 1951 war Friedensburg, der zu den Mitbegründern der CDU in Berlin gehörte, stellvertretender Oberbürgermeister von Berlin, von 1952 bis 1965 Berliner Mitglied des Deutschen Bundestages. Der Berliner Ehrenbürger Ferdinand Friedensburg starb 1972.*

Berthold Jacob

(März 1935)

Geprägt durch zwei Jahre an der Westfront, gehörte Berthold Jacob (geb. 1898) zu den bedeutendsten Pazifisten der Weimarer Zeit. In Artikeln der »Berliner Volkszeitung« und der »Weltbühne« befaßte sich Jacob mit der »Schwarzen Reichswehr«, der heimlichen Aufrüstung, aber auch mit der Vertuschung der Morde an Karl Liebknecht und Rosa Luxemburg. Bereits 1932 zog Berthold Jacob nach Straßburg; am 25. August 1933 wurde er vom nationalsozialistischen Deutschland ausgebürgert. Da Jacob weiterhin über die deutsche Aufrüstung berichtete, vermutete die Gestapo, daß er einen Informanten im deutschen Generalstab hatte. Am 9. März 1935 lockte die Gestapo Berthold Jacob mit Hilfe des Spitzels Dr. Hans Wesemann nach Basel und entführte ihn von dort nach Deutschland. Noch in der Nacht wurde er nach Berlin gebracht. Nachdem er aufgrund starken internationalen Drucks freigelassen worden war, berichtete er[16] 1936 in einer Exilzeitung über seine Erlebnisse am 11. und 12. März 1935:

Gegen 7 Uhr morgens entstand auf dem Gang ein ziemlich anhaltender Lärm. Die Zellen wurden geöffnet und die Gefangenen in die Spülzelle geführt. Gleichzeitig wurde meine Zellentür vorübergehend geschlossen. Mir waren vorübergehend die Handschellen abgenommen worden, um mir zu erlauben, mich anzukleiden. Nach etwa einer halben Stunde wurde ich wieder von den Handschellen befreit und unter Bedeckung von zwei SS-Leuten in die Spülzelle eingelassen. Ich war jetzt meines Brummschädels einigermaßen ledig geworden.

Nach dem »Frühstück«, das gegen 8 Uhr verabreicht wurde und aus denselben Ingredienzen bestand wie die Mahlzeit vom Abend des Sonntags, traf ein Wechsel im Wärteramt ein. Es erschien ein nicht unsympathisch aussehender Mann im Drillichrock eines preußischen Polizeibeamten mit dem Abzeichen eines Oberwachtmeisters auf den Schulterstücken ...

Es mochte etwa 9.30 Uhr sein, als ich das Geräusch des Schlüssels am Türschloß hörte und eine Stimme, die die Gewöhnung des Kommandos erkennen ließ, sich vernehmen ließ: »Also hier sitzt das Schwein!« Der Wachtmeister öffnete und ließ vier Herren eintreten. Die gleiche Stimme fuhr mich an: »Treten Sie zurück ans Fenster!« Ich betrachtete zunächst den Inhaber dieser Stimme. Es war ein großer, gewiß über 1,90 m langer Mann in dem charakteristischen blauen Jackettanzug, der den Hauptbestandteil der Zivilgarderobe deutscher Offiziere bildet. Man erkannte in ihm unschwer den See-Offizier. Ich hatte sofort das bestimmte Gefühl: Das ist also Heydrich. Ich suchte mich an ein Bild Heydrichs, des eigentlichen Chefs der Gestapo, zu erinnern, das ich einmal betrachtet hatte. Ich fand wenig Ähnlichkeit mit diesem Bilde in seinen Zügen, die mir beherrscht schienen, aber doch auch den Eindruck eines maßloser Dinge fähigen Charakters machten. Heydrich schien mir jünger, als er nach meinem Dafürhalten sein konnte; dieser Mann konnte die Dreißigergrenze noch nicht weit überschritten haben. Es war ganz offenbar, daß er der Herr dieses Hauses und dieses Gefängnisses war ...

Heydrich äußerte in burschikoser Manier seine Genugtuung darüber, daß er mich »nun endlich« hätte, und riet mir »im Guten«, bloß keine »Sperenzien« zu machen. Damit würde man hier gut fertig. Der vierte Mann blieb im Hintergrund und ließ sich nicht vernehmen. Dann wurden dem Wärter noch Anweisungen wegen meiner Handschellen gegeben, die ich erst am übernächsten Tag vorübergehend los wurde, um sie allerdings 16 Nächte hindurch zu tragen, angeblich, damit ich mir kein Leid antäte.

Beim Herausgehen aus meiner Zelle richtete Heydrich an den Wärter noch die Frage, ob ich richtig äße. »Versuchen Sie bloß nicht, uns hier mit Hungerstreik oder ähnlichen Mätzchen zu imponieren. Das würde Ihnen schlecht bekommen. Damit werden wir fertig.«

Der Wärter brachte rasch noch die heute früh von mir erlangte Kenntnis an, daß ich von Hitler der deutschen Staatsangehörigkeit »beraubt« worden sei. Die Tür fiel ins Schloß, und ich hörte draußen noch das amüsierte Lachen der Bande.

Am Dienstag, 12. März, wurde ich kurz nach 9 Uhr von drei mit gezogenen Pistolen ausgerüsteten Riesen von der »Leibstandarte Adolf Hitler« und einem Kriminalbeamten in Zivil, an beiden Händen separat gefesselt und geleitet, in das dritte Stockwerk des Gebäudes hinaufgeführt. Der Kriminalbeamte schien ein Vergnügen daran zu empfinden, unseren Gang durch immer neue Kommandos zu beschleunigen, so daß es fast ein Dauerlauf wurde. Da der Kriminalkommissar noch nicht anwesend war, wurde ich erst in Heydrichs Zimmer geführt. Der war jetzt in die Uniform eines SS-Gruppenführers gekleidet, so daß für mich, da ich keinen weiteren Mann von so bedeutender Distinktion in dem Hause wußte, seine Identität zweifelsfrei etabliert war ...

Es waren in Heydrichs Zimmer, der selbst hinter einem riesigen Diplomatenschreibtisch unverkennbar als Hausherr waltete, noch zwei weitere Herren anwesend, von denen sich der eine als der unbekannte vierte Mann aus meiner Bekanntenreihe vom Montagmorgen entpuppte. Heydrich nahm das Wort. »Jacob«, so ließ er sich vernehmen, »hat den Transporteuren gegenüber schmutzige Verleumdungen des Sinnes geäußert, daß die Gestapo ihre Gefangenen verprügele.« Er wendete mir sein Gesicht voll zu: »Sie sind mir viel zu dreckig, als daß ich sie dafür bestrafen könnte.« – Es entstand eine Pause. – Heydrich richtete sich wieder an seine Spießgesellen: »Hat einer der Herren noch eine Frage an ihn?« Der vierte Mann vom Vortage äußerte sich mit einem leidenschaftlich hervorgestoßenen »Nein«. Die anderen schwiegen. Daraufhin gab Heydrich dem SS-Mann, der mich präsentiert hatte, ein Zeichen. Die Sitzung war beendet.

Nach wiederholten diplomatischen Interventionen ließ die Gestapo Berthold Jacob frei. Am 17. September 1935 kehrte er in die Schweiz zurück und ging bald darauf wieder nach Frankreich. Dort im September 1939 interniert, gelang ihm aus dem Lager Le Vernet die Flucht nach Portugal. Aber auch hier war er vor dem nationalsozialistischen Verfolgungsapparat nicht sicher. Am 25. September 1941 entführten ihn Agenten des RSHA unter Mitwirkung der Deutschen Gesandtschaft in Lissabon. Wieder endete der Weg Jacobs in der Prinz-Albrecht-Straße 8. Sein Biograph Jost Nikolaus Willi[17] schrieb darüber 1972:

Es war Jacob gelungen, den Gestapo-Gefängniswärter Brestrich für sich zu gewinnen. Brestrich, der in derselben Straße wohnte wie Jacobs Vater, schmuggelte die Kassiber aus dem Gefängnis und überbrachte Jacob Nachrichten, kleine Bequemlichkeiten (Spielkarten, Toilettenartikel, Wäsche) sowie Bücher, die der Vater auf die rührenden Briefe seines Sohnes hin zusammengesucht hatte. Jacob war mit einem Flugzeug von Madrid nach Deutschland gebracht worden: »Da ich in keiner Weise auf meine Reise vorbereitet war, bin ich hier ohne jedes Gepäck in einem leichten Sommeranzug eingetroffen. Ich muß sagen, ich lebe hier ohne das Nötigste selbst für ein primitives Leben; besonders fehlen mir Toilettenartikel, Wäsche und Nachtzeug.« Die Briefe zeigen, daß Jacob sein Schicksal gelassen trug: »Es geht mir gut und ich bin sehr ruhig. Meine Gedanken sind oft bei Dir. Ich wäre glücklich, Dich zu sehen, aber das dürfte für lange Zeit nicht gehen.« Als Geburtstagswunsch (Ende 1941) meldete er seinem Vater: »Ist es wohl möglich, daß meine Schuhe geflickt werden könnten? Ich habe nur ein Paar, das ich dauernd tragen muß. Die Sohlen sind so abgetragen, daß ich nach dem Schneefall der letzten Tage meinen täglichen, halbstündigen Spaziergang nicht machen konnte. Andererseits besitze ich keine Pantoffeln und habe Angst, während der Reparatur ohne Schuhwerk zu sein«; auch Bimsstein wünschte er sich, um seine Rasierklingen zu schärfen ... Ein Mitgefangener berichtete: »Jacob war der geistige Führer unseres Widerstandes. Sein ungebrochenes Vertrauen, seine Geduld und seine Überzeugung vom Sieg der Alliierten war für manchen von uns eine nie versiegende Lebensquelle.« Auch Rudolf Breitscheid ... berichtete seiner Frau, wie ihn Jacob in Stunden der

Verzweiflung mit seinem Glauben an den alliierten Endsieg aufrichtete: »Kopf hoch, laß die Schweine nicht merken, wie niedergeschlagen du bist!« Auf den kurzen Spaziergängen im Gefängnishof gab er seinem Tröster zum Dank Zigaretten, die ihm Bekannte hatten bringen dürfen.

Es ist bis heute ungeklärt, warum Berthold Jacob über zwei Jahre im Hausgefängnis gefangengehalten wurde. Nach der Verhaftung seines Vaters im Januar 1943 riß der Kontakt zur Außenwelt ab. Nachdem er in das Polizeigefängnis am Alexanderplatz gekommen war, verschlechterte sich Jacobs Gesundheitszustand. Knapp eine Woche vor seinem Tod wurde er in das Jüdische Krankenhaus Berlin eingewiesen; dort starb er am 26. Februar 1944. Sein Grab ist auf dem jüdischen Friedhof in Berlin-Weißensee.

Werner Pünder

(April 1935)

Nach dem 30. Juni 1934 setzte sich der Berliner Rechtsanwalt Dr. Werner Pünder (geb. 1885) als Rechtsanwalt intensiv für die Familie des ermordeten Erich Klausener (Führer der Katholischen Aktion) ein. Die Geheime Staatspolizei unterstellte Pünder und seinem Sozius Dr. Wedell staatsfeindliche Betätigung. Während Dr. Wedell ins Columbiahaus eingeliefert wurde, kam Dr. Pünder nach seiner Verhaftung am 16. April 1935 in das Gefängnis in der Prinz-Albrecht-Straße. Pünder[18] berichtete über seine Haftzeit:

In der Prinz-Albrecht-Straße wurde ich im unmittelbaren Anschluß an meine Vernehmung durch Meisinger in den Keller geführt. Es war der Keller der neben dem Völkerkundemuseum gelegenen Hochschule für Kunst. Durch einen Vorraum gelangte man in einen nur künstlich beleuchteten, etwa 100 m langen Korridor, an dessen linker Seite Zellen eingebaut waren, die durch zu einem schmalen Hof führende Fenster ein mattes Tageslicht erhielten. Die Fenster waren vergittert.

In dem Vorraum des Korridors empfing mich ein in der Uniform eines Gefängniswärters steckender Beamter, dem man alsbald anmerkte, daß er der alten preußischen Schule angehörte. Alles, was er tat, war korrekt und nicht unfreundlich. Er nahm mein Taschenmesser, meinen Schlüsselbund, meine Hosenträger und wohl noch einige andere Gegenstände an sich, tat sie in einen Beutel, der mit meinem Namen gekennzeichnet wurde, und führte mich in eine Zelle, die er von außen zuschloß. So konnte ich nun in der mir aufgezwungenen Ruhe über alles nachdenken, was sich inzwischen ereignet hatte. Nach einiger Zeit öffnete sich die Gefängnistüre, und der Beamte sagte mir, ich könne mich außerhalb meiner Zelle auf dem Korridor bewegen, dürfe aber mit niemandem sprechen, andernfalls müsse er mich in der Zelle einschließen.

Ich folgte seiner Aufforderung und begegnete gleich darauf auf dem Korridor einem Herrn in weißer Jacke, den ich im Vorbeigehen im Flüsterton fragte, ob er Arzt sei. Er antwortete flüsternd und etwas schelmisch: »Auch Patient«. Später begegnete mir bei dem Auf- und Abgehen auf dem Korridor ein freundlich ausschauender jüngerer Herr in brauner Parteiuniform und geschmückt mit dem Goldenen Parteiabzeichen. Wir flüsterten uns gegenseitig unsere Namen zu, wodurch ich erfuhr, daß es sich um den Gauleiter Karpenstein handelte ...

Bis zum Abend meines ersten Hafttages hatte ich dann auch in Erfahrung gebracht, daß es sich bei dem Herrn, der mir auf dem Korridor zunächst begegnete, um den früheren Berliner Polizei-Vizepräsidenten Friedensburg handelte. Beide Herren flüsterten mir, sobald ich ihnen meinen Namen zugeflüstert hatte, im Frageton das Wort »Klausener?« zu. Sie waren also sofort im Bilde, worum es sich handelte.

Friedensburg, Karpenstein und ich wurden im Gegensatz zu anderen Häftlingen korrekt behandelt. Unsere Mahlzeiten erhielten wir je auf einem kleinen Tablett sauber angerichtet vorgesetzt. Sie wurden, wie wir später hörten, morgens, mittags und abends aus einer kleinen Gaststätte in unmittelbarer Nähe durch SS-Posten herangeholt.

Etwa zwei Wochen nach meiner Verhaftung wurde ich in der Nacht aus meiner Einzelzelle herausgerufen und von zwei schwerbewaffneten SS-Leuten in das oberste Stockwerk des Hauses geführt. In einem nur spärlich erleuchteten Raume mußte ich mich mit dem Gesicht gegen die Wand in eine Ecke stellen, wobei die Posten mehrfach erklärten, ich würde erschossen.

Nachdem ich mindestens eine Stunde in dieser Stellung gestanden hatte, wurde ich in ein besonders hell erleuchtetes Dienstzimmer geführt. An dem Schreibtisch saß der mir aus den vorausgegangenen Vernehmungen bekannt gewordene SS-Hauptsturmführer Meisinger. Dieser wiederholte nochmals alles, was mir früher schon vorgehalten worden war. Er tat so, als wenn Dr. Wedell bereits »gestanden« hätte, daß wir beide eine »große Aktion gegen den Führer und Reichskanzler beabsichtigt« hätten. Ich müsse mit meiner Erschießung rechnen. Eine mildere Beurteilung käme nur dann in Frage, wenn ich endlich zugäbe, daß mit der Klage eine »öffentliche Aktion gegen den Führer und die Reichsregierung« beabsichtigt gewesen sei.

Diese Einstellung des Geheimen Staatspolizeiamtes läßt erkennen, daß die NSDAP sich damals noch keineswegs absolut sicher fühlte, sondern einen Angriff gegen das Regime auch dann witterte, wenn weiter nichts geschehen war, als das, was Gesetz und Recht erforderten. Das bestärkte mich mehr und mehr in der Überzeugung, daß Schlimmeres hätte verhütet werden können, wenn Entsetzen, Abscheu und Wut über die ungeheuerlichen Vorgänge des 30. Juni 1934 im In- und Auslande zum Durchbruch gekommen wären. Statt dessen erkannte ich von Woche zu Woche mehr, daß ich tatsächlich allein stand und daß außer Wedell und mir es niemand wagte, dasjenige zu tun, was nach Recht und Gesetz zu geschehen hatte.

Nach einer Intervention der Schwedischen Gesandtschaft wurden Pünder und Wedell am 16. Mai 1935 nach vierwöchiger Haft entlassen. Werner Pünder kehrte 1954 aus sowjetischer Kriegsgefangenschaft zurück und trat in die von seinem Sohn Albrecht gegründete Anwaltsfirma ein. Er starb im Juni 1973.

Leo Baeck

(September 1935)

Der am 23. Mai 1873 in Lissa (Polen) geborene Rabbiner Leo Baeck wurde 1912 nach Berlin, die bedeutendste jüdische Gemeinde im Deutschen Reich, berufen. Mit seinem Hauptwerk »Das Wesen des Judentums« hatte er eine umfassende religionsphilosophische Deutung des Judentums unternommen. In der Weimarer Zeit wirkte Baeck u.a. als Präsident des Allgemeinen Deutschen Rabbinerverbandes und als Vorsitzender der Zentralwohlfahrtsstelle der jüdischen Gemeinden in Deutschland; weiterhin veröffentlichte er wichtige Werke zur jüdischen Identität und zur Religionsphilosophie. 1933 wurde er zum Präsidenten der »Reichsvertretung der deutschen Juden« gewählt, die 1939 von der Geheimen Staatspolizei unter der Bezeichnung »Reichsvertretung der Juden in Deutschland« zu einem wichtigen Instrument der Erfassung und Deportation der deutschen Juden umfunktioniert werden sollte. Leo Baeck, der sich unermüdlich für die Verfolgten einsetzte, wurde mehrfach verhaftet, bis man ihn schließlich 1943 in das Ghetto Theresienstadt deportierte. Als Oberhaupt des Rates der Lagerältesten überlebte Leo Baeck auch diese Haft. Der in der Nachkriegszeit Hochgeehrte starb am 2. November 1956 in London. – Zwei Monate vor seinem Tod berichtete Leo Baeck[19] über seinen Aufenthalt in der Prinz-Albrecht-Straße:

Leo Baeck sprach von den Gruppen innerhalb der nationalsozialistischen Behörden, die sich mit der »Lösung der Judenfrage« befaßten. Es hätte selbst im Propagandaministerium einflußreiche Nationalsozialisten gegeben, die sich mit einer Separierung der Juden begnügt und sie in ihrem eigenen Bereich hätten gewähren lassen. Andererseits hätten die Treiber innerhalb der Gestapo einen scharfen Kurs nach den Nürnberger Gesetzen gewünscht, da den Juden angeblich der Kamm geschwollen sei.

Dr. Baeck hielt es mit Rücksicht auf die Goebbels-Propaganda des Sommers [1935] und die gedrückte Stimmung in jüdischen Kreisen für notwendig, den Gemeinden Mut zuzusprechen, und er verfaßte deshalb ein Gebet, das den Landesverbänden und Gemeinden geschickt wurde, damit es am Rosch ha-Schanah [das jüdische Neujahrsfest im September] von den Kanzeln verlesen würde. Einige Zeit nach der Versendung wurde Dr. Baeck von dem Kriminalsekretär der Gestapo Kuchmann verhaftet und in die Prinz-Albrecht-Straße gebracht. Unterwegs sagte Kuchmann: »Warum haben Sie uns das nicht geschickt?«

Dr. Baeck wurde in der Prinz-Albrecht-Straße in eine Kellerzelle gebracht. Er hob hervor, daß ihm ein Gestapowärter Reis mit Zimt und Zucker brachte. Abends wurde er mit anderen Häftlingen im Polizeiwagen nach dem Alexanderplatz gebracht. Die anderen Häftlinge wurden ausgeladen. Dr. Baeck wurde jedoch nach dem Columbiahaus im Tempelhofer Feld transportiert und in eine Zelle mit zwei Betten gebracht. Gegen Abend erschien ein zweiter Gefangener, der angab, daß er wegen Homosexualität festgenommen worden sei. Der Zellengenosse erwies sich als freundlich und hilfsbereit, machte das Bett für Dr. Baeck und holte ihm das Frühstück. Er sagte, er wolle ihm ersparen, mit brühheißer Suppe oder Kaffee begossen zu werden, wie es üblich sei, wenn man sein Getränk nicht rasch genug an sich nehme. Dr. Baeck war der einzige jüdische Gefangene. Im Gegensatz zu den anderen durfte er nicht am Spaziergang teilnehmen.

Über die Dauer seiner Haft wußte Dr. Baeck nicht mehr genau Bescheid. Er wurde eines Tages um die Mittagszeit ins Büro der Gestapo gerufen, wo ihm ein Beamter sagte: »Sie haben Schwein gehabt!« Der Kriminalassistent Seifert nahm Dr. Baeck nach der Prinz-Albrecht-Straße mit, ließ ihn dort im Hof stehen und sagte ihm schließlich, er könne nach Hause gehen. Er telefonierte mit seiner Frau. Der Entlassungstag war ein Sonnabend. Dr. Baeck führt seine rasche Entlassung zurück

1. auf die Intervention von Dr. Julius L. Seligsohn, dessen vortreffliche Haltung er mit großer Dankbarkeit immer wieder und wieder hervorhob,

2. auf einen größeren Bericht des Berliner Times-Korrespondenten, der angeblich im Auswärtigen Amt Eindruck gemacht hatte.

Dr. Baeck hob hervor, daß seine Entlassung deshalb so rasch hätte erfolgen können, weil ihm weder ein Schutzhaftbefehl noch ein Haftbefehl zugestellt worden war. Einige Zeit nach seiner Entlassung wurde jedoch Otto Hirsch verhaftet. Dr. Baeck führt seine Verhaftung darauf zurück, daß die Gestapo der Reichsvertretung, wie anfänglich erwähnt, einen Denkzettel versetzen wollte. Dr. Baeck begab sich zur Gestapo in die Prinz-Albrecht-Straße und erklärte, er müsse die Arbeit in der Reichsvertretung einstellen, da er ohne Hirsch nicht arbeiten könne. Der Kriminalsekretär Kuchmann versprach, daß Hirsch in ein paar Tagen entlassen würde. Dr. Baeck rief am nächsten Tag an, begab sich aber am 2. Tag, als Hirsch immer noch nicht entlassen war, in die Gestapo. Die Entlassung Hirschs wurde ihm für den nächsten Tag versprochen. Frau Hirsch und Dr. Baeck begaben sich am nächsten Tage zur Gestapo und warteten zwei Stunden auf der Straße. Am Abend kam Hirsch, dem ein Haftbefehl übergeben worden war.

»In dieser Stunde steht ganz Israel vor seinem Gott, dem richtunggebenden und vergebenden. Vor ihm wollen wir allesamt unseren Weg prüfen, prüfen, was wir getan und was wir unterlassen, prüfen, wohin wir gegangen, wovon wir ferngeblieben sind. Wo immer wir gefehlt haben, wollen wir offen bekennen: ›Wir haben gesündigt‹, und wollen mit dem festen Willen zur Umkehr vor Gott beten: ›Vergib uns!‹

Wir stehen vor unserem Gotte. Mit derselben Kraft, mit der wir unsere Sünden bekannt, die Sünden des einzelnen und die der Gesamtheit, sprechen wir es mit dem Gefühl des Abscheus aus, daß wir die Lüge, die sich gegen uns wendet, die Verleumdung, die sich gegen unsere Religion und ihre Zeugnisse kehrt, tief unter unseren Füßen sehen. Wir bekennen uns zu unserem Glauben und zu unserer Zukunft. – Wer hat der Welt das Geheimnis des Ewigen, des einen Gottes gekündigt? Wer hat der Welt den Sinn für die Reinheit der Lebensführung, für die Reinheit der Familie geoffenbart? Wer hat der Welt die Achtung vor dem Menschen, dem Ebenbilde Gottes gegeben? Wer hat der Welt das Gebot der Gerechtigkeit, den sozialen Gedanken gewiesen? Der Geist der Propheten Israels, die Offenbarung Gottes an das jüdische Volk, hat in dem allen gewirkt. In unserem Judentum ist es erwachsen und wächst es. An diesen Tatsachen prallt jede Beschimpfung ab.

Wir stehen vor unserem Gott; auf ihn bauen wir. In ihm hat unsere Geschichte, hat unser Ausharren in allem Wandel, unsere Standhaftigkeit in aller Bedrängnis, ihre Wahrheit und ihre Ehre. Unsere Geschichte ist eine Geschichte seelischer Größe, seelischer Würde. Sie fragen wir, wenn sich Angriff und Kränkung gegen uns kehren, wenn Not und Leid uns umdrängen. Von Geschlecht zu Geschlecht hat Gott unsere Väter geführt. Er wird auch uns und unsere Kinder durch unsere Tage hindurch leiten. Wir stehen vor unserem Gott. Sein Gebot, das wir erfüllen, gibt uns unsere Kraft. Ihm beugen wir uns, und wir bleiben fest in allem Wechsel des Geschehens. Demütig vertrauen wir auf Ihn, und unsere Bahn liegt deutlich vor uns, wir sehen unsere Zukunft.

Ganz Israel steht in dieser Stunde vor seinem Gotte. Unser Gebet, unser Vertrauen, unser Bekennen ist das aller Juden auf Erden.

Wir blicken aufeinander und wissen von uns, und wir blicken zu unserem Gotte empor und wissen von dem, was bleibt.

›Siehe, nicht schläft und nicht schlummert Er, der Israel hütet. Er, der Frieden schafft in seinen Höhen, wird Frieden schaffen über uns und ganz Israel‹. Trauer und Schmerz erfüllen uns. Schweigend, durch Augenblicke des Schweigens vor unserem Gotte, wollen wir dem, was unsere Seele erfüllt, Ausdruck geben. Eindringlicher als alle Worte es vermöchten, wird diese schweigende Andacht sprechen.«

Unbekannter
Zeuge Jehovas

(um 1936)

Die Mitglieder der Glaubensgemeinschaft »Zeugen Jehovas«, von den Nationalsozialisten »Ernste Bibelforscher« genannt, wurden mit besonderer Härte verfolgt. Da die glaubensbedingte Verweigerung des Wehrdienstes durch die Zeugen Jehovas an einer Grundforderung des nationalsozialistischen Staates rüttelte, verschärfte sich ihre Verfolgung nach der Einführung der allgemeinen Wehrpflicht 1935 weiter. Trotz massenhafter Einweisung in Konzentrationslager blieben die Zeugen Jehovas ihrer Anschauung treu. Daß sie ihre Verfolgung hinnahmen, machte es den Mithäftlingen oftmals schwer, in Kontakt mit ihnen zu treten. Ein unbekannter Zeuge Jehovas berichtete für die Akten der »Watch Tower Society«, des amerikanischen Hauptverbandes:[20]

Wie betäubt in Berlin im Gestapokeller Prinz-Albrecht-Straße angekommen, ging das Verhör unter brutalster Mißhandlung zweieinhalb Tage lang weiter. Einer verhörte, zwei hielten mich fest, während ein Dritter mit einem schweren Gummiknüppel auf mich einschlug. Diese Tortur dauerte, ohne daß ich zur Ruhe kam, zweieinhalb Tage lang. Darauf brachten sie mir Papier; ich sollte alles aufschreiben, die Brüder aufschreiben, die mit mir tätig waren. Als sie wiederkamen und auf dem Papier lasen, daß ich mich allein vor Jehova verantwortlich fühle und keinen Namen nennen werde, gingen die Mißhandlungen weiter. Danach kam ich in meine Zelle, konnte aber vor Schmerzen nicht ruhen. Wieder ein neues Verhör, wobei auf dem Tisch im Zimmer ein Totenschädel lag. Zwei Stunden schlug man wie wahnsinnig auf mich ein, aber plötzlich hörten sie auf und warfen mir ein etwa zehn Zentimeter dickes Aktenbündel auf den Tisch, daß ich ein blöder Hund sei, mich so schlagen zu lassen, da sie von mir ja doch schon alles wüßten, was sie wissen wollten. Ich durchblätterte es flüchtig und war erstaunt zu sehen, was man über meine Tätigkeit bereits alles wußte ... Vierzig Tage dauerten die Verhöre dort insgesamt. Dann ging es nach Frankfurt/Main zum Sondergericht, wo ich zu der höchstzulässigen Strafe von fünf Jahren verurteilt wurde.

Werner Peuke

(April 1936)

Werner Peuke war in der Weimarer Republik in der KPD organisiert gewesen und stieß im ersten Jahr der NS-Herrschaft zur sozialistischen Widerstandsgruppe Neu Beginnen. Er war gezwungen, in die Illegalität zu gehen, da er als KP-Funktionär den Stadtteil betreute, in dem Horst Wessel ermordet worden war. Erst im Zuge der »Ermittlungen« im Fall Horst Wessel wurde er Ostern 1936 verhaftet und kam am 14. April in die Prinz-Albrecht-Straße 8. Nach dem Krieg schrieb er:[21]

Meine erste Reise ging zum Kellergefängnis der Geheimen Staatspolizei Prinz-Albrecht-Straße. Als sich hinter mir die Tore schlossen und ich in das hell erleuchtete Aufnahmezimmer geführt wurde, hatte ich wieder jenes beklemmende Gefühl. Diesmal währte es jedoch nicht Stunden, sondern nur wenige Minuten. Komischerweise brauchte ich gar keine Namen anzugeben. Der Mann schien alles zu wissen. »Wertsachen her, Schnürsenkel raus, Schlips ab.« Alles wurde in meinen Hut gesteckt. Plötzlich gab er mir noch eine Aktentasche, und beim Öffnen entdeckte ich einige Waschmittel und die Handtasche meiner Braut. Jetzt war mir klar, daß wohl auch sie verhaftet worden war. In der Zelle, in die ich gestoßen wurde, befand sich nur ein kleines Fenster von wenigen Quadratzentimetern, mehr eine Luftklappe, ein Tisch, ein Stuhl, eine Holzpritsche ohne Decken. An den Wänden entdeckte ich einige Inschriften. »Das ist der Mörderkeller«, »Nieder mit Hitler«. In der Zelle brannte die ganze Nacht Licht. Ungefähr jede halbe Stunde wurde die Tür aufgeschlossen, und in der Nacht näherte man sich sogar meinem Lager, um festzustellen, ob ich noch lebe. Ich täuschte tiefen Schlaf vor und atmete regelmäßig. Warum auch nicht! ...

Die Nacht verging, der Morgen kam, ein ständiges Kommen und Gehen auf den Fluren, Namen wurden aufgerufen. Gegen 2 Uhr öffnete sich meine Zelle, ich wurde einen langen Gang nach vorne gebracht, dort zwei SS-Leuten (Leibstandarte Adolf Hitler) übergeben und in einem Fahrstuhl mehrere Stockwerke nach oben gefahren. Links den Gang entlang und vor einer dreieckigen Einbuchtung, wo links und rechts eine Tür einmündete, wartete ich. An der linken Tür war ein Schild Fahndungsabteilung. Den Mann, dem ich wenige Minuten gegenüberstand, werde ich in meinem Leben nie vergessen. Es war kein Gesicht, sondern eine brutale Fresse. Die Augen waren blutunterlaufen. In der Mitte leuchtete eine krebsrote Kartoffelnase, deren Ausmaße für drei oder vier Gesichter gereicht hätten. Links und rechts von ihm standen zwei Zivilisten, die mich anstierten. Das Unangenehme war, daß der linke davon schielte (vielleicht werde ich ihn deshalb wiedererkennen), und ich wußte nie, ob er geradeaus sah oder mich anstarrte. In der linken Ecke stand ein schemelartiger Stuhl mit Riemen zum Anschnallen, und daneben standen 6 bis 8 Knüppel in verschiedenen Stärken und Größen. Dieses Mobiliar und die Verbrecherphysiognomie waren wenig vertrauenerweckend. Auf dem Tisch entdeckte ich Papiere von mir, die grüne Angestelltenkarte, 2 bis 3 Zeugnisse. Es hatte gar keinen Zweck, Jan Krasege [Peukes Deckname] zu spielen.

Ich wurde auch jeder weiteren Überlegung enthoben, als die Nase mich anschrie und sagte: »Da haben wir dich Lumpen ja. Drei Jahre suchen wir dich, aber nächste Woche fährst du in den Himmel.« Diesen Worten verlieh er besonderen Nachdruck, indem er mich mit der geballten Faust ins Gesicht schlug, mir meine Brille zertrümmerte und ich mit dem Hinterkopf gegen die Wand fiel. Seine Helfer stürzten sich ebenfalls auf mich, versetzten mir erst Fußtritte und forderten mich auf, mich auf den Stuhl zum Anbinden hinzulegen.

In manchen Stunden später, wenn ich an diese Momente dachte, glaubte ich, ein Recht dazu zu haben, auf mich stolz sein zu dürfen. Denn ich stand unbeweglich da, ließ die Schläge auf mich hernieder gehen und gab keinen Laut von mir. Als man mich nochmals aufforderte, mich zu bücken, erklärte ich ihnen eisig und kalt: »Ich werde mich Ihnen nie beugen, schlagen Sie mich im Stehen tot.« Ihr Rausch legte sich plötzlich, und man bot mir einen Stuhl an. Das erste Verhör begann. Vorausgreifend will ich sagen, daß von April bis August, wo ich in den Händen der Geheimen Staatspolizei war, circa weitere hundert Vernehmungen folgten. Manchen Tag zwei- bis dreimal.

Die Personalien waren schnell festgestellt. Auf einen Telephonanruf brachte man ungefähr zehn Leitzordner und zwanzig Aktendeckel, wo man im Laufe der Jahre alle publizistischen Tätigkeiten bis 1933 von mir zusammengetragen hatte und viele Notizen, die wohl aus Angaben stammten, die andere Verhaftete über mich gemacht hatten. Für viele Freunde war ich ja verschwunden, und als man wußte, daß ich im Ausland war, hatte man vieles auf mich geschoben, um andere Freunde nicht zu belasten. Jetzt sollte ich mich nun dazu äußern, was ich in den drei langen Jahren von 1933 bis 1936 eigentlich gemacht, wo ich gewohnt und wovon ich gelebt hatte. Wieder entwaffnete ich sie, indem ich erklärte, ich müsse mir das wohl erst genau überlegen und da ich wohl doch einige Zeit hierbleiben würde, hätte es wohl bis morgen Zeit. »Na, dann nimm man erst noch eine Tracht mit.« Das war ein

Signal, um wieder über mich herzufallen. Immerhin hatte ich schon etwas gelernt. Ich zog den Kopf etwas ein, verschränkte die Arme vor dem Gesicht und konnte es mir nicht verkneifen, einem Peiniger gehörig auf den Fuß zu treten. Nach wenigen Minuten war ich wieder unten in meiner Zelle und überlegte meine Lage. Soviel war mir jetzt schon klar: Die Herren suchten in mir einen ehemaligen Funktionär, und ihr sogenanntes Beweismaterial reichte bis 1933. Für die darauffolgende Zeit bis 1936 nahmen sie wohl eine revolutionäre Tätigkeit an, aber Genaues wußten sie nicht. Jetzt hieß es also wachsam sein und vor allen Dingen die Nerven behalten.

In den folgenden Wochen und Monaten hatte ich oft Gelegenheit, mit vielen Freunden über ihre Vernehmungen zu sprechen. Nur wer jemals in den Krallen der Gestapo war, kann verstehen, welch seelischen Belastungen und körperlichen Mißhandlungen wir alle ausgesetzt waren. Wie oft drohte ein in der Verzweiflung hingeworfenes Wort das ganze Gebäude umzustürzen. Man schreckte zusammen, wenn man ein bekanntes Gesicht ebenfalls verhaftet sah. In der Nacht wälzte man sich auf dem Lager und versuchte zu ergründen, ob das nächste Kettenglied von ihnen bereits gefunden war. So waren die ersten drei Tage ausgefüllt mit einem ständigen Katz- und Maus-Spiel, wobei im Grunde genommen die Rollen vertauscht waren. Immer wieder verstand es die Maus, sich den Schlägen zu entziehen.

Am Nachmittag des vierten Tages erhielt ich plötzlich meine gesamten Privatsachen, kam in die berühmte grüne Minna und wurde nach dem Columbiahaus gebracht, das damals in dem Munde aller Antifaschisten war. Hier hatten sich ja Szenen abgespielt, die einmalig in der Geschichte der Nazischreckensherrschaft waren. Columbiahaus war der Inbegriff aller Nazischandtaten. Columbiahaus war die Marterhölle. Hierher kam ich nun ...

Werner Peuke wurde nun drei Monate lang fast täglich zwischen dem Columbiahaus und der Prinz-Albrecht-Straße 8 »verschubt« und dort immer wieder verhört. Die Gestapo-Beamten konnten eine strafbare Tätigkeit weder vor noch nach 1933 beweisen. Dennoch blieb er in Schutzhaft. Als im Herbst 1936 das Konzentrationslager Columbiahaus aufgelöst wurde, kam Peuke mit anderen politischen Häftlingen nach Sachsenhausen. Dort erlebte er den Lageraufbau und die ersten Jahre, bis er 1939 – vermutlich im Rahmen der »Amnestie« zu Hitlers 50. Geburtstag – entlassen wurde. Werner Peuke überlebte den Krieg und engagierte sich beim Aufbau der Stadtverwaltung im sowjetischen Sektor. 1948 überwarf er sich mit der SED und zog in den westlichen Teil Berlins.

Kurt Schumacher

(August 1939)

Kurt Schumacher (geb. 1895), 1930 für die SPD in den Reichstag gewählt, schloß sich 1931 der Eisernen Front an und gehörte, nach einer scharfen Auseinandersetzung mit Goebbels im Reichstag, zu den meistgehaßten Feinden der Nationalsozialisten. Nachdem er am 23. März 1933 mit seiner Fraktion gegen das Ermächtigungsgesetz gestimmt hatte, ging er in die Illegalität; erst am 6. Juli 1933 konnte er verhaftet werden. Sein Weg führte ihn über die Gefängnisse am Alexanderplatz und in Plötzensee in die württembergischen Konzentrationslager Heuberg und Kuhberg, bald darauf in das Konzentrationslager Dachau. Im Sommer 1939 holte ihn die Gestapo zu Vernehmungen nach Berlin. Ein Mithäftling, Maurice Disch, erinnerte sich:[22]

1939 hielt mich die Gestapo 16 Wochen mit den proletarischen Abgeordneten Agartz, Blume, Schneller, Schumann, Schumacher, Westphal im Hausgefängnis des [Reichssicherheits-]Hauptamtes in Berlin. Wir saßen in einer Gemeinschaftszelle, politisierten dauernd. Unser gegenseitiger Verkehr war freundschaftlich. So haben wir es auch im KZ-Lager gehalten.

Die Schwester von Kurt Schumacher versuchte, ihren Bruder in Berlin zu sehen. Friedrich Wesemann berichtet darüber in seiner Biographie:[23]

Die Schwester Lotte, die nun in der Erledigung aller mit Schumacher zusammenhängenden Dinge an die Stelle der Mutter getreten war, bekam die Nachricht, daß sie nach Berlin kommen möge, um ihren Bruder zu sehen. Sie fuhr hin und sah ihn auch, aber aus der Beantwortung seiner ersten Frage über die Art seiner Beschuldigung wurde ihm schon klar, daß dies ein falscher Alarm gewesen war. Die Enttäuschung der Schwester entsprach der Erregung, die sich ihrer bemächtigt hatte, als das Telegramm eintraf. Sie hatte sogleich Lebensmittel besorgt, ein Hähnchen gebraten und auch Eier eingepackt, was gar nicht so einfach zu beschaffen gewesen war, da der Krieg inzwischen ausgebrochen war und die Lebensmittelkarten der Bevölkerung nur das Notwendigste zuteilten. Unverdrossen wiederholte die Schwester jedoch bei der Geheimen Staatspolizei ihre Gesuche um Entlassung in den gesetzten Fristen ...

1943 wurde Kurt Schumacher schwer krank aus Dachau entlassen, nach dem 20. Juli 1944 aber erneut verhaftet und ins Konzentrationslager Neuengamme gebracht. Nach 1945 wurde Kurt Schumacher, die dominierende Gestalt der deutschen Sozialdemokratie, Parteivorsitzender der SPD und Oppositionsführer im ersten Deutschen Bundestag. Kurt Schumacher starb, durch die Haft gesundheitlich schwer geschädigt, am 20. August 1952.

Fritz Erler

(August 1939)

Fritz Erler (geb. 1913) bereitete sich schon vor der nationalsozialistischen Machtergreifung auf die Illegalität vor. Als Inspektor auf dem Sozialamt Prenzlauer Berg tätig, übernahm er als »Genosse Grau« 1936 zusammen mit zwei weiteren Verschworenen die Inlandsleitung von Neu Beginnen. Im November 1938 wurde Erler verhaftet. Im August 1939 kam er in die Gemeinschaftszelle der Prinz-Albrecht-Straße. Sein Biograph Hartmut Soell schreibt:[24]

Zum erstenmal kreuzte sich sein Weg mit dem Kurt Schumachers. Dieser war dorthin für einige Wochen zu Vernehmungen aus dem Konzentrationslager gebracht worden. Schumacher brachte Erler wohl das Skatspielen bei; ihre politischen Diskussionen, soweit sie in dieser Umgebung – in der neben Sozialdemokraten auch Männer der Kirchen, Offiziere und selbst wegen krimineller Vergehen verhaftete SS-Leute warteten – überhaupt andeutungsweise geführt werden konnten, brachten zunächst offenbar kein sehr großes Maß an politischer Übereinstimmung. Dazu schienen die theoretischen Ausgangspunkte zu verschieden zu sein: hier der Vertreter des »rechten« SPD-Flügels, der auch während seiner nun schon sechs Jahre dauernden KZ-Haft aus seiner Intransigenz gegenüber der KPD nie ein Hehl gemacht hatte, dort der junge SAJ-ler vom linken Flügel der SPD, der in den Jahren der illegalen Arbeit sich immer stärker von der Notwendigkeit der Einheit der Arbeiterbewegung überzeugt hatte. Trotz sechsjähriger Dauer des NS-Regimes waren solche Meinungsunterschiede unter Sozialdemokraten immer noch vorhanden – auch wenn Erler, der bisher die politischen Vorgänge am Ende der Weimarer Republik wesentlich aus der Perspektive des einfachen Mitglieds gesehen hatte, von Schumacher nun einiges über die in der SPD-Spitze und vor allem in der Reichstagsfraktion liegenden Ursachen erfuhr.

Nachdem ihn der Volksgerichtshof am 15. September 1939 zu zehn Jahren Zuchthaus verurteilt hatte, verbüßte Fritz Erler seine Strafe in den Gefangenenlagern des Emslandes und im Zuchthaus Kassel. Nach dem Krieg war er lange Jahre stellvertretender Parteivorsitzender und zeitweilig Fraktionsvorsitzender der SPD. Fritz Erler starb am 2. Februar 1967.

Paul Gerhard Braune

(August 1940)

Pastor Paul Gerhard Braune war 1940 Leiter der Hoffnungstaler Anstalten in der Nähe von Berlin und Vizepräsident des Zentralausschusses für Innere Mission der deutschen evangelischen Kirche. Als Anstaltsleiter erfuhr er von den Morden an psychisch und physisch Kranken, die unter dem Deckmantel der Euthanasie durchgeführt wurden. Braune verfaßte eine Denkschrift, die er am 4. Juli 1940 an die Reichskanzlei, das Reichsinnenministerium und das Reichsjustizministerium weitergab. Auf die Folgen mußte er nicht lange warten. 1946 schilderte Pastor Braune[25] seine Haft:

Um der Denkschrift noch stärkere Wirkung zu verschaffen, veranlaßte ich, daß sie neben der privaten Übergabe durch den Präsidenten des Centralausschusses für Innere Mission an die Kirchenleitung weitergegeben würde, damit die Kirchenleitung ihrerseits ebenfalls bei der Reichskanzlei Einspruch erhob. Das von Pastor Frick unterzeichnete Anschreiben ist auch von mir verfaßt. Die Kirchenleitung hat in der Tat durch die Unterschrift von Dr. Werner die Denkschrift an die Reichskanzlei oder an das Reichsinnenministerium weitergegeben, ohne daß natürlich jemals eine Antwort erfolgte. Ich wußte, daß ich bei dieser ganzen Angelegenheit einen lebensgefährlichen Weg ging. Aber um des Gewissens willen und um des Rufes willen, der aus der Sache heraus an mich ergangen war, habe ich nicht gezaudert, die Denkschrift zusammenzustellen und allein zu unterzeichnen. Die Folgen mußte ich dann auch spüren.

Am 12. August 1940 wurde ich vom Reichssicherungsamt [Reichssicherheitshauptamt] nach längerer Haussuchung in Haft genommen. Bei der Haussuchung konnte ich feststellen, daß die vier Beamten nicht wußten, aus welchem Grunde sie mich verhaften sollten, denn sie sollten Material irgendwelcher Art gegen mich ausfindig machen. Aber sie sollten mich eben in Schutzhaft nehmen. Ich sagte ihnen dann ins Gesicht, warum man mich verhaften würde. Sie begriffen den Tatbestand kaum, da auch ihnen die Tötung der Kranken unbekannt war. So wurde ich dann in die Prinz-Albrecht-Straße in das Gefängnis des Hauptsicherheitsamtes [Reichssicherheitshauptamt] mitgenommen. Bei der Vernehmung nach zwölftägiger Haft wurde jeder

Zusammenhang mit der Denkschrift abgelehnt. Der Regierungsrat Roth bestritt, überhaupt irgend etwas von einer Denkschrift zu wissen. 50 Tage später wurde ich nochmals vernommen wegen völlig belangloser Angelegenheiten, aber auch dabei bestritt man jeden Zusammenhang mit meiner Denkschrift gegen die Euthanasie. Die Stapo durfte in keiner Weise zugeben, daß eine Tötung von Kranken überhaupt geschähe. Wie mir späterhin bekannt geworden ist, stand Todesstrafe auf die Verbreitung solcher Nachrichten. Durch heimliche Verständigung aber wurde mir auch von außen mitgeteilt, daß dieser Kampf gegen die Tötungsmaßnahmen der wirkliche Grund meiner sogenannten Schutzhaft sei.

Ich wurde in der Haft anständig und ordentlich behandelt, und schließlich wurde ich nach drei Monaten entlassen, mußte aber schriftlich erklären, daß ich nicht mehr Schritte gegen Maßnahmen des Staates oder der Partei unternehmen würde. Im Schutzhaftbefehl, der von Heydrich unterzeichnet war, war gesagt, daß ich in unverantwortlicher Weise gegen Maßnahmen des Staates aufgetreten wäre.

Paul Braune kehrte nach der Haft in der Prinz-Albrecht-Straße nach Lobetal zurück, wo er die Hoffnungstaler Anstalten bis zu seinem Tod 1954 leitete. Als Mitglied der Kirchenleitung und Domherr von Brandenburg setzte er sich besonders für den Aufbau der Inneren Mission in der DDR ein.

Rudolf Breitscheid

(Februar 1941)

Als einer der Fraktionsvorsitzenden der SPD im Deutschen Reichstag und ihr außenpolitischer Sprecher gehörte Breitscheid (geb. 1874) zu den verhaßtesten Gegnern der Nationalsozialisten. Bereits Anfang März 1933 mußte er Deutschland verlassen. Im Pariser Exil bemühte er sich vor allem um ein gemeinsames Vorgehen aller Gegner des Nationalsozialismus. Entgegen der Haltung des Prager Exilvorstandes entschloß sich Breitscheid am 20. Dezember 1935, eine gemeinsame Protesterklärung von Sozialdemokraten und Kommunisten gegen die Hinrichtung des KPD-Mitgliedes Rudolf Claus in Berlin zu unterzeichnen. Im Februar 1936 folgte, unter dem Vorsitz von Heinrich Mann, die Gründung eines Komitees zur »Vorbereitung der Deutschen Volksfront«, dessen Aufruf im November 1936 von Kommunisten, Sozialdemokraten und Sozialisten unterschrieben wurde. Das Experiment scheiterte ein Jahr später, als die KPD-Vertreter versuchten, die SAP aus dem Komitee herauszudrängen und die SPD-Mitglieder vom Exilvorstand abzutrennen.
Nach dem Einmarsch der deutschen Truppen in Frankreich versuchte Breitscheid vergeblich, über Marseille das Land zu verlassen. Gemeinsam mit seinem Freund Rudolf Hilferding, dem bedeutenden sozialdemokratischen Wirtschaftstheoretiker, wurde er an die Gestapo ausgeliefert. Man brachte die beiden in das Pariser Gefängnis Santé, wo Hilferding unter bis heute nicht geklärten Umständen ums Leben kam. Breitscheid wurde nach Berlin in die Prinz-Albrecht-Straße gebracht. Seine Frau erfuhr erst Wochen später etwas über sein Schicksal. Am 24. April 1941 schrieb sie aus Arles an einen Freund: [26]

Endlich habe ich Nachricht von meinem Mann – sechs Briefe auf einmal – der erste vom 19. Februar, der letzte vom 2. April. Er ist in Berlin S.W. 11, der Prinz-Albrecht-Straße 8 – das ist das Gefängnis der Geheimen Staatspolizei. Er ist in Einzelhaft, aber nach allem, was er schreibt, scheint er nicht nur korrekt, sondern freundlich behandelt zu werden. Er sagt, daß alle unsere Befürchtungen in dieser Beziehung sich nicht bewahrheitet hätten und daß ich allen Freunden sagen sollte, daß er ordentlich behandelt werde. Er ist im Anfang mehrfach vernommen worden, aber die Vernehmung sei jetzt abgeschlossen. Auch bei der Vernehmung sei alles korrekt und verständnisvoll zugegangen. Er hat im übrigen auf etwa 30 Folioseiten sein Leben und seine Tätigkeit in der Emigration niedergeschrieben.

231

Bis zum 2. April hatte er keine direkte Nachricht von mir. Nur hatte er an dem Tage oder wenige Tage vorher den kleinen Koffer mit Wäsche und einen Anzug erhalten, den die Beamten, die hier in Arles bei mir waren, für ihn mitgenommen hatten. Das hat also vom 26. Februar bis zum 2. April gedauert. Sie haben ihm auch mein Tagebuch mitgebracht, das ich am 12. Februar für ihn angefangen hatte. So konnte er sehen, daß sich seine Freunde um ihn kümmern und daß ich an die verschiedensten Leute schrieb. Darüber bin ich besonders froh, er braucht nun nicht mehr das Gefühl der Verlassenheit zu haben.

Traurig ist, daß er nichts von Hilf. weiß. Sie sind noch am 10.2. nach Paris in die Santé gebracht worden, am 12. abends wurde mein Mann allein nach Berlin befördert. Von H. hat er nichts erfahren können, weiß nicht, ob er in Paris oder an welchem Ort sonst ist. Frau H. hat nun direkt an die zuständigen Stellen geschrieben, um etwas über das Schicksal ihres Mannes zu erfahren.

Mein Mann erhält Bücher aus der Gefängnisbibliothek: deutsche, französische, englische. Er kann schreiben und versucht nun seinen Lebenslauf zu schreiben, wobei ihm natürlich viele Daten fehlen. Immerhin ist es eine Beschäftigung, die die Einzelhaft leichter ertragen läßt. Er bittet mich um etwas Geld, um Seife und Datteln. Leider kann ich das von hier nicht schicken, ich sehe keine technische Möglichkeit. Ich habe in Zürich angefragt, ob es von dort möglich sei, aber bitte sehen Sie doch auch, ob Sie oder Mme. Dorian ihm nicht den Gegenwert von 50 Mark, oder, wenn das nicht erlaubt ist, weniger senden könnten. Ich bin gern bereit, die betr. Summe in Francs hier demjenigen zu senden, den Sie mir nennen, nur müßten Sie mir mitteilen, wieviel Francs ich schicken soll. Und wenn Sie ihm ein Stück Seife und etwas Schokolade und eventuell ein paar Datteln schicken könnten, wäre ich Ihnen sehr, sehr dankbar. Einfach an seinen Namen und als Adresse: Berlin S.W.11, Prinz-Albrecht-Str. 8. Bitte teilen Sie auch die Tatsache unsern Freunden in New York mit, wenn die nicht alle gestorben sein sollten (ich habe noch keine Zeile von ihnen gehabt).

Mein Mann hegt einen gewissen Optimismus für unsere spezielle Zukunft. Er hofft, daß wir in einiger Zeit an einem uns zugewiesenen Ort zusammen sein können, aber wann das sein werde und wo, könne er natürlich nicht sagen. Jedenfalls würden wir unsere große Reise nicht antreten können, und Frankreich scheine auch ausgeschlossen zu sein.

Während seines fast elfmonatigen Aufenthalts im Hausgefängnis Prinz-Albrecht-Straße 8 wurde Breitscheid offensichtlich eingehend verhört. Eine Liste des für SPD, SAP und sozialistische Splittergruppen zuständigen Referates im Gestapa bzw. RSHA weist für die Zeit zwischen 1933 und 1942 über 600 verhaftete Personen auf; darunter findet sich für das Jahr 1941 unter der laufenden Nr. 3 folgender Eintrag:

Rudolf Breitscheid
Stand: Schriftsteller
Geburtsdatum und -ort: 2.11.74, Köln
Wohnung: Arles/Provence
wo festgenommen: Vichy
Grund: Vorb. z. Hochverrat
eingeliefert: 13.2.41
Parteizugehörigkeit: SPD
Verbleib: Hausgefängnis
entlassen: 9.1.42 Kl Sachsenh.

Abgezeichnet wurde dieser Eintrag von dem Gestapo-Kommissar Gerhard Kling, der auch die Verhöre mit dem 67 Jahre alten Breitscheid durchführte. Diese Unterlage ist das einzige bisher aufgefundene amtliche Dokument über Breitscheids elf Monate während Haft in der Prinz-Albrecht-Straße 8. Kling sagte nach dem Krieg aus, daß Breitscheid von ihm und den anderen Gestapo-Beamten immer gut behandelt und daß seinem Alter Rechnung getragen worden sei.

Die Gestapo brachte Rudolf Breitscheid Anfang Januar 1942 ins KZ Buchenwald, wo er zunächst in einem kleinen Häuschen für prominente Gefangene, später in einer Sonderbaracke untergebracht war. Hier kam er am 24. August 1944 bei einem Luftangriff ums Leben; Gerüchte, nach denen er lebend geborgen und anschließend getötet worden sein soll, ließen sich bis heute nicht erhärten. Im Januar 1945 wurde Breitscheids Urne auf dem Waldfriedhof in Berlin-Stahnsdorf beigesetzt.

Kurt Lehmann

(August 1941)

Kurt Lehmann (geb. 1906) fuhr, ebenso wie sein zwei Jahre älterer Bruder Werner, zur See und war seit jungen Jahren engagierter Gewerkschafter. Vor 1933 leitete er die größte Seeleute-Gewerkschaftszelle in Hamburg. Im Mai 1933 emigrierten beide Brüder nach Antwerpen und schlossen sich dort der illegalen Seeleute-Gruppe der Internationalen Transportarbeiter-Föderation (ITF) an. Mit Hilfe der ITF unter ihrem Generalsekretär Edo Fimmen organisierten sie und andere Gleichgesinnte auf deutschen Hochseeschiffen illegale Zellen und bauten ein Netz von Vertrauensleuten in allen bedeutenden Hochseehäfen der Welt auf. So gelang es, Druckschriften nach Deutschland zu transportieren und politisch Verfolgten zu helfen. 1936 gingen Werner und Kurt Lehmann zusammen mit 30 weiteren Seeleuten nach Spanien, wo sie in der »Columna Durutti« auf republikanischer Seite kämpften. Als Franco siegte, flohen sie über die französische Grenze. Ende 1939 wurden Kurt und Werner Lehmann zunächst in Dünkirchen, schließlich in einem Camp in Nordafrika interniert. Auf deutsches Ersuchen holte die Polizei der französischen Vichy-Regierung die beiden Brüder 1941 nach Frankreich zurück und lieferte sie der Gestapo aus. Am 20. August 1941 wurden Kurt Lehmann und sein Bruder unter Anklage des Hochverrats in das Gefängnis in der Prinz-Albrecht-Straße 8 gebracht. Werner Lehmann starb während eines Verhörs am 21. September 1941. Die näheren Umstände sind nicht bekannt, der Verdacht von Folterung liegt jedoch nahe. Kurt Lehmann schilderte die folgenden Einzelheiten:[27]

Zu meiner Zeit befanden sich in der Prinz-Albrecht-Straße viele russische und englische Offiziere, auch Rudi Breitscheid war dort und ein polnischer Konsul. Das Gefängnis befand sich im Keller, Platz vielleicht für 60 Personen. Der Tagesablauf war folgendermaßen: Morgens wurden 5 oder 6 Gefangene zum Waschen geführt. Wir standen nebeneinander, und so kam es, daß ich einmal ein paar Worte mit einem englischen Offizier sprechen konnte und einmal mit dem polnischen Konsul. Auch mit Breitscheid habe ich einige Sätze gewechselt.

Da die Gefangenen Geld haben durften, kam nach dem Frühstück ein Wärter mit einem Kalfaktor und schrieb auf, wer Zigaretten und Tabak kaufen wollte. Man sagte, nur soviel, wie es auf Marken gab. Die Marken hatten wohl die Leiter des Gefängnisses. Später ging es für eine halbe Stunde auf den Hof. Danach alle zur Toilette, ob man wollte oder nicht. Dort traf ich einmal

234

einen russischen Flieger. Auch hier war es möglich, einige Worte miteinander zu sprechen.

In einem großen Raum sah ich einmal eine ganze Familie. Frauen mit Hüten, alle gut gekleidet, und alle weinten. Als ich später den Kalfaktor fragte, was für Leute das gewesen seien, antwortete er mir, daß der Sohn dieser Familie zum Militär eingezogen worden sei und während der Ausbildung zu seinem Zimmerkumpan gesagt habe, im letzten Krieg sei ein Gefreiter zuwenig erschossen worden. Dafür hätten sie die ganze Familie geholt.

Ich traf dort auch Julius Alpari.[28] Er sagte kein Wort über Stalin, als ich nach dem Hitler-Stalin-Pakt fragte. Alpari war der Mann, der die Inprekorr organisierte. Beim Hofgang sagte er mir, daß sein Sohn in Moskau studiert und daß er schon froh ist, wenn er hört, daß die braunen Horden gestoppt werden. Julius Alpari war schon alt, sein Haar grau, seine Haltung ziemlich gebrochen. Aber nicht sein Mut und sein Glaube.

Auf den Hof kamen wir immer für eine halbe Stunde. Jede Woche wurden die Leute anders zusammengestellt. Ein Komplott konnten wir nicht schmieden ... Wenn man austreten wollte, mußte man die Klappe werfen, bis ein Wärter kam und mit zur Toilette ging. Da ich aus Afrika kam, fragten die Vernehmer, was man dort sagte, wer den Krieg gewinnt. Ich antwortete, daß jede Nation auf den Sieg hofft. Die Leute wurden deshalb ärgerlich.

Offensichtlich war zunächst an ein Verfahren vor dem Volksgerichtshof gedacht; es kam aber nie zu einer Anklage oder Verhandlung. An die mehr als elfmonatige Haft in der Prinz-Albrecht-Straße schlossen sich ab Juli 1943 Aufenthalte in vier weiteren Anstalten an: Untersuchungsgefängnis Moabit (13 Monate), Gefängnis Plötzensee (1 Monat), Zuchthaus Ambery (15 1/2 Monate), Zuchthaus Straubing (3 Monate). – Nach seiner Befreiung arbeitete Kurt Lehmann als Angestellter im öffentlichen Dienst, zuletzt bei der Bundeswehr.

Die Widerstandsorganisation Harnack/Schulze-Boysen

Wohl keine Widerstandsorganisation ist in der öffentlichen und wissenschaftlichen Diskussion der Jahre seit 1945 so falsch und unzutreffend bewertet worden wie die von der Geheimen Staatspolizei unter dem Sammelbegriff »Rote Kapelle« zusammengefaßten Personenkreise. Die bereits in den Gestapo-Akten herrschende Verwirrung über die »Rote Kapelle« schlug sich deutlich in der Literatur nieder. Es kann hier nicht auf die weitverzweigten Aktionen der »Roten Kapelle« und die vielfachen Versuche von Gestapo und Abwehr zur Ausschaltung dieses Gegners eingegangen werden. Vor allem zwei Gruppen der »Roten Kapelle« sind zu unterscheiden:

– Leopold Trepper kam im Auftrag des sowjetischen militärischen Nachrichtendienstes bereits vor 1939 nach Belgien und Frankreich und baute dort, als erfolgreicher und vielreisender Geschäftsmann getarnt, eine große, nachrichtendienstliche Organisation auf, die bei Kriegsbeginn nur noch aktiviert werden mußte. Trepper und seine Mitarbeiter lieferten umfangreiche militärische Informationen an die Sowjetunion, hatten aber mit zunehmender Kriegsdauer immer größere Probleme. Vor allem ihre technische Ausrüstung war mangelhaft. Die Gruppe suchte daher Anschluß an andere Widerstandsorganisationen und bekam so Kontakt zu der in Berlin tätigen Widerstandsorganisation um Arvid Harnack und Harro Schulze-Boysen.

– Diese Organisation war eine der am längsten tätigen deutschen Widerstandsgruppen. Bereits 1933 fanden sich einzelne ihrer späteren Mitglieder zu politischer Arbeit zusammen und führten Schulungen durch. 1939 mit Kriegsbeginn wuchs auch die Widerstandsbereitschaft der Menschen um Harnack und Schulze-Boysen: Sie entwarfen, druckten und verbreiteten illegale Flugblätter und gaben sogar einige Nummern einer Untergrundzeitung »Die innere Front« heraus. Weder Arvid Harnack noch Harro Schulze-Boysen oder einer ihrer Mitarbeiter waren zu irgendeinem Zeitpunkt Agenten eines ausländischen Nachrichtendienstes. Erst nach dem deutschen Überfall auf die UdSSR gab die Harnack/Schulze-Boysen-Gruppe militärische Informationen weiter, um auf diese Weise aktiv am Sturz des nationalsozialistischen Unrechtregimes mitzuwirken. Viele von ihnen (so Arvid Harnack als Oberregierungsrat im Reichswirtschaftsministerium und Harro Schulze-Boysen als Oberleutnant im Reichsluftfahrtministerium) saßen an wichtigen Schaltstellen des Staates oder der Partei. Hier konnten sie Informationen erhalten, sammeln und weitergeben.

Die Vermengung des nachrichtendienstlichen Teils der »Roten Kapelle« mit den Männern und Frauen der Harnack/Schulze-Boysen-Organisation führte nach 1945 zu vielen falschen Bewertungen. Die Vorstellung einer Widerstandsgruppe, die aus politisch-ideologischer Ablehnung des Nationalsozialismus militärische Nachrichten an den »Feind«, die Sowjetunion, weitergegeben hatte, war im Klima des Kalten Krieges problematisch. Erst heute wird erkennbar, wie effizient, notwendig und moralisch begründet der Widerstand der Harnack/Schulze-Boysen-Organisation war; sie hatte den verbrecherischen Charakter des Nationalsozialismus in all seiner Konsequenz verstanden und handelte gemäß ihrer Überzeugung. Allein die militärische Niederlage konnte Deutschland die Befreiung vom Nationalsozialismus bringen.

Als die Organisation um Leopold Trepper in die Reichweite von Geheimer Staatspolizei und militärischer Funkabwehr kam, geriet auch die Gruppe um Harro Schulze-Boysen und Arvid Harnack durch das unvorsichtige Verhalten des Moskauer Funkers in Gefahr. Unter der Leitung des SS-Sturmbannführers Horst Kopkow (Referent für Sabotage im Amt IV des RSHA) und der Überwachung durch den SS-Oberführer Panzinger gelang es, in den Monaten August bis Oktober 1942 über 130 Widerstandskämpfer zu verhaften. Die männlichen Häftlinge der Schulze-Boysen/Harnack-Gruppe kamen (ebenso wie Libertas Schulze-Boysen und Mildred Harnack) in die Kellergefängnisse der Prinz-Albrecht-Straße 8. Hier wurden sie »verschärft vernommen«, also gefoltert und gequält. Der Kommunist John Sieg wählte am 15. Oktober 1942 den Freitod, andere Suizidversuche mißlangen.

Kopkow, der später Dienstäume am Kurfürstendamm 140 bezog, saß damals noch, ebenso wie sein Mitarbeiter Johannes Strübing, der nach dem Krieg Mitarbeiter eines bundesdeutschen Nachrichtendienstes wurde, in der Prinz-Albrecht-Straße. Während ihre Opfer in den Kellern litten, konnten die Verfolger ihrer »Tätigkeit« nachgehen. Fast 50 Mitglieder der Schulze-Boysen/Harnack-Organisation, darunter sämtliche Führungskräfte, wurden vom Reichskriegsgericht oder anderen Gerichten zum Tode, fast 40 weitere zu schweren Strafen verurteilt.

Arvid Harnack

(September 1942)

Arvid Harnack (geb. 1901) promovierte nach dem Studium an verschiedenen europäischen und amerikanischen Universitäten 1924 zum Dr. jur. und 1931 zum Dr. phil. Harnack, der seit 1930 mit seiner Frau, Dr. Mildred Harnack, in Berlin lebte, kam in Kontakt mit der Kommunistischen Partei und war besonders von dem Modell der sozialistischen Planwirtschaft in der UdSSR überzeugt. Dr. Harnack und Prof. Friedrich Lenz (Begründer der Gießener Schule in der Nationalökonomie) gründeten in Berlin die »Arbeitsgemeinschaft zum Studium der sowjetrussischen Planwirtschaft« (»Arplan«). Lenz (Vorsitzender) und Harnack (Generalsekretär) zogen zahlreiche führende Wissenschaftler aus dem In- und Ausland zur Mitarbeit heran. 1932 führte Harnack eine wissenschaftliche Reise von Nationalökonomen, Historikern, Publizisten und Ingenieuren in die UdSSR durch, an der u.a. Ernst Niekisch und Klaus Mehnert teilnahmen. Seit 1935 war Harnack im Reichswirtschaftsministerium, zuletzt als Oberregierungsrat, tätig (Referate: Grundsatzfragen und Amerika). Am 7. September 1942 wurden Arvid und Mildred Harnack festgenommen. Das Bild oben zeigt Dr. Arvid Harnack während der Gestapo-Haft. – Dr. Falk Harnack, eng mit seinem Bruder Arvid verbunden, hatte Kontakt zu einigen Männern des 20. Juli und stand 1943 selbst vor dem Volksgerichtshof wegen seiner Tätigkeit in der Widerstandsgruppe »Weiße Rose«; mangels Beweisen wurde er freigesprochen. 1942 durfte Falk Harnack seinen Bruder in der Prinz-Albrecht-Straße 8 besuchen. Am Abend schrieb er einen Bericht darüber, den er 1983 mündlich ergänzte:[29]

Die Häftlinge der Widerstandsorganisation »Rote Kapelle« – wie sie die Gestapo nannte – waren Sonderhäftlinge und unterlagen ganz besonderen Haftbedingungen. Ich konnte meinen Bruder zweimal im RSHA in der Prinz-Albrecht-Straße 8 besuchen. Das war nun nicht etwa eine Liebenswürdigkeit der Gestapo. Da wir zu erklären hatten, daß unser Bruder bzw. unsere Schwägerin auf Dienstreise für unbestimmte Zeit waren, mußten ja die bürgerlichen Angelegenheiten laufend geordnet werden. Dazu hatten mein Bruder und meine Schwägerin unseren Vetter, den Bibliotheksrat in der Staatsbibliothek Dr. Axel von Harnack, und mich benannt. Ich erklärte dann, daß ich meinen Bruder sprechen müsse, es seien Entscheidungen des zivilen Lebens zu treffen, über die ich nicht allein verfügen könne. Daraufhin habe ich zweimal die Möglichkeit bekommen, meinen Bruder im RSHA zu sehen.

Am Hauptportal stand ein SS-Posten unter Gewehr. Dem mußte ich sagen, daß ich bestellt war und zu wem ich wollte. Der nickte nur, und ich drückte einen Klingelknopf. Daraufhin kam ein Summen, und die Tür öffnete sich. Als ich in diesem kleinen Vorraum war, fiel die Tür hinter mir ins Schloß, ohne Klinke. Wenn man dieses Haus betrat – ich will nicht übertreiben –, tat man es mit größter Sorge, denn man wußte niemals, ob man wieder hinauskommt. Ich ließ mich immer von einem jungen Mann begleiten. Der bekam alle meine Wertsachen und mußte in einem Lokal in der Nähe warten. Wenn ich nach zwei Stunden nicht wiedergekommen wäre, hätte er Alarm geschlagen. Als ich im Vorraum stand, trat ich an ein kleines Pförtnerfenster heran, hinter dem ein Mann in SS-Uniform saß. Er verlangte den Ausweis und den Namen des Gestapo-Beamten, zu dem ich wolle. Dann bekam ich einen Besuchsschein. Der Pförtner drückte wiederum auf einen Knopf, wieder ein Summen, und ich stand, nachdem ich die große Tür durchschritten hatte, in dem riesigen Treppenhaus. Zum ersten Stock empor führte eine sehr bombastische, breite Freitreppe, dort gingen links und rechts Treppen in die anderen Stockwerke ab. Ich sah keinen Menschen, war aber sicher, von irgendwo beobachtet zu werden. Ich ging also hinauf in den ersten Stock.

Ich gebe jetzt den Bericht, den ich am gleichen Tag 1942 geschrieben habe (in Klammern spätere Ergänzungen): Am Sonntag, dem 15. November 1942, konnte ich meinen Bruder zum zweiten Male sehen. Sonntag vormittag um 11 Uhr betrat ich das Gebäude der RSHA. SS-Oberführer Oberregierungsrat Panzinger, der die Untersuchung führte, war nicht da. Dafür wurde ich zu einem Herrn Kopkow gewiesen, der mich außerordentlich kühl, eisig und korrekt empfing. Er lehnte jede Auskunft über den Stand der Untersuchung ab und bat seinen Kollegen, Kriminalrat Heyser, das Zusammentreffen durchzuführen. Wir begaben uns in den vierten Stock, wo ich auf dem dunklen, trüben Korridor warten mußte, während der Beamte wegging, um Arvid zu holen. Nachdem circa fünf Minuten verstrichen waren, öffnete sich die Fahrstuhltür, die sich ungefähr zwanzig Meter von mir entfernt befand. Heraus traten der Beamte und Arvid. Er hatte die Hände auf dem Rücken. Wir eilten uns entgegen und umarmten uns. Dann traten wir in ein Dienstzimmer. Ich ließ Arvid vorangehen. An einem kleinen Tisch, an dem zwei Holzsessel standen, nahm Arvid Platz, während der Beamte sich an einen Doppelschreibtisch setzte. Ich packte die mitgebrachten Dinge aus, zeigte sie dem Beamten und gab sie Arvid. Der Beamte ließ mich ruhig gewähren. Es waren Lebensmittel. (Die Häftlinge dort verhungerten fast. In jedem Brief stand immer: »Es war wunderbar, daß Ihr mir etwas zu essen geschickt habt, obwohl das Essen hier reichlich ist.« Das letzte mußte er natürlich dazuschreiben, sonst wäre der Brief nicht durch die Zensur gekommen.) Ich gab Arvid ein neues Foto von unserer Mutter, worüber er sich sehr freute. In diesem Zusammenhang bat er um ein Foto von Mildred. Dann verlangte Arvid einen ausführlichen Bericht über die Familie. Sichtlich freute er sich, daß die Familie Haltung und Stärke bewahrt hat.

Dann ließ ich mir sein jetziges Leben beschreiben. Arvid sagte: »Meine Zelle ist ungefähr so groß.« Dabei zeigte er mit den Armen die Größe an, nach Augenschätzungen eineinhalb bis zwei Meter zu drei bis vier Meter. »Wenn ich auf den Stuhl steige, kann ich etwas vom Himmel sehen. In der Zelle ist ein Bett, das tagsüber hochgeklappt wird, ein Stuhl und ein kleiner Tisch. Der Tag beginnt um sechs Uhr. Das frühe Aufstehen fällt mir schwer. (Das war die erste Andeutung, daß er gefoltert wurde, denn meinem Bruder ist es nie schwergefallen, früh aufzustehen.) Dann Waschen, danach gibt es schwarzen Kaffee mit zwei Broten, die entweder mit Margarine oder Marmelade bestrichen sind. Mittagessen um zwölf Uhr, Weißkohl oder Rote Rüben. Einmal in der Woche gibt es ein Stück Speck, sonntags etwas Fleisch. Um sechs Uhr gibt es Abendbrot, schwarzen Kaffee und Brot. Das Essen ist reichlich, aber vitaminarm.« Ich fragte Arvid: »Kommst Du wenigstens an die frische Luft?« Er erwiderte: »Jeden zweiten Tag komme ich in den Garten, zum Rundgang, was mir gut tut. (Die ersten Wochen der Haft kam er nicht zum Hofgang, wie ich beim ersten Besuch erfahren hatte.) Überhaupt versuche ich, der Enge und der Untätigkeit des Körpers durch Freiübungen entgegenzuwirken. Hauptsache ist, das innere Gleichgewicht zu bewahren, was nicht leicht ist.«

Unser Gespräch wurde unterbrochen, da eine vierte Person eintrat, um etwas abzugeben. Durch Zeichen fragte ich Arvid, ob er geschlagen worden sei. Er beugte sich langsam über den Tisch und flüsterte mir zu: »Sie haben mich gemartert.« An Arvids Gesichtsausdruck sah ich, daß es grauenvoll gewesen sein muß. Er ist wohl einer der beherrschtesten und härtesten Menschen, die ich kenne. Dann sagte er: »Grüße mir alle Freunde herzlich von mir.« (Das war nicht so ein hingesagter Gruß, sondern das bedeutete den klipp und klaren Auftrag für mich, alle Leute, die Arvid kannte, zu warnen, was übrigens bei strengster Bestrafung verboten war.) Anschließend kamen wir mit dem Beamten ins Gespräch, der einen korrekten Eindruck machte. Arvid erzählte etwas von unserem brüderlichen Verhältnis: »Falk ärgerte sich früher immer, wenn ich von meinem ›kleinen‹ Bruder sprach. Heute unterschreibt er seine Briefe an mich so, was mich sehr freut.« Darauf ich: »Wissen Sie, mein Bruder ist erheblich älter. Er vertrat Vaterstelle an mir. Ich konnte zu ihm mit allen meinen Sorgen und Nöten kommen und erhielt immer Rat von ihm. Arvid, das möchte ich Dir sagen, ich trage die tiefe Dankbarkeit und Liebe sehr fest im Herzen.« Arvid sah mich liebevoll an, doch wir faßten uns schnell und gingen auf das sachliche Gebiet über. »Was mich betrifft,« so sagte er, »ist im wesentlichen abgeschlossen. Da die Angelegenheit Kreise gezogen hat, so wird wohl noch einige Zeit vergehen. Wahrscheinlich kommt die Sache vor den Volksgerichtshof, eventuell auch zum Reichskriegsgericht. Ich würde dann als Untersuchungsgefangener nach Moabit kommen. Dann steht mir ein Verteidiger zu, denn ich habe bisher von meinem Verteidigungsrecht wenig Gebrauch gemacht, und es sind eine Reihe von juristischen Fragen zu klären.«

Ich unterbrach Arvid und sagte ihm, daß wir alle Hebel in Bewegung gesetzt hätten, um einen geeigneten Wahlverteidiger zu finden. (Wo wir auch hingingen, die Verteidiger lehnten angstvoll ab!) Daraufhin sagte Arvid mir, ich solle mich mit Klaus in Verbindung setzen. (Gemeint ist Dr. Klaus Bonhoeffer, der Bruder des Pfarrers Dietrich Bonhoeffer, beide später hingerichtet. Damit gab mir Arvid Vollmacht, mit der Widerstandsbewegung, die heute »20. Juli« heißt, in Verbindung zu treten und von dieser Seite eine Rettungsaktion zu starten. Wenige Stunden später verhandelte ich bereits mit Klaus und Dietrich Bonhoeffer. Dies war deshalb nicht schwierig, weil Klaus und Dietrich Bonhoeffer unsere Vettern sind. Sie sagten mir bei diesem Gespräch volle Unterstützung zu.)

Arvid fuhr dann fort: »Grundsätzliches: Ich glaube, daß ich im Prinzip richtig gehandelt habe. Der Krieg ist verloren, und als einzige Rettung gibt es den Weg, den ich eingeschlagen habe. Manche Mittel, die ich anwandte, waren sicher falsch. Ich glaube, daß man uns noch brauchen wird.« (Im »20. Juli« setzte die Linie Trott zu Solz, Haushofer, Reichwein ganz stark auf die Widerstandsorganisation von Arvid Harnack und Harro Schulze-Boysen. Innerhalb des »20. Juli« war kein einziger in der Lage, mit der Sowjetunion glaubhaft zu verhandeln. Das hätten nur Harnack und Schulze-Boysen erledigen können. Und deshalb sagte man sich bei den klar denkenden Militärs, daß die Widerstandsorganisation um meinen Bruder gerettet werden müsse.)

Ich fragte: »Hast Du irgendwelche Wünsche, Arvid?« Arvid: »Ja, ich möchte einige Bücher. Ricardo, John Stuart Mill, Friedrich List, Glanz und Elend der französischen Kolonien, Agrarpolitik, Backes ›Kampf um Nahrungsfreiheit‹, Groeners ›Volkswirtschaft‹, Gregors ›Alexander der Große‹. Ich brauche diese Bücher zu einer grundlegenden Arbeit über sozialistische Planwirtschaft, an der ich zur Zeit arbeite.« (Arvid hatte seine Verteidigung im RSHA dadurch geführt, daß er die Beamten immer wieder in Diskussionen verwickelte. Als ich zu dem SS-Oberführer Panzinger kam, sagte der: »Mit Ihrem Bruder ist es nicht zu fassen. Im Angesicht des Todes verwickelt er uns immer wieder in Diskussionen.« (Schellenberg, Chef Abwehr im RSHA, berichtet in seinen Memoiren, daß Heinrich Müller eines Tages zu ihm gekommen sei und erklärt habe: »Schulze-Boysen oder Harnack ... blieben nicht in Halbheiten stecken, sondern waren wirklich fortschrittliche Revolutionäre, die immer nach einer ganzen Lösung suchten und dieser Linie bis zu ihrem Tode treu blieben«.)

Kurz berichtete ich über meinen Besuch beim Staatssekretär Landfried im Reichswirtschaftsministerium, dem Vorgesetzten von Arvid. Er sei sehr ernst gewesen, könne leider nichts tun. Er habe ihn vor allem als wissenschaftlichen Arbeiter geschätzt; er sei »das beste Pferd im Stall« gewesen. Als Mann mit Ideen hätte Landfried vorgehabt, Arvid zu einer Professur zu verhelfen. Sein Amt im Reichswirtschaftsministerium habe Arvid in keiner Weise miß-braucht. Arvid freute sich darüber und erzählte von gemeinsamer Arbeit auf dem Gebiet der »Großraumwirtschaft«. Der Plan einer Professur sei ihm neu. »Lieber Arvid, ich möchte mir keine Vorwürfe machen. Soll ich mich beim Chef des RSHA melden lassen?« – »Nein«, antwortete er mir, »das wird wohl kaum Zweck haben. Wir wollen nicht sentimental sein. Die Sache steht so ernst, wie sie ernster überhaupt nicht stehen kann.« Wir sprachen noch über allgemeine Dinge. Unter anderem teilte er mir mit, daß er immer wieder nach »Ernst« gefragt würde. (Gemeint war unser Vetter Ernst von Harnack, Regie-rungspräsident a.D., der mit Goerdeler und Leuschner befreundet war und am 5.3.1945 in Plötzensee hingerichtet wurde. Arvid hatte erklärt, es handele sich nur um einen harmlosen Altherrenclub. Diese Warnung gab ich noch am gleichen Tage an den Bruder Ernst von Harnacks weiter.)

Es war inzwischen eine dreiviertel Stunde verstrichen, der Beamte mahnte zur Trennung. Ich wandte mich an den Beamten und fragte ihn, ob es nicht doch möglich sei, Mildred zu besuchen. »Vorerst nicht«, sagte er. Ich erwi-derte, daß wir alle in großer Sorge um Mildred seien: »Ich muß immer wieder Öl auf die Wogen der Familie gießen. Sie war sehr krank und wir machen uns Sorgen um ihren Nervenzustand.« – »Da brauchen Sie keine Sorgen zu haben. Im Gegenteil sind ihre Nerven in Ordnung.« Arvid schaltete sich ein und sagte: »Mildred war krank, nun geht es ihr wieder gut.« – »Briefe und Lebens-mittel können ihr doch zugestellt werden?« Der Beamte bejahte, und ich übergab ihm einige Nahrungsmittel und Mamas Briefe mit Grüßen unserer Geschwister. Da ich sie nicht sehen durfte, schrieb ich: »Liebe Mildred, ich bin eben bei unserem geliebten Arvid. Wir beide senden Dir herzliche Grüße und Küsse. Dein treuer Schwager Falk.« Den Brief las ich Arvid vor, der sich freute, daß Mildred auf diese Weise von ihm einen Gruß erhielt. Arvid wandte sich nun direkt an den Beamten und fragte ihn, wie es denn Karl Behrens gehe. (Karl Behrens war einer der engsten Mitarbeiter Arvid Harnacks im Wider-stand. Damit war für mich die Warnung ausgesprochen. Ich wußte dadurch, daß der ganze Kreis um Arvid verhaftet und keine Hilfe mehr aus dieser Rich-tung zu erwarten sei, da Behrens hier der entscheidende Verbindungsmann war.) Dann verließen wir zu dritt den Raum, gingen den langen Korridor zum Fahrstuhl vor. Der Beamte gestattete mir, mitzufahren und lud mich durch eine kleine Geste ein, einzutreten. Aber ich ließ Arvid betont den Vortritt. Arvid lächelte, worauf ich ihm sagte: »Du bist für mich eben immer noch der hohe und angesehene Beamte«. Hierauf erwiderte der Beamte: »Auch wir sehen in ihm immer noch den Oberregierungsrat«. Der Fahrstuhl fuhr hinab, hielt im Erdgeschoß. Wir umarmten uns herzlich und küßten uns. Nochmals trug er mir Grüße an alle auf, vor allem an Mama. Dann schloß sich die Fahrstuhltür hinter mir und führte Arvid und den Beamten ins Souterrain. (Das war das letzte Mal, daß ich meinen Bruder gesehen habe. Arvid sah diesmal – im Vergleich zum ersten Besuch – etwas besser aus. Er war sehr beherrscht, klar und aufrecht, eine männliche, bewundernswerte Haltung.)

Arvid Harnack wurde am 19. Dezember 1942 vom Reichskriegsgericht nach einer langen Haft in den Kellern der Prinz-Albrecht-Straße zusammen mit acht anderen Widerstandskämpfern der gleichen Organisation zum Tode verurteilt und am 22. Dezember 1942 in Plötzensee hingerichtet.

Mildred Harnack-Fish

(September 1942)

Dr. Mildred Harnack-Fish M.A. (geb. 1902) lernte ihren späteren Mann Arvid bei dessen Studienaufenthalt in den USA kennen. Neben einer reichen publizistischen Tätigkeit beschäftigte sie sich mit literaturwissenschaftlichen Fragen und setzte sich vor allem für die Aufarbeitung moderner amerikanischer Literatur im deutschen Sprachraum ein (Wolfe, Wilder, Faulkner). Sie arbeitete als Übersetzerin und Lektorin, später, nach ihrer Promotion 1939 in Gießen, als Dozentin an der Berliner Universität.

Mildred Harnack nahm aktiv an der Tätigkeit der Widerstandsorganisation um ihren Mann und Harro Schulze-Boysen teil. Sie knüpfte Kontakte, hielt Verbindungen zu Adam Kuckhoff und Harro Schulze-Boysen und verteilte Nachrichten. Bei ihrer Verhaftung hatte sie einen Band Goethe-Gedichte bei sich, die sie in der Prinz-Albrecht-Straße 8 und in Plötzensee übersetzte. Der Band wurde von Pfarrer Dr. Harald Poelchau gerettet und nach 1945 der Familie übergeben.[30]

Auch Mildred Harnack, die kurz zuvor eine Operation überstanden hatte, wurde in der Prinz-Albrecht-Straße gefoltert und erkrankte schwer. Im Gegensatz zu ihrem Mann, der von seinem Bruder Falk zweimal besucht werden durfte, war ihr jeglicher Kontakt zur Familie verwehrt. Sie durfte keine Briefe schreiben und erhalten, und auch der Empfang von Lebensmitteln war ihr verwehrt. Die Frau von Reichskriegsgerichtsrat Adolf Grimme sah Mildred Harnack-Fish einmal kurz in der Prinz-Albrecht-Straße. Nach ihrem Bericht lag Mildred Harnack auf einer Bahre, ihr blondes Haar war weiß geworden. Ihr Foto aus der Prinz-Albrecht-Straße oben zeigt diese mutige Widerstandskämpferin erschöpft, aber nicht gebrochen. Manfred Roeder, Ankläger in allen Verfahren gegen Mitglieder der Harnack/Schulze-Boysen-Gruppe, erklärte Falk Harnack: »Sie haben diese Frau zu vergessen. Sie darf für Ihre Familie nicht mehr existieren«.

Das erste Urteil des Reichskriegsgerichts mit einer Zuchthausstrafe von sechs Jahren für Mildred Harnack wurde auf ausdrückliche Weisung Adolf Hitlers aufgehoben. Ein anderer Senat des Reichskriegsgerichts verurteilte Mildred Harnack dann auftragsgemäß am 16. Januar 1943 zum Tode. Ihr Leben endete am 16. Februar 1943 unter dem Fallbeil von Plötzensee.

Das Göttliche

Edel sei der Mensch	Noble be man,
Hilfreich und gut!	Helpful and good,
Denn das allein	For that alone
Unterscheidet ihn	Distinguishes
Von allen Wesen,	Him from all beings
Die wir kennen.	On earth known.
Heil den unbekannten	Hail to the unknown
Höhern Wesen,	Higher beings
Die wir ahnen!	Whom we surmise.
Ihnen gleiche der Mensch;	Like them be man,
Sein Beispiel lehr' uns	His example teach us
Jene glauben.	To believe in them.
Denn unfühlend	For nature (is unfeeling)
Ist die Natur:	Do unfeeling:
Es leuchtet die Sonne	The sun shines
Über Bös' und Gute,	On the good and the evil
Und dem Verbrecher	And moon and stars
Glänzen wie dem Besten	Shine on the criminal
Der Mond und die Sterne.	as on the best of men.
…	…
Nur allein der Mensch	Man alone
Vermag das Unmögliche:	Can do the impossible
Er unterscheidet,	he can distinguish,
Wählet und richtet;	Choose and judge
Er kann dem Augenblick	He can make permanent
Dauer verleihen.	The fleeing moment.
…	…
Der edle Mensch	The noble man
Sei hilfreich und gut!	Be helpful and good!
Unermüdlich schaff' er	Restless he do
Das Nützliche, Rechte,	The useful, the wise
Sei uns ein Vorbild	Be us example
Jener geahneten Wesen!	Of those surmised beings!

Harro
Schulze-Boysen

(September 1942)

Harro Schulze-Boysen (geb. 1909) gehörte frühzeitig zu den Gegnern des Nationalsozialismus. Als die von ihm herausgegebene Zeitschrift »Der Gegner« im April 1933 verboten und Harro Schulze-Boysen in Berlin verhaftet wurde, konnte er nur dank der Intervention seiner Familie wieder freikommen. Nach einem Besuch der Fliegerschule in Warnemünde bekam er eine Anstellung als Leutnant (später Oberleutnant) im Reichsluftfahrtministerium. Er war aus dieser Position heraus in der Lage, wichtige Nachrichten an die UdSSR weiterzugeben, beteiligte sich aber auch an anderen Aktionen der nach ihm und Arvid Harnack benannten Widerstandsgruppe. Am 30. August 1943 wurde er verhaftet und ins Gefängnis der Prinz-Albrecht-Straße 8 gebracht. Das Bild zeigt ihn kurz nach seiner Verhaftung. Auch er war dort den Folterungen der Gestapo-Beamten ausgesetzt. Das hier von ihm abgedruckte Gedicht[31] wurde im Sommer 1945 in den Dielenritzen der Zelle 2 in der Prinz-Albrecht-Straße 8 gefunden. – Am 22.12.1942 wurde Harro Schulze-Boysen nach dem am 19. Dezember ergangenen Urteil des Reichskriegsgerichts in Plötzensee hingerichtet.

Gestapa
Zelle 2

Der Wind schlägt naß ans Fenster
und heulend schlägt's Alarm!
In Deutschland gehn Gespenster um
Hier drinnen ist es warm ...

Sie nennen es Gefängnis,
der Leib ist auch gebannt
und doch ist das Verhängnis, ach,
dem Herz noch kaum bekannt.

Mir scheint's wie Klosterzelle;
Die hell getünchte Wand
hält fern mir jede Welle, die
mich sonst jäh berannt.

Der Geist schweift frei ins Leben,
die Fesseln schern ihn nicht
und Zeit und Raum, sie heben sich
hinweg im blassen Licht

Und sind wir losgeschnitten
von unruhvoller Welt,
so ist auch abgeglitten all
das Beiwerk, das nicht zählt.

Es gilt nur die letzte Wahrheit
dem überscharfen Blick
und ungetrübte (Klarheit?) wird
hier stolz zum Daseinsglück.

Der Stunde Ernst will fragen:
Hat es sich auch gelohnt?
An Dir ist's nun zu sagen: Doch!
Es war die rechte Front.

Das Sterben an der Kehle
hast Du das Leben lieb ...
und doch ist Deine Seele satt,
von dem was vorwärtstrieb.

Wenn wir auch sterben sollen,
so wissen wir: Die Saat
geht auf. Wenn Köpfe rollen, dann
zwingt doch der Geist den Staat.

Die letzten Argumente
sind Strang und Fallbeil nicht,
und unsere heut'gen Richter sind
noch nicht das Weltgericht.

Schulze-Boysen
Nov.42

Libertas
Schulze-Boysen

(September 1942)

Libertas Haas-Heye (geb. 1913) arbeitete nach dem Abitur zunächst in der Berliner Presseabteilung von Metro-Goldwyn-Mayer. 1936 heiratete sie den Luftwaffenoffizier Harro Schulze-Boysen und begann bald darauf als Dramaturgin bei der Berliner Kulturfilmzentrale in den Bereichen »Kunst«, »Deutsches Land und Volk« und »Völkerkunde«. Durch ihre beruflichen Verbindungen soll es ihr gelungen sein, Fotos von Greueltaten der SS in Polen und in der Sowjetunion zu beschaffen, die in die UdSSR weitergeleitet werden konnten. An den Widerstandsaktionen der Organisation war Libertas Schulze-Boysen maßgeblich beteiligt. Anfang September 1942 verhaftete die Gestapo auch sie. Ihr Bruder[32] berichtete in einem am 25. November 1944 verfaßten Bericht über die Bemühungen der Familie, mit Libertas Schulze-Boysen in Kontakt zu treten:

Sodann entschloß ich mich kurzerhand, zusammen mit meiner Mutter zur Prinz-Albrecht-Straße 8 zu gehen, der Hauptuntersuchungsstelle des Sicherheitshauptamtes. Ich konnte mir das als Soldat auch leisten, wie es überhaupt für mich damals ein Glück gewesen ist, in Uniform zu stecken. Bei der Anmeldung im Erdgeschoß brachte ich das plötzliche Verschwinden meiner Schwester und die später stattgefundene Versiegelung der Wohnung vor, aus der ich eine Verhaftung ableiten zu können glaubte, und bat um Mitteilung, was vorläge und was zu tun sei. Es wurde im ganzen Haus herumtelefoniert, aber das Ergebnis blieb immer negativ. Als ich bereits mit meiner Mutter auf dem Korridor war, wurde ich von einem Beamten zurückgerufen, der zufällig in dem Zimmer anwesend war und der mir sagte, ich sollte doch im 2. Stock, Abt...., Zimmer... nachfragen, er glaube, daß man dort Bescheid wisse. Ich lief sofort dorthin und stieß auf einen Schreiber, der so dumm war, mir gleich bei Nennung des Namens Schulze-Boysen zu sagen: »Ja, die sind beide verhaftet.« Daraufhin verlangte ich die Leute zu sprechen, die sich mit dem Fall beschäftigten. Nach längerem Hin und Her drang ich zu einem Kommissar vor, der mir in schroffstem Ton erklärte, es handele sich um eine ernste Angelegenheit, über die vorläufig nichts gesagt werden könne. Ich verlangte daraufhin, daß mir meine Sachen, die sich in der versiegelten Wohnung befanden, ausgehändigt würden, was mir zugesagt wurde.

Als der Bruder sich wenige Tage später in der Wohnung von Harro und Libertas Schulze-Boysen in der Altenburger Allee 19 (Berlin-Charlottenburg) einfand, erhielt er seinen Koffer. Bei dieser Gelegenheit vernahm ihn »ungemein freundlich« ein Gestapo-Beamter, der sich als »Goepfert« vorstellte und in Begleitung einer Sekretärin namens Gertrud Breiter war. Das Verhör blieb – ebenso wie eine Durchsuchung der Wohnung der Fürstin Eulenburg einige Tage später – ohne Folgen. Gertrud Breiter gelang es jedoch, im Laufe der Verhöre in der Prinz-Albrecht-Straße das Vertrauen von Libertas Schulze-Boysen zu gewinnen, die glaubte, in der Gestapo-Sekretärin eine mitfühlende Freundin gefunden zu haben. So vertraute sie Gertrud Breiter nicht nur Details der Widerstandsarbeit an, sondern soll über sie auch versucht haben, noch in Freiheit lebende Angehörige der Harnack/Schulze-Boysen-Gruppe zu warnen. Die Atmosphäre, in der solche Illusionen möglich waren, ist im Bericht ihres Bruders zu erkennen:

Am 20. Juli 1942 war der 29jährige Geburtstag meiner Schwester. Meine Mutter hatte Goepfert um Erlaubnis gebeten, sie an diesem Tage besuchen zu dürfen. Sie hatte keine definitive Zusage erhalten, erhielt aber die Mitteilung, sie solle auf jeden Fall am 20. zur Prinz-Albrecht-Straße 8 kommen, wo sie mindestens Briefe und kleine Geschenke würde abgeben können. Ich begleitete meine Mutter hin. Goepfert saß im Zimmer 101 im 2. Stock. Ich wartete auf dem Korridor, während meine Mutter das Zimmer betrat. Nach einigen Minuten kehrte sie zurück, um mich auch in das Zimmer zu holen – und da fand ich mich meiner Schwester gegenüber, in Gesellschaft von Goepfert und der Gertrud Breiter. Die Unterhaltung erstreckte sich natürlich nur auf private Dinge. Sie sollte nur zehn Minuten dauern, doch erst nach dreißig Minuten erinnerte Goepfert in außerordentlich freundlichem Ton daran, daß es Zeit sei, zu gehen. Er meinte, es würden sich andere Möglichkeiten, sich wiederzusehen, ergeben. Meine Schwester sah ganz wohl, wenn auch recht blaß aus. Sie betonte immer wieder, daß es ihr gutgehe und sie sehr gut behandelt werde. Goepfert bemerkte einmal, daß sie oft in diesem Zimmer gemütlich zusammen seien, Grammophon spielten usw. Ich bemerkte den Radioapparat aus der Wohnung meiner Schwester. Es war übrigens nicht das erste Mal, daß ich mit meiner Schwester zusammen in diesem Gebäude war: es war früher die Unterrichtsanstalt des staatlichen Kunstgewerbemuseums gewesen, an der unser Vater in den Jahren 1921-25 als Professor tätig war. Meine Schwester und ich pflegten damals auf den weiten Korridoren herumzutollen.

Viele Anzeichen sprechen dafür, daß die Gestapo Libertas Schulze-Boysen in der ersten Dezemberhälfte 1943 mit den Auswirkungen ihrer Aussagen konfrontiert hat. Über die Entwicklung danach berichtet ihr Bruder:

Ihre ersten Briefe aus der Haft klangen einigermaßen hoffnungsvoll, und Beginn Dezember war sogar von der Möglichkeit gesprochen worden, daß sie nach Abschluß der Voruntersuchungen auf freien Fuß gesetzt werden würde. In ihrem Abschiedsbrief, der durch den Pfarrer überbracht wurde, spricht sie die Worte aus: »Nun iß die Früchte Deiner Taten – denn wer verrät, wird selbst verraten. Auch ich wollte frei sein, um zu Dir (der Brief ist an unsere Mutter gerichtet) zurückzukehren. Aber jetzt haben mir alle verziehen. Ich habe die größte Enttäuschung meines Lebens erlebt. Ein Mensch, dem ich mein ganzes Vertrauen geschenkt hatte, Gertrud Breiter, hat mich verraten.« In dem zweiten Abschiedsbrief, der meiner Mutter durch die Gestapo zugestellt wurde, spricht sie von den Stunden vor Gericht, die wohl die großartigsten ihres Lebens gewesen seien und in denen ihr Leben erst seine wahre Vollendung erhalten habe.

Während andere Gefangene aus der Harnack/Schulze-Boysen-Organisation gefoltert wurden und mit Schlägen oder Nahrungsentzug dazu gebracht werden sollten, Informationen preiszugeben, war es der Gestapo in diesem Fall gelungen, sich in das Vertrauen des Opfers einzuschleichen. Wie immer das Verhalten von Libertas Schulze-Boysen zu beurteilen ist, sie suchte jedenfalls nicht ihren eigenen Kopf zu retten, sondern dachte vor allem daran, andere zu warnen. Das Reichskriegsgericht verurteilte Libertas Schulze-Boysen zusammen mit ihrem Mann zum Tode; sie wurde am 22. Dezember 1942 in Plötzensee hingerichtet.

Adam Kuckhoff

(September 1942)

Adam Kuckhoff (geb. 1887) studierte in Halle Volkswirtschaft, Germanistik und Philosophie und promovierte 1912 zum Doktor der Philosophie. Neben seiner Tätigkeit als Schriftsteller wandte er sich vor allem dem Theater zu. 1927 gründete er das Frankfurter Künstlertheater, 1930 war er als Dramaturg am Preußischen Staatstheater am Gendarmenmarkt, ab 1932 zusätzlich als Lektor des Deutschen Verlages in Berlin tätig. Die Zusammenarbeit zwischen den Harnacks und dem Ehepaar Kuckhoff entstand bereits in den frühen dreißiger Jahren. 1939 initiierte Adam Kuckhoff die Begegnung zwischen Arvid Harnack und Harro Schulze-Boysen, aus der dann die nach beiden benannte Widerstandsgruppe erwuchs. In den Kriegsjahren war Kuckhoff vor allem mit der Redaktion der Untergrundzeitung »Innere Front« beschäftigt. Am 12. September 1942 wurde er in Prag verhaftet und nach Berlin in die Prinz-Albrecht-Straße gebracht. Sein Mitgefangener Adolf Grimme[33] schrieb 1946:

Was nun seine Haltung vor Gericht betrifft, so ist sie dieselbe gewesen, die er in den ganzen letzten Wochen seines Lebens gezeigt hat: mannhaft, keinen Augenblick innerlich oder äußerlich nachgebend und wie besessen von dem Glauben, daß er sein Leben für eine große Sache zum Opfer bringen müsse. Das ist alles um so bewundernswerter, als man ihn von Anfang an übel behandelt hat. Beim Termin im Februar 1943 war er zum erstenmal seit seiner etwa Anfang September 1942 erfolgten Verhaftung ohne Fesseln, und er hatte Gelegenheit mir zuzuflüstern, daß er in sadistischer Weise in der sogenannten Stalinkammer, dieser Schreckenskammer der Gestapo in der Prinz-Albrecht-Straße in Berlin, Torturen über sich hat ergehen lassen müssen. Er hat sie mir im einzelnen geschildert. Ich möchte sie jetzt nicht wiederholen. Diese Ungebrochenheit seines Charakters war schlechthin beispielhaft.

Am 5. August 1943 wurde Adam Kuckhoff in Plötzensee hingerichtet. Greta Kuckhoffs Todesurteil wurde im Mai 1943 in eine zehnjährige Zuchthausstrafe umgewandelt. Sie verbrachte die Zeit bis 1945 in unterschiedlichen Lagern und Gefängnissen. Nach Kriegsende nahm sie aktiv am Aufbau der DDR teil und war als Notenbankpräsidentin tätig. Ein von ihr zusammen mit Adolf Grimme angeregtes Gerichtsverfahren gegen den Hauptanklagevertreter bei den Prozessen gegen die »Rote Kapelle«, Oberstkriegsgerichtsrat Manfred Roeder, blieb ohne Erfolg. Greta Kuckhoff lebt in Ost-Berlin.

Greta Kuckhoff

(September 1942)

Greta Kuckhoff (geb. 1902) kam während ihres Studiums über die Lektüre Marxscher Texte zum Kommunismus. Obwohl sie nicht in alle Einzelheiten der Widerstandsgruppe Harnack/ Schulze-Boysen eingeweiht war, unterstützte sie den hier organisierten Widerstand durch viele Tätigkeiten. Am gleichen Tag wie ihr Mann Adam Kuckhoff verhaftet, kam sie in das Gefängnis am Alexanderplatz und wurde nur zu Verhören in die Prinz-Albrecht-Straße 8 gebracht:[34]

Als sie mich das erstemal holten, mußte ich im Keller des Reichssicherheitshauptamtes eine ganze Weile warten. Schließlich brachte man mich in ein Büro, das sich in nichts unterschied von üblichen Behördenräumen. Ich war beinahe überrascht von der sachlichen Art, in der man mit mir sprach. Man ließ keinen Zweifel daran, daß man mich für wohlunterrichtet hielt ...

Es war kein elegantes Florettfechten mehr. Hinter jeder der fast bissig hervorgeschleuderten Fragen stand jetzt das Fallbeil. Ich wurde unruhig. Ich merkte aus der Art der Fragestellung, wie sie mich behandelten, daß eine ganze Menge belastendes Material vorhanden war. Ich hatte kein Mittagessen bekommen. Man hatte mir keine Ruhepause gelassen. Pausenlos, mit Ausnahme der Zeit, in der ich mich mit dem Material beschäftigen mußte, war die Vernehmung weitergegangen. Als es dunkel wurde, bot man mir eine Tasse starken schwarzen Kaffee an – wahrscheinlich sah ich blaß und erschöpft aus. Ich begründete meine Ablehnung damit, daß ich von Leuten, die mich hinter verschlossenen Türen halten, ohne daß ein Haftbefehl vorliegt, überhaupt nichts annehme. Sie grinsten boshaft: »Sie brauchen nicht zu zögern. Nehmen Sie ruhig. Wir haben den Kaffee bei Ihnen gefunden. Da Sie uns zwingen, so viele Überstunden zu machen, dachten wir, daß wir ein Recht auf die Stärkung haben.« Ich trank die mir angebotene Tasse Kaffee – meines Kaffees – nun doch, ich brauchte eine Stärkung. Diese erste Vernehmung dauerte dreizehn Stunden.

Ich glaube, der Morgen dämmerte schon über dem Tiergarten, als die beiden Kommissare mir vorschlugen, durch die stillen Alleen zu gehen, da ich seit der Verhaftung nicht einmal die in Untersuchungsgefängnissen, selbst in Zuchthäusern übliche Fünfzehn-Minuten-»Freistunde« hatte. Die herbstlich kühle Luft tat gut.

Adolf Grimme

(Oktober 1942)

Eng befreundet mit den Kuckhoffs war Adolf Grimme (geb. 1889), von 1930 bis 1932 Preußischer Minister für Wissenschaft, Kunst und Volksbildung. Am 11. Oktober 1942 wurde er verhaftet. Bis zu seinem Prozeß am 1. und 2. Februar 1943 verblieb Grimme in den Kellern der Prinz-Albrecht-Straße. In seinen erhaltenen Briefen steckt, neben aller Hoffnung für die Familie, vor allem die verschlüsselte Bitte um Nahrung:[35]

Berlin, 29. Oktober 1942

Ihr sehr Lieben!
Es ist die schönste halbe Stunde der Woche, wenn ich Donnerstag wenigstens diese Verbindung mit Euch aufnehmen kann. Sie ist zwar sehr einseitig, aber ewig kann ich ja nicht festgehalten werden. Man muß nur Geduld haben und an die denken, denen es ähnlich gegangen ist, ohne daß sie innerlich zerbrochen wären. Es ist unglaublich, wie sich der Mensch seinen Tagesrhythmus auch in dem Einerlei des Ablaufs schafft: der Zenit ist für mich die Zeit nach dem (nahrhaften) Mittagessen, wenn ich meine Shagpfeife anzünde. Öfters riskiere ich es nicht, solange ich die Streichhölzer rationiert halte ...

Berlin 12. November 1942

... Wenn es Euch fremd vorkommt, daß ich nicht zu erreichen bin, dann denkt, ich hätte damals den Ruf des Staatspräsidenten von Columbien angenommen. Dann wäre ich noch viel weiter fortgewesen. Meine Zelle erinnert sowieso an ein Schlafcoupé, nur fließendes Wasser fehlt. Was auch die nächste Zeit bringen wird, hinter allem steht ein Geschehen, steckt ein Sinn, wenn wir ihn fast immer auch erst hinterher als notwendig für uns begreifen ...

Am 3. Februar 1943 verurteilte das Reichskriegsgericht Grimme wegen »Nichtanzeige eines Vorhabens des Hochverrats« zu drei Jahren Zuchthaus. Das Bild oben zeigt ihn im Zuchthaus Luckau. 1945 war Grimme zuerst als niedersächsischer Kultusminister und später als Generaldirektor des Nordwestdeutschen Rundfunks (NWDR) tätig. Er starb 1963.

John Sieg

(Oktober 1942)

John Sieg (geb. 1903 in den USA) lebte seit 1910 in Deutschland und besuchte hier die Volksschule und das Lehrerseminar. 1923 übersiedelte er wieder in die USA. Zu einem geregelten Studium, das er gern aufgenommen hätte, fehlten ihm die Mittel. Er arbeitete in Automobilfabriken als Packer und studierte an Abenduniversitäten Philosophie, Philologie und Pädagogik. 1928 kam John Sieg nach Deutschland zurück und wurde 1929 in Berlin Mitglied der KPD. Zunächst lebte er als freischaffender Schriftsteller und veröffentlichte unter dem Pseudonym Siegfried Nebel im »Berliner Tageblatt«, in der »Vossischen Zeitung« und in der von Adam Kuckhoff redigierten Zeitschrift »Die Tat« Berichte über seine Erlebnisse in Amerika. Im März 1933 wurde er zum erstenmal verhaftet. Nach seiner Entlassung arbeitete er im Widerstand für die KPD. Freunde hatten ihm zu einer Anstellung bei der Berliner Reichsbahn verholfen. Er nutzte Dienst- und Freifahrten zur Organisierung der illegalen Arbeit und versuchte, Munitions- und Truppentransporte fehlzuleiten oder zu verzögern. Die Bekanntschaft mit Adam Kuckhoff brachte ihn in den Kreis um Arvid Harnack, und er wurde Mitglied der »Roten Kapelle«. Am 11. Oktober 1942 wurde er verhaftet; das Bild zeigt ihn kurz nach der Verhaftung. Nach grausamen Mißhandlungen in der Prinz-Albrecht-Straße 8 nahm er sich am 15. Oktober 1942 das Leben.

Kurt Schumacher

(September 1942)

Der Bildhauer Kurt Schumacher (geb. 1905) kam mit 14 Jahren nach Berlin und studierte dort, nach einer Holzschnitzerlehre, an der Hochschule für bildende Künste. Er wurde Meisterschüler des Bildhauers Ludwig Gies. Bereits seit 1933 gehörten Kurt Schumacher und seine Frau Elisabeth zum Bekanntenkreis der Schulze-Boysens. Als Ludwig Gies 1937 die Tätigkeit an der Hochschule einstellen mußte, ging auch Schumacher. Beide Schumachers beteiligten sich an der Herstellung und Verbreitung von Flugblättern und der illegalen Zeitung »Die Innere Front«. Beide wurden im September 1942 verhaftet. Elisabeth kam in das Gefängnis am Alexanderplatz, Kurt Schumacher in Zelle 8 des Kellergefängnisses. In einem Kassiber[36] heißt es:

Weil ich dabei geschnappt wurde, wie ich für Harro einen Zettel an einen Franzosen durch die Eßklappe zu werfen versuchte, wurde mir alles entzogen, meine eigenen Bücher, die Bücher hier, alles Schreibzeug, sogar das von meiner geliebten Elisabeth gezeichnete Bild mit unseren beiden Gesichtern. Es ist so gut, daß seine Vernichtung ewig schade wäre. Dann habe ich den kärglichen Spaziergang auch nicht mehr, bekomme keine Post und keine Pakete. Das alles jetzt seit 10 Tagen. Es ist zuweilen fast unerträglich, und ich denke zuweilen mit Entsetzen an die Frauen, an Elisabeth im Alex, die, wie sie mir schreibt, nichts zu lesen bekommen und aus Gründen der Ersparnis auch kein Licht ... Wir kämpfen für unsere Sache.
gefesselt, 2. Nov. 1942

Kurt Schumacher

Im ersten Prozeß gegen Mitglieder der Harnack/Schulze-Boysen-Organisation wurden beide zum Tode verurteilt und am 22. Dezember 1942 in Plötzensee hingerichtet.

Charlotte Hundt
(Mai 1943)

Charlotte Hundt (geb. 1900) gehörte zu einer Gruppe von fünfzehn Menschen, die im August 1943 auf Befehl der Gestapo in Sachsenhausen ohne jedes Gerichtsverfahren erschossen wurden. Der Grund war ihre Unterstützung des Kommunisten Ernst Beuthke, mit dem die meisten Erschossenen verwandt oder bekannt waren. Ernst Beuthke war 1933 ins Prager Exil gegangen und hatte danach in Spanien auf der Seite der republikanischen Truppen gekämpft. In der Neujahrsnacht 1942/43 stand Ernst Beuthke bei Willy und Charlotte Hundt in Wittenau vor der Tür und sagte, daß er mit dem Fallschirm abgesprungen sei. In der Nacht des 17. März 1943 verhaftete die Gestapo fast alle Personen, die mit Ernst Beuthke in Kontakt gekommen waren. Die Tochter von Willy und Charlotte Hundt, Marianne Reiff, berichtete 1984:[37]

Ich bin zum Alex ins Gefängnis gegangen, habe mich dort im Hof an eine lange Schlange rangehängt und gewartet, bis ich dran war. Da waren Leute, die offensichtlich ihre Angehörigen besuchten, mit Päckchen und Sachen. Und als ich dann zu irgendeiner graugekleideten Faktorin vorgedrungen war und fragte, ob ich hier vielleicht meine Eltern finden könnte, die wären heut nacht verhaftet worden, da hat sie eine andere rangeholt, und dann haben die getuschelt – »das ist sicher politisch!« Die andere hat dann gesagt: »Da mußt du in die Prinz-Albrecht-Straße gehen.« Ich wußte überhaupt nicht, daß es die gibt, da hat sie mir einen Zettel geschrieben – den hab' ich noch ... Dann bin ich zur Prinz-Albrecht-Straße 8 gefahren. Ein schönes, großes, weißes Gebäude mit Säulen und einer Freitreppe am Eingang. Ich hatte mich extra schön angezogen, ich hatte ein weißes Kleid an und sogar eine Kette um, was mir sonst nicht lag, in dem Gefühl, ich muß einen guten Eindruck machen. Da bin ich also an den SS-Wachen vorbei die Treppe rauf bis zum ersten Stock; ich habe nach dieser Abteilung IV gefragt, und dann gab's zwei Herren im dunklen Anzug, der eine davon war Strübing, SS-Hauptsturmführer oder so was. Er sagte, ich brauchte mir keine Gedanken zu machen, sie würden sich um uns kümmern. Mehr habe ich an diesem Tag nicht erfahren. Er fragte mich dann noch, wo meine Tante wäre. Da habe ich gesagt: »Welche meinen Sie denn, die eine wohnt in Friedberg, die andere in Wittenau, oder die in Lichtenberg oder in Schöneiche?« – »Na, die in Wittenau.« Ich sagte: »Die

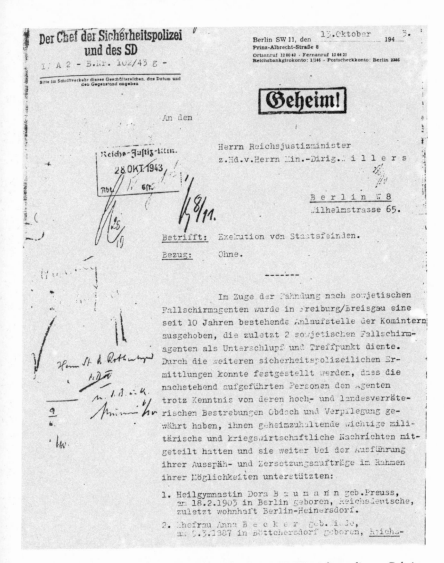

Der Chef der Sicherheitspolizei
und des SD

I/A 2 - B.Nr. 102/43 g -

Bitte im Schriftverkehr dieses Geschäftszeichens, das Datum und
den Gegenstand angeben.

Berlin SW 11, den 15.Oktober 194 3.
Prinz-Albrecht-Straße 8
Ortsanruf 12 00 40 · Fernanruf 12 64 21
Reichsbankgirokonto: 1/146 · Postscheckkonto: Berlin 2386

Geheim!

An den

Herrn Reichsjustizminister
z.Hd.v.Herrn Min.-Dirig. illers

B e r l i n W 8
ilhelmstrasse 65.

Reichs-Justiz-Min.

28. OKT 1943

Abt. II   6 Nr.

Betrifft: Exekution von Staatsfeinden.

Bezug: Ohne.

Im Zuge der Fahndung nach sowjetischen
Fallschirmagenten wurde in Freiburg/Breisgau eine
seit 10 Jahren bestehende Anlaufstelle der Komintern
ausgehoben, die zuletzt 2 sowjetischen Fallschirmagenten als Unterschlupf und Treffpunkt diente.
Durch die weiteren sicherheitspolizeilichen Ermittlungen konnte festgestellt werden, dass die
nachstehend aufgeführten Personen den Agenten
trotz Kenntnis von deren hoch- und landesverräte-
rischen Bestrebungen Obdach und Verpflegung gewährt haben, ihnen geheimzuhaltende wichtige militärische und kriegswirtschaftliche Nachrichten mitgeteilt hatten und sie weiter bei der Ausführung
ihrer Ausspäh- und Zersetzungsaufträge im Rahmen
ihrer Möglichkeiten unterstützten:

1. Heilgymnastin Dora B a u m a n n geb.Preuss,
   am 18.2.1903 in Berlin geboren, Reichsdeutsche,
   zuletzt wohnhaft Berlin-Heinersdorf.

2. Ehefrau Anna B e c k e r geb. ade,
   am 5.3.1887 in Böttchersdorf geboren, Reichs-

*Ein Gerichtsverfahren gegen die Verhafteten fand nie statt. Wie sich aus diesem Geheim-
schreiben des RSHA-Chefs Kaltenbrunner ergibt, ordnete Himmler die Ermordung
(»Sonderbehandlung«) im nächstgelegenen Konzentrationslager an. Die Sterbeurkun-
den nach der Exekution im KZ Sachsenhausen wurden von der Politischen Abteilung
dieses Lagers (»Standesamt Oranienburg II«) einheitlich am 1. Oktober 1943 ausgestellt. Nach der Exekution ordnete die Gestapo die Einziehung des gesamten Eigentums
des Ermordeten an. Wie bei der Deportation der Berliner Juden wurde mit dem Vollzug
der Oberfinanzpräsident von Berlin-Brandenburg beauftragt. Diese Behörde beschlag-*

3. Porzellandreher Emil B e c k e r, .
am 7.Mai 1888 in Dombrowow geboren, Reichsdeutscher,
zuletzt wohnhaft Berlin-Borsigwalde.

4. Ehefrau Anna B e u t h k e geb.Rossius,
am 1.Juni 1883 in Viethmannsdorf geboren,
Reichsdeutsche, zuletzt wohnhaft Berlin-Borsigwalde.

5. Arbeiterin Charlotte B e u t h k e geb.Wielsch,
am 6.Juni 1909 in Fichtenau geboren, Reichsdeutsche, zuletzt wohnhaft Berlin-Borsigwalde.

6. Schlosser Ernst B e u t h k e,
am 3.März 1903 in Berlin geboren, Sowjetbürger,
ohne festen Wohnsitz.

7. Elektroschweisser Friedrich B e u t h k e,
am 19.Juni 1906 in Berlin geboren, Reichsdeutscher,
zuletzt wohnhaft Berlin-Borsigwalde.

8. Hausdiener Richard B e u t h k e,
am 4.Juli 1880 in Berlin geboren, Reichsdeutscher,
zuletzt wohnhaft Berlin-Borsigwalde.

9. Werkmeister Walter B e u t h k e,
am 22.Juni 1904 in Berlin geboren, Reichsdeutscher,
zuletzt wohnhaft Berlin-Borsigwalde.

10.Stenotypistin Charlotte H u n d t geb.Thiele,
am 20.Juni 1903 in Berlin geboren, Reichsdeutsche,
zuletzt wohnhaft Berlin-Wittenau.

11.Kaufmann Heinrich M ü l l e r,
am 11.März 1876 in Basel geboren, Reichsdeutscher,
zuletzt wohnhaft Freiburg im Breisgau.

12.Ehefrau Lina M ü l l e r geb.Stumpp,
am 7.5.1901 in Alpiersbach geboren, Reichsdeutsche,
zuletzt wohnhaft Freiburg im Breisgau.

13.Werkmeister Fritz R a d o c h,
am 3.Juni 1903 in Berlin geboren, Reichsdeutscher,
zuletzt wohnhaft Berlin-Wittenau.

14.Ehefrau Walli R a d o c h geb.Thiele,
am 21.Mai 1904 in Berlin geboren, Reichsdeutsche,
zuletzt wohnhaft Berlin-Wittenau.

15.Arbeiterin Ella T r e b e geb.Beyer,
am 6.November 1902 in Berlin geboren, Reichsdeutsche
zuletzt wohnhaft Berlin N.

Reichsführer-# hat die Exekution der vorgenannten
Personen befohlen, die inzwischen erfolgt ist.

nahmte nicht nur die Laube des Ehepaars Radoch, sondern verlangte vom Pfleger des hinterbliebenen 12jährigen Sohnes sowohl die Herausgabe einer zur Reparatur gegebenen Standuhr als auch den Erlös für drei an einen Gestapo-Beamten verkaufte Kaninchen. Der Vater von Marianne Reiff mußte nachweisen, daß seine ermordete Frau nicht Miteigentümer seines Hauses war; »aus Billigkeitsgründen« bat er um die Belassung der Kleidungsstücke seiner Frau für die beiden Töchter. Nach 1945 sprach das Berliner Entschädigungsamt Willy Hundt und seinen Töchtern eine »Entschädigung« für die Leiden von Charlotte Hundt zu: rund 300.– DM für 85 Tage Haft – 3,50 DM für jeden Tag in der Gestapo-Haft.

wird doch zu Hause sein, mehr weiß ich nicht.« Sie stand ja in der nächsten Telefonzelle im Anhalter Bahnhof! Die waren also inzwischen offenbar bei ihr gewesen, und keiner war da. Und dann ist sie abends verhaftet worden, sie wollte Onkel Friedel am S-Bahnhof Wittenau abpassen, als er von der Arbeit aus Oranienburg kam, an diesem Tag aber ist er in Waidmannslust ausgestiegen. Sie kamen beide von verschiedenen Seiten, und die Gestapo wartete schon vor der Tür ... Inzwischen hockte ich zu Hause im Keller vor dem Badeofen und versuchte, den Barbusse und »Im Westen nichts Neues« und die gebundenen Jahrgänge vom »Kinderfreund« zu verbrennen.

Mein Vater ist nach ungefähr vier Wochen wieder dagewesen, stand grau und unrasiert plötzlich vor der Tür, da waren wir so ziemlich fix und fertig. Meine Mutter hatte offenbar stur durchgehalten, daß mein Vater nichts gewußt habe.

Wir hatten von da an einen Gestapo-Spitzel im Haus, der mein Zimmer bekam und ständig anwesend war. Er hatte eine Knarre in der Ecke und eine Pistole im Schubkasten und war bei uns zu Hause bis Anfang 1945. Er ließ sich mit Röhnke anreden, soll aber Weschke geheißen haben. Er hat behauptet, er sei in der Fremdenlegion gewesen und hätte in Nordafrika für die Engländer gearbeitet; dann hat er wieder so getan, als arbeite er für beide Seiten. Mein Vater hat zu mir gesagt:»Halt den Mund, der will uns nur auf den Leim führen.« Nach 1945 hat die französische Sécurité nach ihm gesucht.

Ich bin dann noch einmal in der Prinz-Albrecht-Straße gewesen; ich bekam die Genehmigung, meine Mutter zu sprechen. Ich erinnere mich noch genau, daß ich außen an einer Gebäuderückwand einen Lastenfahrstuhl gesehen habe, der vergittert war und in dem Menschen transportiert wurden. In einem Dachzimmer mit schrägen Fenstern, Atelierfenster oder so ähnlich, traf ich meine Mutter, und gleichzeitig war auch Onkel Friedel da, hohlwangig und unrasiert. Ich hatte eine bestimmte Zimmernummer und mußte mich bei einem Herrn Habecker melden. Ich habe etwa eine Viertelstunde mit meiner Mutter zusammensein können, aber wir waren ja nicht allein, und wir konnten nicht viel reden, so verklemmt und bedrückt ... »Sag mal dem Jungen, er soll vernünftig sein«, sagte sie, und das hat mich sehr betroffen gemacht. Der Junge, das war ein Freund von mir aus der Meisterschule, ich hatte gerade die Berufsausbildung begonnen. Ein Schulkamerad, ein bißchen älter als ich, der hatte in der Pause tatsächlich was von Marx vorgelesen. Das hatte ich zu Hause erzählt, und deshalb sagte sie wohl jetzt:»Sag dem, er soll vernünftig sein.« In der Schule gab's ja auch Widerstand, in der Setzerei hatten sie Flugblätter gemacht ...

Meine Mutter hat sich nicht anmerken lassen, daß dies unser letztes Wiedersehen war, falls sie es gewußt haben sollte. Sie war ein sehr charakterstarker Mensch. Bei der Vernehmung hatte man ihr unheimlich angekreidet, daß sie in der Maschinenfabrik Lindner, wo sie im Büro arbeitete, agitierte: sie hatte Hitlers »Mein Kampf« mitgenommen und sich in Dispute eingelassen. Eine Kollegin aus Wittenau hatte das notiert und sie denunziert.

Mein Vater hat meine Mutter auch noch einmal gesehen. Er hat gemeint, er müsse dem Kommissar dafür dankbar sein: Der hatte sie im Auto eine Viertelstunde herumfahren lassen, damit sie in Ruhe miteinander sprechen konnten. Es war möglicherweise noch nicht klar, daß sie hingerichtet werden würde, aber abgehört haben sie meine Eltern dabei bestimmt. Anfang September hat Strübing meinen Vater noch zum Gnadengesuch veranlaßt – als meine Mutter schon längst tot war.

Ende September 1943 zitierte Hauptsturmführer Strübing Willy Hundt noch einmal in die Prinz-Albrecht-Straße 8. Er teilte ihm die Ermordung seiner Frau mit und legte ihm strengstes Stillschweigen auf. Trauer durfte nicht getragen werden.

Max Josef Metzger
(Juni 1943)

Max Josef Metzger (geb. 1887) wurde 1911 katholischer Priester; Schwerpunkte seiner Arbeit waren Lebensreform durch Drogenabstinenz, der Pazifismus und die Einigung der Kirche. Er war Generalsekretär des österreichischen »Kreuzbundes« und gründete 1919 die »Weltfriedensorganisation vom Weißen Kreuz« (seit 1927 »Christkönigsgesellschaft«, mit Sitz bei Augsburg; 1936 entstand als Berliner Niederlassung die Schwesternstation »Piusstift« im Wedding, Willdenowstraße 8). 1930 ging aus ihr die unitarische Bruderschaft »Una Sancta« hervor, in der Metzger den Namen »Bruder Paulus« führte. 1943 verfaßte er (inzwischen in Berlin) ein Memorandum an den Erzbischof Erling Eidem in Uppsala, das die Möglichkeit einer demokratisch-föderativen Neuordnung Deutschlands und eines erträglichen Friedens erörterte. Diese Schrift wurde durch eine als schwedische Konvertitin getarnte Agentin – Dagmar Imgart – an die Gestapo weitergeleitet und führte zu Metzgers Verhaftung am 29. Juni 1943. In den Briefen aus der Haft heißt es:[38]

Liebe Schwestern!

Ich bin zwar noch ohne Nachricht von Euch – Ihr dürft mir ruhig schreiben und Post senden SW 11, Albrechtstraße 8, also auch eventuell Briefe, Zeitungen usw., soviel ich erfahren habe – aber Ihr dürft heute doch wenigstens Wünsche von mir erhalten.

Ich erbitte: 1) nach Möglichkeit jede Woche ein kleines Paket Zuschuß für meinen Magen, der viel Kohldampf verspürt. Ich höre, daß man 2-3 kg haben darf. In Betracht kämen etwa Dinge, die sich mehrere Tage halten wie Kartoffelpuffer, Gebäck, (Butter)brot (Knäcke?), Käse, Flocken, Zucker, gelbe Rüben o.ä. Rohkost, eventuell mal etwas Obst. NB. Glasgefäße sind nicht erlaubt, wohl Bakelit. Messer und Gabel gibt es nicht, also nur geschnittene oder leicht zu brechende Sachen. Ich bin Euch sehr dankbar für diesen Zuschuß, möchte aber nichts haben, womit Ihr Euch beraubt! Dann 2) 2 Nachthemden, warme Hausschuhe, 2 Schuhnestel, Strickweste, 2 Sicherheitsnadeln, Rasierzeug (Apparat, Pinsel und Seife), dann den Wäschesack, ich bitte, daß Ihr jede Woche meine Wäsche abholt und dafür die Ersatzwäsche bringt (diesmal ein Sommerhemd und eine Unterhose). Ihr müßt am Gefängnis anläuten und die Sache mit dem Wachtmeister ordnen. 3) erbitte ich die Konkordanzbibel, Notenheft und Schreibblock, auch deutsches Brevier, dann 2 Mikado, meine Raucherkarte, wenn greifbar.

Ich bin seit heute in einem Gemeinschaftsraum mit 20 anderen zusammen. Das bringt natürlich manche Beschwerde mit sich (Rauchen!), aber auch etwas menschliche Ablenkung.

Heute läßt mich nichts weiteres schreiben, nur soviel, daß Ihr Euch keine Sorgen machen mögt; ich bin nach wie vor froh und getröstet. Ich kann auch hier ungestört beten, wenngleich die Kameraden es sich anders denken.

Dann fragt bitte bei der Dienststelle (Meinekestraße! Regierungsrat Roth) telefonisch an, ob Ihr mich besuchen dürft; es ist ja allerhand Geschäftliches zu regeln, es dürfte erlaubt werden. Vielleicht muß es mündlich geschehen, um einen Erlaubnisschein zu erhalten, doch verständigt eventuell die Dienststelle telefonisch das Gefängnis.

Gott mit Euch!

In Treue Br. Paulus

Berlin, 8.7.43

Mein Tagesablauf ist etwa der folgende: 6 Uhr Aufstehen, Bettmachen, Waschen, Dienst (heute hatte ich – »Eimerdienst« …, doch machte es mir nichts aus um der Kameradschaft willen); dann bete ich bis zum Frühstück Brevier. (Kaffee mit Marmelade- oder Margarinebrot.) Dann feiere ich für mich die memoria passionis Domini, so wie ich es andere lehrte, und freue mich daran (ich versuche täglich, die Proprien des Tages in deutschem Choral zu bilden, natürlich ohne die anderen zu stören). Dann studiere ich Johannes griechisch-deutsch. Welch ein tiefer Genuß, wenn man das in Muße tun kann! Wenn ich zu müd bin, lese ich auch mal was Leichtes. Mittags ist Eintopf – gut gekocht, nicht versalzen! – dann dusele ich etwas, um dann meine geistige Betätigung fortzusetzen, bis ich zu müde bin und in einem Spiel (Patience) mich etwas entspanne. Dazwischen gibt es auch 1/2 Stunde Spaziergang im kleinen Garten; das tut wohl! 6 Uhr abends ist Nachttisch, dann noch etwas Entspannung, Gebet, dann geht's zu Bett. Nun könnt Ihr Euch einen Begriff machen, wie es um mich steht. Zwischenhinein dann mal Einvernahme in der Meinekestraße. Wenn Ihr es so einteilen könnt, daß Ihr Eure Sachen gerade zu der Zeit bringen könnt, so habt Ihr gelegentlich Aussicht, mich zu sehen oder auch zu sprechen, wenn Sachen zu ordnen sind.

Nun noch »Anliegen«: Ihr habt ja bereits meinen Wunschzettel. Was Ihr davon schaffen könnt, bringt in die Dienststelle (Meineckestraße), fragt nach Herrn Kunze oder Rollenhagen, die mit der Sache zu tun haben, oder nach Herrn Regierungsrat Roth. Schade, daß ich nicht so etwas wie einen Schlafanzug habe, ob Maria von Clemens so etwas Altes hätte? Das mit dem Gürtel, was wir sprachen, geht nicht, also verzichten wir darauf. Ich nähe mir (!) eine Falte in die Hose!

Die Kirschen waren fein; ich habe sie mit den Kameraden geteilt, so daß Ihr vielen etwas Freude machtet. Butter werde ich nur selten brauchen; etwas Brot, eventuell schon gestrichen, würde ich bevorzugen. Übrigens gibts doch hier im Gemeinschaftsraum ein Messer, also kann ich mir schon besser helfen, z.B. auch ein kleines Laibchen Vollkornbrot mir abschneiden und etwas aufstreichen. – Statt warmer Hausschuhe könnt Ihr besser Sandalen schikken, die leicht getragen werden. Sprechen und sehen könnt Ihr mich nur auf der Dienststelle ...

Ich sprach heute mit dem Sekretariat des Gefängnisses, gestern auch mit dem Vorstand: Ihr könnt jeweils Anfang der Woche die Wäsche holen und am Ende nochmals kommen und beide Male Wäsche bzw. Lebensmittel mitbringen. Seid nur nicht zu ängstlich mit diesen Dingen, auch wenn Ihr mal abgewiesen werdet. Warum sollte ich schlechter behandelt werden als die andern? Die Äpfel von Sr. Irmgard kamen größtenteils gut an. Vielen Dank! Sie schmecken gut.

Wann werde ich wieder einen Besuch (zu zweit!) erhalten? Ihr müßt das mit Herrn Regierungsrat Roth oder mit Herrn Bandow ausmachen; Herr Regierungsrat wird nächste Woche vielleicht nicht anwesend sein. Nur nicht zu zaghaft sein, auch wenn mal eine Bitte abgeschlagen werden muß ...

5.8.43

Meine Angelegenheit ist nun soweit geklärt, daß der Akt abgeschlossen wurde; so wird bald über mich eine Verfügung getroffen werden. Ich sehe dem mit Ruhe entgegen, da ich ein gutes Gewissen habe, insofern ich nur unserem Volke zu dienen suchte, wenn auch nach eigener Verantwortung.

Wir Christen haben ja den Glauben, daß die Vorsehung alles zum Guten führt – den »Liebenden«, sagt Paulus – das ist mein Trost; betet, daß ich zu den »Liebenden« gerechnet werde und Gnade vor Gott finde. Einmal sehen wir uns wieder und freuen uns der Gemeinschaft, die nie unterbrochen wurde; wann und wie, das steht bei Gott ...

19.8.43

Wir erwarten in Berlin auch schwere Tage. Nach menschlichem Ermessen ist die Zelle, in der ich bin, verhältnismäßig gut geschützt durch das hohe Gegenüber, das den engen Hof abschließt. Man kann freilich nichts sagen ...

Am 11. September 1943 wurde Metzger nach Plötzensee verlegt, am 14. Oktober vom Volksgerichtshof wegen »Verabredung des Hochverrats« und »Begünstigung des Feindes« zum Tode verurteilt und am 17. April 1944 im Zuchthaus Brandenburg-Görden enthauptet. Er liegt seit 1946 auf dem St.-Hedwigs-Friedhof in Berlin begraben.

Max
Sievers

(August 1943)

Max Sievers (geb. 1887) war in der Weimarer Republik zuerst Sekretär, später Vorsitzender der deutschen Freidenker-Organisation (Verein der Freidenker für Feuerbestattung), die unter seiner Leitung auf weit über eine halbe Million anwuchs. Bereits 1932 konnte Sievers 700.000 Reichsmark ins Ausland bringen, mit denen er ab 1933 illegale und Exil-Zeitungen finanzierte (»Sievers-Korrespondenz«, »Freies Deutschland«). Vor allem in Zusammenarbeit mit Neu Beginnen und anderen sozialistischen Gruppen wurden diese Zeitschriften auch in Deutschland verbreitet. Nach einem Aufenthalt in den USA 1940 kehrte Sievers nach Europa zurück; er wurde von den belgischen Behörden interniert und später nach Frankreich gebracht. Ein Grenzübertritt in die Schweiz mißlang. Sievers konnte sich jedoch, nach dreimonatiger Internierung in Straßburg, unter falschem Namen in der Nähe von Lille niederlassen. Im Juni 1943 wurde er nach einer Denunziation von der Gestapo verhaftet. Wie lange er im Hausgefängnis des Geheimen Staatspolizeiamtes blieb, ist nicht bekannt. Max Josef Metzger schrieb:[39]

29.8.43

Wenn ich von meiner Umwelt spreche, so denke ich dabei nicht einmal zuerst an den Vorsitzenden des Deutschen Freidenkerverbandes, der bis vor ein paar Tagen mein Bettnachbar war; trotz der weltanschaulichen Kluft, die uns trennte, standen wir uns doch in gegenseitiger Achtung näher als andere; ich fand in ihm einen Charakter, der vornehm und gerecht urteilte und gute Kameradschaft pflegte – ich möchte meinen, in ihm wirkt unbewußt etwas weiter von christlicher Erziehung vieler Jahrhunderte deutscher Geschichte. Ja, ich möchte irgendwie einen solchen Menschen mehr zur Gemeinde Christi rechnen als so viele Getaufte, deren Seele unberührt geblieben ist vom heiligen Pneuma Christi ...

Am 17. November 1943 verurteilte der Volksgerichtshof Sievers mit der Begründung, er habe »700.000 RM Arbeitergroschen ins Ausland verschoben«, wegen Hochverrats zum Tode. Max Sievers wurde am 17. Januar 1944 in Brandenburg hingerichtet.

Robert Havemann

(September 1943)

Der Naturwissenschaftler Robert Havemann (geb. 1910) kam 1932 zur Kommunistischen Partei, schloß sich aber schon 1933 der sozialistischen Widerstandsgruppe Neu Beginnen an, die sich auf die Illegalität vorbereitet hatte und bis 1935/36 im Inland erfolgreich arbeiten konnte. Havemann, der an wichtigen biochemischen und physikalischen Experimenten forschte, schloß sich nach 1939 der von Dr. Georg Groscurth initiierten Gruppe »Europäische Union« an, die besonders bei der Betreuung und Unterstützung von Zwangsarbeitern aktiv war. Nach der Aufdeckung durch einen Spitzel wurden die meisten Mitglieder der Gruppe am 5. und 6. September 1943 verhaftet. In seinem Erinnerungsbuch »Ein deutscher Kommunist« berichtete er:[40]

Die Verhöre fanden in der Prinz-Albrecht-Straße statt, wo ich auch einsaß – in der Zelle 24 im Keller –, und dauerten bis Mitte November, also etwa zweieinhalb Monate. Es war mir natürlich von Anfang an klar, daß es nur eine Strafe geben würde. Deswegen konnte ich mich verhältnismäßig einfach verhalten. Die Gestapo versuchte dauernd bei mir Hoffnungen zu wecken. Der Vernehmer sagte immer: »Wer wird denn hier gleich mit dem Kopf in der Hand rumlaufen«, und ich sagte dann: »Na, Sie verurteilten ja Leute, die feindliche Sender abgehört haben, schon zum Tode. Sie können sich ja wohl vorstellen, daß ich nicht bestreite, daß ich sehr eifrig die sogenannten ›Feindsender‹ abgehört habe.« Anfangs wurden wir natürlich mißhandelt, damit probiert man es immer zuerst. Ich habe mir gleich überlegt, daß es ganz falsch wäre, irgendwie auf Mißhandlungen zu reagieren. Von anderen habe ich später gehört, daß die auf Mißhandlungen reagiert hatten, nur noch mehr mißhandelt wurden. Ich dagegen erzählte den Leuten, die mich schlugen und quälten, wie lächerlich ihre Versuche wären, mir Schmerz zuzufügen, daß unter bestimmten psychologischen Bedingungen Menschen die Schmerzen, die ihnen zugefügt werden, überhaupt nicht wahrnehmen, daß einem Soldaten in der Schlacht von einer Kanonenkugel ein Bein abgerissen werden könnte, und er das erst dann bemerken würde, wenn er plötzlich nicht mehr laufen könnte, und ähnliche Scherze. Überhaupt glaube ich, war es sehr wichtig, gegenüber den Verhörern der Gestapo so aufzutreten: Ich mußte ihnen furchtlos erscheinen und ihnen irgendwie imponieren. In so einer Lage ist es notwendig, daß die Leute, die jemanden ungerecht behandeln, einen außerordentlich großen Respekt vor diesem bekommen. Dadurch kann man sich solche Leute einigermaßen vom Leibe halten und auch – mehr oder weniger – den Verlauf des Ganzen bestimmen.

Ich mußte immer wieder versuchen, herauszubekommen, was die Gestapo überhaupt durch die Verhöre der anderen Gruppenmitglieder erfahren hatte. Ich malte dann ein Bild, das natürlich lückenhaft war, zu einem vollen Gemälde aus, indem ich alles, in passender Weise dazuerfand, und zwar möglichst wenig oder gar nicht nachprüfbar, aber doch glaubhaft. Es war für meinen Verhörer immer eine große Freude, wenn ich meine Erzählung beendet hatte. Die Freude dauerte aber gewöhnlich nicht übermäßig lange: häufig hatte er irgendwelche Aussagen von anderen Verhafteten bekommen, die in schreiendem Widerspruch zu meinen Behauptungen standen. Daraufhin wurde ich wieder eine ganze Zeit gefesselt und verhört, vor mir wurde die Pistole auf den Tisch gelegt, aufgemacht, wieder entsichert, die Magazine vorgeführt und lauter solche Einschüchterungsversuche gemacht. Ich wußte, daß das alles nur dummes Zeug war und man mich einzuschüchtern versuchte. Der Verhörer wäre schwer bestraft worden, wenn er mir auch nur das geringste angetan hätte.

Im übrigen ahnten diese Leute ja auch, daß ihre Sache nicht mehr sehr gut stand. In dem großen Zimmer, in dem ich verhört wurde, war eine riesige Karte der Sowjetunion an der Wand, und auf dieser Karte war der Frontverlauf durch kleine Fähnchen abgesteckt. Ich kannte die Karte der Sowjetunion sehr genau und hatte mir noch rechtzeitig eine sehr detaillierte Landkarte gekauft, um die Wehrmachtsberichte genau verfolgen zu können. In der Haft las ich auch Zeitung, ich bekam den »Völkischen Beobachter« als Lektüre, und wußte deshalb, wie die Front verlief. Der Verhörer fragte:»Was gucken Sie immer zu der Karte, Sie interessieren sich wohl für diese Karte?« Ich sagte: »Ja, die Fähnchen stehen nicht mehr ganz richtig, es sind wieder einige ›Frontbegradigungen‹ einzutragen.« – »Frontbegradigung« nannten die Nazis ihre Rückzüge in ihrem Wehrmachtsbericht. Als ich das gesagt hatte, wurde der Mann wütend und sagte plötzlich: »Ja, wir waren nicht konsequent genug, wir haben nicht konsequent genug Schluß mit der Reaktion gemacht so wie die Russen, wir hätten auch so radikal sein müssen, jetzt haben wir das davon.« Das war die Form, in der der Vernehmer gewissermaßen das herannahende schlimme Kriegsende und die Niederlage des Faschismus in Deutschland voraussah und ihre Ursachen erblickte. Ein anderer Gestapo-Mann sagte einmal zu mir:»Was denken Sie denn, was werden Sie denn mit uns machen, wenn es einmal soweit ist?« Darauf habe ich nicht geantwortet, sondern nur mit dem Kopf geschüttelt, das war Antwort genug.

Nach Beendigung der Verhöre wurden wir als Untersuchungshäftlinge in das Zuchthaus Brandenburg gebracht. Von einer Anklageschrift habe ich dort nichts zu sehen bekommen. Einen Tag bevor wir nach Berlin geschafft wurden, um vor den Volksgerichtshof gestellt zu werden, bekam ich ein Papier in die Hand gedrückt: Das war der vorläufige Haftbefehl. Vorher hatte ich so etwas noch nicht gesehen. Mir wurde mitgeteilt, ich sei wegen des dringenden Verdachtes hochverräterischer Tätigkeit verhaftet. In Berlin – wir kamen nach Moabit – kam ein Herr zu mir, der sich als mein Offizialverteidiger vorstellte, mit einer Akte in der Hand, der Anklageschrift, in die ich mal hineingucken, die ich aber nicht behalten durfte.

Havemann konnte sich, obwohl zum Tode verurteilt, mit Hilfe von Freunden und durch Vorspiegelung wehrwissenschaftlicher Forschung im Zuchthaus Brandenburg vor der Vollstreckung des Todesurteils retten und wurde 1945 befreit. 1950 wurde er wegen seiner Arbeit gegen die amerikanische Wasserstoffbombe vom Kaiser-Wilhelm-Institut in Dahlem entlassen, ging nach Ost-Berlin und erhielt dort einen Lehrstuhl für Physikalische Chemie. Von 1950 bis 1963 Mitglied der Volkskammer, geriet Havemann nach seinen bekannten Vorlesungen über »Dialektik ohne Dogma?« in zunehmende Differenzen mit der SED. Im Verlauf der nächsten Jahre setzte er sich intensiv mit realsozialistischen Phänomenen auseinander und kritisierte den Einmarsch in die ČSSR. Aller Ämter in Universität, Partei und Staat enthoben, erhielt Havemann im Jahre 1976 vom Kreisgericht Fürstenwalde »Hausarrest« in seinem Haus in Grünheide, der bis zu seinem Tod am 9. April 1982 nicht aufgehoben wurde.

Der 20. Juli 1944

Das am 20. Juli 1944 von Oberst Claus Schenk Graf von Stauffenberg durchgeführte Bombenattentat im Führerhauptquartier Wolfschanze und die anschließend in Berlin eingeleiteten Umsturzmaßnahmen bildeten den Höhepunkt des militärischen und zivilen Widerstands gegen den Nationalsozialismus. Während auf militärischer Seite vor allem jüngere Stabsoffiziere beteiligt waren, kamen die zivilen Verschwörer des 20. Juli aus allen politischen Gruppen: Sozialdemokraten wie Julius Leber und Wilhelm Leuschner waren hier mit konservativ geprägten Politikern wie Carl Goerdeler und Johannes Popitz zum Sturz der nationalsozialistischen Herrschaft vereint.

Das Attentat schlug fehl, Hitler überlebte. In den Abendstunden des 20. Juli 1944 scheiterte auch der von Berlin ausgehende Staatsstreich, der unter dem Decknamen »Operation Walküre« durchgeführt worden war. Hitler sprach im Rundfunk und kündigte ein »gnadenloses Strafgericht« über die Verschwörer und ihre Helfer an. In der »Kommandozentrale« des Umsturzes, dem Sitz des Allgemeinen Heeresamtes im Oberkommando des Heeres und des Befehlshabers des Ersatzheeres, erschoß ein rasch zusammengestelltes Exekutionskommando noch in der Nacht zum 21. Juli 1944 Claus Schenk Graf von Stauffenberg, Albrecht Ritter Mertz von Quirnheim, Friedrich Olbricht und Werner von Haeften. Generaloberst von Beck wurde nach einem vergeblichen Freitodversuch von einem Soldaten erschossen.

In den folgenden Wochen kam es zur größten Ermittlungs- und Fahndungsaktion in der Geschichte der Gestapo. Es wurde eine Sonderkommission mit über zweihundert Beamten gebildet, deren Tätigkeit der Chef der Sicherheitspolizei, Ernst Kaltenbrunner, persönlich überwachte. Nur wenige der am 20. Juli 1944 beteiligten Widerstandskämpfer konnten entkommen, wie Otto John ins Ausland fliehen oder wie Ludwig von Hammerstein sich bis Kriegsende in Berlin verborgen halten. Trotz der immer schwieriger werdenden militärischen Lage des Deutschen Reiches arbeitete der nationalsozialistische Verfolgungsapparat bis zum Ende mit brutaler Gründlichkeit. Nicht nur die unmittelbar am Attentat oder am Umsturz beteiligten Personen wurden verhaftet, auch ihre Familienmitglieder kamen in »Sippenhaft«. Im August 1944 löste das Reichssicherheitshauptamt die »Aktion Gewitter« aus. Mehrere tausend ehemalige Politiker und Funktionäre der Weimarer Republik, oft schon sehr alt, wurden festgenommen und in Konzentrationslager eingeliefert. Viele von ihnen überlebten diese Haft nicht. Wie hoch die Zahl der Verhafteten war, läßt sich nicht mehr ermitteln. Schätzungen sprechen von siebenhundert bis tausend Verhaftungen.

Im August 1944 begannen die Verhandlungen gegen die Verschwörer des 20. Juli 1944 vor dem Volksgerichtshof, die eine Serie von Todesurteilen mit sich brachten. Nach Urteilen des Volksgerichtshofes – in den ersten Monaten des Jahres 1945 auch ohne jedes Urteil – wurden rund zweihundert Menschen aus diesem Kreis ermordet. Viele Verschwörer wurden in der Prinz-Albrecht-Straße 8 festgehalten, manche über mehrere Monate, andere nur kurz vor oder nach der Verhandlung vor dem Volksgerichtshof. Auch ihre Zahl ist unbekannt. Zu den Häftlingen im Hausgefängnis gehörten nach dem 20. Juli 1944 mit Sicherheit: Peter Bielenberg, Dietrich Bonhoeffer, Wilhelm Canaris, Gustav Dahrendorf, Alexander Freiherr von Falkenhausen, Friedrich Fromm, Carl Friedrich Goerdeler, Herbert Göring, Franz Halder, Ulrich von Hassell, Theodor Haubach, Carl Langbehn, Heinrich Graf von Lehndorff, Josef Müller, Hans Oster, Kurt Freiherr von Plettenberg, Johannes Popitz, Karl Sack, Hjalmar Schacht, Fabian von Schlabrendorff, Werner Graf von der Schulenburg, Hans Speidel, Theodor Strünck und Georg Thomas.

Die Haftbedingungen der Gefangenen des 20. Juli 1944 waren nicht anders als die der übrigen Gestapo-Gefangenen. Auch sie wurden gefoltert und waren unterernährt. Aber auch hier praktizierte die Gestapo gezielt die Methode unterschiedlicher Behandlung. Der frühere Leipziger Oberbürgermeister Carl Goerdeler konnte bis zuletzt in seiner Zelle lange Denkschriften über den Wiederaufbau Deutschlands und den Teilnehmerkreis der Widerstandsgruppe des 20. Juli 1944 verfassen. Er hoffte immer noch, Hitler zum Aufgeben bewegen zu können, indem er Größe und Kraft der deutschen Widerstandsbewegung schilderte.

Eine Reihe von Überlebenden hat über die Haft berichtet. Im folgenden sollen die Berichte von Fabian von Schlabrendorff, Josef Müller und Ferdinand Thomas abgedruckt werden.

Fabian von Schlabrendorff

(August 1944)

Fabian von Schlabrendorff (geb. 1907) stand seit 1938 in persönlicher Verbindung mit dem bei der Abwehr tätigen Hans Oster, einem der zentralen Männer des militärischen Widerstands. Als Henning von Tresckow 1941 damit begann, bei der Heeresgruppe Mitte einen Kreis von Offizieren mit dem Ziel der Beseitigung Hitlers um sich zu sammeln, gehörte auch Fabian von Schlabrendorff zu den aktiven, in die Einzelheiten eingeweihten Teilnehmern. Als Ordonnanzoffizier von Tresckows hatte er die Aufgabe, die Verbindungen zwischen den Widerstandsgruppen an der Front und in Berlin, insbesondere um Oster und Canaris, sicherzustellen. Im Frühjahr 1943 wirkte er zweimal an der Vorbereitung eines Attentats auf Hitler mit. Der Gestapo waren diese fehlgeschlagenen Attentate verborgen geblieben. Sie wurden erst nach dem Krieg von den überlebenden Beteiligten offenbart. Nach dem 20. Juli verhaftet, blieb Fabian von Schlabrendorff dank des standhaften Schweigens und eines Zusammentreffens glücklicher Umstände am Leben. Vom 18. August 1944 bis Ende März 1945, also mehr als sieben Monate lang, war er in der Prinz-Albrecht-Straße 8 inhaftiert. In seinen Erinnerungen[41] *berichtet er:*

Ich wurde am 18. August 1944 zwischen zehn und elf Uhr nachts in das Gefängnis des Reichssicherheits-Hauptamtes der Gestapo in der Prinz-Albrecht-Straße in Berlin eingeliefert. Mit dem Augenblick der Einlieferung vollzog sich eine spürbare Veränderung meiner Lage. Meine bisherige Bewachung war korrekt und höflich gewesen. Kaum war ich in den Händen der Gestapo, so verwandelte sich die Höflichkeit in Grobheit und die Korrektheit in Unverschämtheit.

Selbstverständlich kam ich in Einzelhaft. Es war aber ein für mehrere Personen berechneter Waschraum vorhanden. So hatte ich Gelegenheit, in den folgenden Wochen eine Anzahl meiner Mitgefangenen kennenzulernen. Unter ihnen entdeckte ich viele bekannte Gesichter: Admiral Canaris, General Oster, Botschafter Graf von der Schulenburg, Botschafter von Hassell, Graf Lehndorff, Reichsbankpräsident Schacht, Finanzminister Popitz, General der Infanterie Thomas, Generaloberst Fromm, Oberbürgermeister Goerdeler, Rechtsanwalt Josef Müller, Rechtsanwalt Langbehn, General der Infanterie von Falkenhausen und viele, viele andere.

War es in der Vorbereitungszeit oftmals äußerst schwierig gewesen

270

zusammenzutreffen, so waren wir jetzt alle wie in einer schlechten Operette beim letzten Akt mit einem Male beisammen. Allerdings hatten wir nicht die Erlaubnis, miteinander zu sprechen. Aber auch ein Blick oder ein schnell hingeworfener Satz in einem unbeobachteten Augenblick genügte häufig zu einer kurzen Verständigung.

Nach zwei Tagen wurde ich zur ersten Vernehmung geführt. Vorher waren mir vor der Zelle die Hände gefesselt worden. Die Vernehmung wurde durch Kriminalkommissar Habecker durchgeführt. Dieser setzte mich davon in Kenntnis, daß gegen mich der Vorwurf erhoben werde, an den Vorbereitungen des Attentats vom 20. Juli 1944 beteiligt gewesen zu sein. Er erklärte, dieser Verdacht sei durch eine Fülle von Zeugen erhärtet. Es habe deshalb keinen Zweck zu leugnen, sondern es sei besser, von Anfang an ein Geständnis abzulegen. Zu einem solchen Geständnis wäre ich nur dann bereit gewesen, wenn ich hätte annehmen müssen, daß die Gestapo wirklich im Besitz von Beweisen gewesen wäre. Aber ich hatte von Anfang an den bestimmten Eindruck und merkte im Verlaufe der Vernehmungen immer mehr, daß die Gestapo eigentlich nichts über mich wußte. Sie hatte zwar einen starken Verdacht, oder besser gesagt, die richtige Witterung, aber keine Beweise. Ich nahm mir daher vor, alles zu leugnen ...

Mein beharrliches Leugnen hatte die ersten Zwangsmaßnahmen gegen mich zur Folge. Ich wurde für die Folgezeit an Händen und Füßen gefesselt. Nur wer selbst monatelang Tag und Nacht an Händen und Füßen gefesselt gewesen ist und auch gefesselt sein Essen hat zu sich nehmen müssen, kann ermessen, welch ungeheure körperliche und seelische Belastung diese Fesselung auf die Dauer darstellt. Daß das Essen im Gefängnis der Gestapo nach Qualität und Quantität unter dem Minimum dessen lag, was ein Mann zur Erhaltung seiner Spannkraft bedarf, braucht nicht besonders hervorgehoben zu werden ...

Die Art der Vernehmung war vom kriminalistischen Standpunkt aus denkbar ungeschickt, um nicht zu sagen stümperhaft. Es war nicht allzu schwierig, den stundenlangen und zu den verschiedensten Tag- und Nachtzeiten durchgeführten Kreuzverhören standzuhalten. Auch der Kommandoton, in dem man mit mir verhandelte, konnte mich nicht umwerfen. Stundenlang angebrüllt und mit den unflätigsten Schimpfworten belegt zu werden, hatte ich zu ertragen gelernt, ohne mit der Wimper zu zucken. Die Gestapobeamten verfügten bei ihren Vernehmungen über verschiedene Methoden. Die erste Methode bestand darin, daß sie den Häftling aus dem Gefängnis zur Vernehmung kommen ließen, um ihn dann eine unwahrscheinlich lange Zeit in einem Vorzimmer warten zu lassen. Weitere Methoden wurden sowohl einzeln als auch abwechselnd, unmittelbar hintereinander, angewandt. Meistens hatte man drei Beamte vor sich. Der eine bedrohte und überschüttete den Gefangenen mit Schimpfworten, der zweite sprach in ruhigem Tone auf ihn ein und erklärte, er möge sich doch erst einmal beruhigen und eine Zigarette rauchen. Der dritte Beamte versuchte es mit der Hervorkehrung des Ehrenstandpunktes. So war für jedes Naturell gesorgt, bis der Häftling entweder einer Methode oder der Abwechslung der verschiedenen Methoden erlag.

Meine Annahme, die Offiziersuniform werde mich vielleicht vor weiteren Maßnahmen schützen, stellte sich bald als eine Illusion heraus. Der vernehmende Kriminalkommissar ging plötzlich zu Gewaltmaßnahmen über, indem er mich, gefesselt und wehrlos, ins Gesicht schlug. Dabei fand er eine starke Unterstützung in seiner Sekretärin. Diese scheute sich nicht, sich an der Vernehmung durch Beschimpfungen zu beteiligen. Auch sie, die ihrem Aussehen nach etwa zwanzig Jahre alt sein mochte, machte sich ein Vergnügen daraus, mich ins Gesicht zu schlagen und mich anzuspucken. Ich blieb äußerlich ruhig, wies aber auf das Gemeine und Strafbare dieser Vernehmungsart hin. Es mag sein, daß ich hierdurch die Gestapo reizte. Auf jeden Fall schritt mein Sachbearbeiter nunmehr zum Versuch, das Geständnis und die gewünschten Namen durch Anwendung roher Gewalt zu erpressen.

Als ich an meinem bisherigen Leugnen festhielt, griff man zum Mittel der Folterung. Diese Folterung wurde in vier Stufen vollzogen.

Die erste Stufe bestand darin, daß meine Hände auf dem Rücken gefesselt wurden. Dann wurde über beide Hände eine Vorrichtung geschoben, die alle zehn Finger einzeln umfaßte. An der Innenseite dieser Vorrichtung waren eiserne Dornen angebracht, die auf die Fingerwurzeln einwirkten. Mittels einer Schraube wurde die ganze Maschinerie zusammengepreßt, so daß sich die Dornen in die Finger einbohrten.

Die zweite Stufe war folgende: Ich wurde auf eine Vorrichtung gebunden, die einem Bettgestell glich, und zwar mit dem Gesicht nach unten. Eine Decke wurde mir über den Kopf gelegt. Dann wurde über jedes der bloßen Beine eine Art Ofenrohr gestülpt. Auf der Innenseite dieser beiden Röhren waren Nägel befestigt. Wiederum war es durch eine Schraubvorrichtung möglich, die Wände der Röhren zusammenzupressen, so daß sich die Nägel in Ober- und Unterschenkel einbohrten.

Für die dritte Stufe diente als Hauptvorrichtung das »Bettgestell«. Ich war, wie vorher, auf dieses gefesselt, während der Kopf mit einer Decke zugedeckt war. Dann wurde das Gestell mittels einer Vorrichtung entweder ruckartig oder langsam auseinandergezogen, so daß der gefesselte Körper gezwungen war, die Bewegung dieses Prokrustesbettes mitzumachen.

In der vierten Stufe wurde ich mittels einer besonderen Fesselung krumm zusammengebunden, und zwar so, daß der Körper sich weder rückwärts noch seitwärts bewegen konnte. Dann schlugen der Kriminalassistent und der Wachtmeister mit dicken Knüppeln von rückwärts auf mich ein, so daß ich bei jedem Schlag nach vorne überfiel und infolge der auf dem Rücken gefesselten Hände mit aller Gewalt auf Gesicht und Kopf schlug. Während der Prozedur gefielen sich alle Beteiligten in höhnenden Zurufen. Die erste Folterung endete mit einer Ohnmacht. Ich habe mich durch keine der geschilderten Gewaltmaßnahmen dazu verleiten lassen, ein Wort des Geständnisses oder den Namen eines meiner Gesinnungsfreunde zu nennen. Nachdem ich die Besinnung wiedererlangt hatte, wurde ich in meine Zelle zurückgeführt. Die Wachbeamten empfingen mich mit unverhohlenen Ausdrücken des Mitleides und des Schauderns. Am folgenden Tage war ich nicht imstande, mich zu erheben, so daß ich nicht einmal die Wäsche wechseln konnte, die voller Blut war. Obwohl ich immer kerngesund gewesen war, bekam ich im Laufe dieses Tages eine schwere Herzattacke. Der Gefängnisarzt wurde herbeigeholt. Voll Argwohn ließ ich seine Behandlung über mich ergehen. So lag ich mehrere Tage, bis ich wieder in der Lage war, das Bett zu verlassen und mich zu bewegen. Die Folge meiner Wiederherstellung war eine Wiederholung der Folterung in den gleichen vier Stufen wie beim ersten Mal. Der sachliche Erfolg aber blieb wiederum gleich Null.

Nachdem die zweite Folterung überstanden war, mußte ich mir klar werden, welche Taktik ich in Zukunft befolgen sollte. Es gab keinen Zweifel, daß die Gestapo die Absicht hatte, ihre Gewaltmaßnahmen fortzusetzen und, wie mir der Kriminalkommissar mit aller Deutlichkeit sagte, derart zu steigern, daß es noch entsetzlicher werden würde. Da ich unter allen Umständen entschlossen war, keinen Namen zu nennen, traf ich Vorbereitungen, um mir trotz der Fesselung das Leben zu nehmen. Noch mitten in diesen Erwägungen und Vorbereitungen fand ich einen Ausweg, ohne daß ich mir seiner vollen Tragweite vorher bewußt gewesen wäre. Ich folgte einem urplötzlich auftauchenden Instinkt zu gestehen, ich hätte davon gewußt, daß mein toter Freund Tresckow beabsichtigte, auf Hitler einzuwirken, seinen Posten als Oberbefehlshaber des Heeres an einen Feldmarschall abzutreten. Das Unerwartete trat ein. Die Gestapo begnügte sich mit dieser Erklärung, brach meine Vernehmungen ab und ließ mich eine Zeitlang in Ruhe.

Nachdem nochmals eine geraume Zeit vergangen war, wurde ich eines Tages aus meiner Zelle geholt und mit dem Kraftwagen ins Konzentrationslager Sachsenhausen gebracht. Dort führte man mich an einen Platz, der die Merkmale eines Schießstandes trug. Der mich begleitende Beamte zeigte mir den Schießstand mit höhnischem Lächeln und sagte: »Nun werden Sie ja wissen, was mit Ihnen geschehen wird. Vorher aber haben wir noch etwas anderes mit Ihnen vor.«

Dann führte man mich in einen Raum, der offensichtlich zum Krematorium des Konzentrationslagers gehörte. Dort stand der Sarg des Generals von Tresckow. Man hatte ihn wieder aus dem Grabe geholt und nach Sachsenhausen gebracht. Angesichts der Leiche, die schon mehrere Monate in der Erde gelegen hatte, wurde ich mit halb drohender, halb beschwörender

Stimme gefragt, ob ich nicht nunmehr ein umfassendes und endgültiges Geständnis ablegen wollte. Aber ich blieb bei meinem bisherigen Verhalten. Daraufhin wurde der Sarg mit der Leiche in meiner Abwesenheit verbrannt. Anschließend wurde ich wider Erwarten nicht erschossen, sondern in das Gefängnis zurückgefahren ...

Seitdem die Gestapo meiner Verurteilung durch den Volksgerichtshof sicher war, wurde ich korrekt behandelt, durfte Briefe schreiben, bekam Sprecherlaubnis mit Angehörigen meiner Familie und konnte Pakete empfangen. Daß der Inhalt der Pakete mich nur zum Teil erreichte, galt nicht als ungewöhnlich. Die Wachbeamten behielten gleich ihren »Zoll«.

Am 2. Februar wurden Goerdeler und der frühere Finanzminister Popitz aus ihren Zellen geholt. Die Art der Abrufung ließ keinen Zweifel, daß für beide die letzte Stunde geschlagen hatte.

Unter meinen Schicksalsgenossen im Gefängnis befand sich auch Dietrich Bonhoeffer, der große protestantische Theologe. Ich bemerkte ihn zum ersten Mal in einer Nachtstunde, als wir Gefangenen bei einem Luftangriff aus unseren Zellen in einen im Gefängnishof gelegenen Betonbunker geführt wurden. Ich vermag nicht zu leugnen, daß mich ein Schrecken ergriff, als ich ihn erblickte. Aber ein Blick auf seine aufrechte Gestalt und in seine Augen, die Ruhe und Gelassenheit ausstrahlten, belehrte mich, daß er mich erkannt hatte, ohne daß ihn seine gewohnte Sicherheit verlassen hätte ...

Als am späten Vormittag des 3. Februar 1945 mein Fall vor dem Volksgerichtshof aufgerufen wurde, erklangen die Alarmsirenen. Um festzustellen, ob es sich um einen Großangriff handelte, wurde telephoniert. Die Antwort lautete nicht wie sonst, daß einige Bombengeschwader im Anflug seien, sondern daß Bomberströme Berlin zustrebten. Eiligst suchte das ganze Gericht die Kellergewölbe im Gebäude des Volksgerichtshofes auf. Auch ich wurde in dieses Gewölbe geführt und vorsorglich an Händen und Füßen gefesselt.

Ein furchtbares Bombardement begann. Es war wohl der schwerste Tagesangriff, den die amerikanischen Bomber je auf Berlin ausgeführt haben. Man hatte das Gefühl, die Welt gehe unter. Mitten in diesem tosenden Wirbel erscholl ein ohrenbetäubendes Krachen, das alle Anwesenden erbeben ließ. Der Volksgerichtshof selbst war getroffen worden und stand in Flammen. Er wankte in seinen Fugen und brach auseinander. Ein Teil der Decke stürzte in den Keller herunter. Ein gewaltiger Balken verlor seinen Halt, löste sich, schlug herunter und traf mit voller Wucht den Präsidenten des Volksgerichtshofes, Freisler, der die Akten meines Prozesses noch in der Hand hielt, auf den Kopf. Ein Arzt wurde irgendwoher herbeigerufen. Das Ergebnis seiner kurzen Untersuchung lautete: doppelseitiger Schädelbruch, tot. Somit mußte die Gerichtsverhandlung gegen mich verschoben werden.

Inzwischen war mein Termin vor dem Volksgerichtshof, der fünfmal verschoben worden war, auf den 16. März angesetzt worden. Vorsitzender war der Vizepräsident Dr. Crohne, der im Gegensatz zu dem getöteten Freisler meinen Namen nicht aus anderen Verfahren kannte. Gleich nach Beginn der Verhandlung erklärte ich ihm, Friedrich der Große habe vor mehr als zweihundert Jahren die Folter in Preußen abgeschafft, gegen mich aber sei sie angewandt worden. Dann schilderte ich meine Folterungen in ihren Einzelheiten. Dabei regte ich mich derartig auf, daß ich einen Weinkrampf bekam. Aber ich wurde nicht unterbrochen. Ich fühlte, daß das Gericht und alle sonstigen Anwesenden nahezu den Atem anhielten. Man konnte eine Stecknadel zu Boden fallen hören. Nach kurzer Zeit hatte ich mich wieder gefaßt und konnte meine Darstellung vollenden.

Als meine Vernehmung beendet war, glaubte ich, Kriminalkommissar Habecker, der an meiner Folterung beteiligt gewesen war, werde nunmehr vernommen werden. Da erklärte der Vorsitzende, das Gericht habe den Kriminalkommissar schon außerhalb der Hauptverhandlung vernommen, ein Verfahren, das die deutsche Reichs-Strafprozeßordnung nicht kennt. Aber Habecker hatte wohl nicht leugnen können. Der Oberreichsanwalt ließ die Anklage fallen und beantragte selbst Freispruch.

In meinen Schlußausführungen wies ich auf den Paragraphen 343 des Deutschen Reichs-Strafgesetzbuches hin, nach dem ein Beamter, der gegen einen Angeschuldigten Zwangsmittel anwendet, um ein Geständnis zu erpressen, mit Zuchthaus bis zu fünf Jahren zu bestrafen ist. Der Vorsitzende unterbrach mich und wies diese Bemerkungen als unzulässige Rechtsbelehrung des Volksgerichtshofes zurück. Ich erwiderte darauf, daß in dem Senat auch drei Laien säßen, derentwegen ich mir die Rechtsbelehrung erlaubt hätte. Ich wußte, daß die Zurückweisung meiner Bemerkung durch den Vorsitzenden ihren Grund darin hatte, daß nach deutschem Recht ein Staatsanwalt, wenn er von einem Verbrechen hört, Anklage erheben muß. Auf diese Pflicht hatte ich den Oberstaatsanwalt hinweisen wollen, der wie immer in solchen Fällen von der Erhebung einer Anklage gegen die Beamten der Gestapo pflichtwidrig Abstand nahm. Der Volksgerichtshof sprach mich daraufhin frei und hob den Haftbefehl gegen mich auf.

So kehrte ich in das Gestapo-Gefängnis in der Prinz-Albrecht-Straße zurück. Natürlich war an meine sofortige Freilassung nicht zu denken. Als nach einigen Tagen wieder Luftalarm war und wir Gefangene in den Bunker geführt wurden, erschien auch Kriminalkommissar Habecker. Ich hörte, wie er den Befehl gab, mich ganz besonders zu bewachen. Nach einigen Stunden wurde mir dann eröffnet, das Urteil des Volksgerichtshofes sei offenbar ein Fehlurteil. Man werde es insofern respektieren, als man davon absehen werde, mich so wie die anderen Mittäter aufzuhängen. Dafür würde ich erschossen werden. Ein eigenes Gefühl beschlich mich, als ich, um der Bürokratie Genüge zu tun, durch meine Unterschrift diese Eröffnung bestätigen mußte.

Wieder vergingen einige Tage, als ich nachts um zwei Uhr plötzlich geweckt wurde. Ich erhielt den Befehl, mich fertig zu machen. Dann wurde ich mit mehreren anderen Gefangenen in einem geschlossenen Wagen in das Konzentrationslager Flossenbürg in Oberfranken in Bayern verbracht. Flossenbürg war eines der sogenannten Vernichtungslager. Hier wurden alle diejenigen Gegner der Nazis ermordet, die entweder nicht vor den Volksgerichtshof gestellt oder die, wie ich, freigesprochen worden waren.

Schlabrendorff wurde mitgeteilt, der Reichsführer-SS habe das Urteil des Volksgerichtshofes aufgehoben und ihn zum Tode durch Erschießen verurteilt. Dazu kam es jedoch nicht mehr. Schlabrendorff ließ sich nach dem Krieg als Rechtsanwalt und Notar in Frankfurt/M., später in Wiesbaden nieder. Im Juli 1967 wurde er zum Bundesverfassungsrichter in Karlsruhe gewählt. In dieser Eigenschaft wirkte Schlabrendorff an einer Reihe bedeutsamer Entscheidungen mit, darunter an der Entscheidung zur Verfassungskonformität des Grundlagenvertrages. Fabian von Schlabrendorff starb am 4. September 1980.

Josef
Müller

(September 1944)

Rechtsanwalt Dr. Josef Müller (geb. 1898) war während der Weimarer Republik in der Bayerischen Volkspartei, deren linkem Flügel er nahestand, und in der Zentrumspartei tätig gewesen. Nach 1933 wurde er wiederholt verhaftet. Im Oktober 1939 nahm er Kontakt zum militärischen Widerstand auf. Als Mitarbeiter der Abwehr unter Canaris vermittelte er zwischen deutscher Opposition und in- und ausländischen Kirchenstellen. 1943 wurde er unter dem Verdacht des Hochverrats verhaftet, vom Reichskriegsgericht in Berlin jedoch freigesprochen. Dennoch blieb er in Haft; nahezu ein halbes Jahr (vom 26. September 1944 bis 7. Februar 1945) verbrachte er im Gefängnis der Prinz-Albrecht-Straße 8. In seinen Erinnerungen[42] schreibt er:

Ich wurde sofort in die Zelle 7 des Kellergefängnisses gebracht, ein Wachmann legte mir Handfesseln an. Die Zellentür blieb offen, vor ihr postierten sich zwei Spezial-Wachmänner. Aus ihren Gesprächen erfuhr ich, daß in meiner unmittelbaren Nähe der Generalrichter des Heeres, Karl Sack, und der ehemalige Oberbefehlshaber des Ersatzheeres, Fromm, eingesperrt waren. Fromm sollte wegen Feigheit erschossen, alle anderen aber würden gehenkt werden.

In den ersten Tagen durfte ich noch gemeinsam mit den anderen in den Waschraum und zur Toilette gehen, ich bemerkte dabei Canaris, er hatte seine Haltung nicht verloren, wohl aber schien er deprimiert über die unwürdige Behandlung, die Hitler selbst für die hohen Offiziere angeordnet hatte.

Dr. Sack kam auf der Toilette neben mir zu sitzen. »Ich bin Josef Müller aus München«, flüsterte ich ihm zu. »Ich habe Ihre Akten verbrannt und erklärt, sie sind bei einem Luftangriff verlorengegangen«, flüsterte er zurück. Er hat mir damit einen unschätzbaren Dienst erwiesen, denn bei allen weiteren Verhören konnte ich stets darauf verweisen, daß sämtliche Vorwürfe gegen mich bereits in den Akten des Reichsgerichtes festgehalten und widerlegt seien ...

Aber im übrigen bestätigte sich, was mir Admiral Canaris schon in den ersten Tagen beim gemeinsamen Gang zum Waschraum zugeflüstert hatte: »Hier ist die Hölle.« Von meiner Zelle aus hörte ich oft fürchterliche Schreie, sie kamen aus einem der oberen Stockwerke und dauerten oft lange an, gingen in ein Wimmern über, wurden wieder laut, so daß für mich kein Zweifel daran bestand: Dort oben werden Menschen schwer mißhandelt. Die Schreie waren derart entsetzlich, daß ich nur an Folter denken konnte. Ich selbst habe diese Steigerung der Gewalt erst im KZ Flossenbürg erleben müssen. Ich war jedoch ständig an den Händen gefesselt, und die Fesseln waren innen aufgerauht; bei jeder unbedachten Bewegung wurden mir die feinen Härchen an den Handgelenken herausgeschürft. Das empfand ich gerade in Momenten, in denen ich zu schlafen versuchte, besonders schmerzhaft. Ich habe die Fesseln selbst beim Essen, bei den Verhören und auch während der Nacht tragen müssen. Das galt nicht nur für mich, sondern auch für die älteren Generäle und die anderen hohen Offiziere, ebenso die Tatsache, daß wir Todeskandidaten zweimal am Tage zum Austreten geführt wurden und »groß« oder »klein« erklären mußten, nur bei »groß« wurde dann eine Fessel geöffnet.

Die Verpflegung war mehr als spärlich, es gab etwa ein Drittel dessen, was ich im Militärgefängnis bekommen hatte: meist eine Mischung, die durch Geruch und Geschmack an Abfälle erinnerte. Gelegentlich gab es Wurst, die vom Wachpersonal ständig als Pferdewurst bezeichnet wurde, oder eine Art von Käse. Da ich Käse nicht aß, weil ich von Kindheit an eine Idiosynkrasie hatte, hat sich mein Zellennachbar Carl Goerdeler immer schon auf eine Käsemahlzeit gefreut, denn er wußte, daß ich meine Portion unauffällig in seine Eßluke stecken ließ. Nicht nur ich hatte Mitleid mit ihm, sondern auch die Wachleute, weil Goerdeler einmal nachts, als sich sein Magen außergewöhnlich stark zusammenkrampfte, geschrien hatte:»Ich begreife, daß Menschen andere umbringen, nur um einmal wieder den Magen beschäftigen zu können!«

Zum Hungern kam die Hitze. In meiner Zelle befand sich eine Dreizehn-Röhrenheizung, sie war ständig voll aufgedreht. Meine Türe zum Flur war zwar geöffnet, aber das brachte keine Abhilfe. Eine Beschwerde hatte wenig Sinn, es gab Wärter, die daraufhin die Heizung nur noch weiter aufdrehten. Man konnte ihnen auf den ersten Blick ansehen, daß sie durch die Schule der Grausamkeit gegangen waren und daß sie jetzt alles, was sie gelernt hatten, konsequent anwandten ...

Mein Zellennachbar Carl Friedrich Goerdeler, der ehemalige Oberbürgermeister von Leipzig, war bereits seit dem 7. September 1944 zum Tode verurteilt, und ich erinnerte mich dunkel, daß ich im Militärgefängnis in einer Zeitung von dem Urteil gegen ihn gelesen habe. Die Notiz war so abgefaßt gewesen, daß ich annahm, er sei bereits hingerichtet. Um so erstaunter war ich, als ich bei meiner Einlieferung in die Zelle 7 im Gefängnis des RSHA den vermeintlich Toten in der Zelle 6 sitzen sah. Später, es muß in den ersten Dezembertagen 1944 gewesen sein, wurden wir beide verlegt, waren aber wieder Nachbarn. Ich saß in Zelle 18, er in der Zelle 19.

War Fliegeralarm, so mußten sich die Gefangenen im Flur aufstellen. Sie wurden dann durch die SD-Beamten, die vor den Zellen saßen, den Gang entlang über den Hof in den Luftschutzbunker geführt. Die Beamten hatten dabei noch zu ihrer Verstärkung SS-Leute mit Maschinenpistolen. In dem großen Bunker war noch ein besonderer Schutzraum für den Chef des RSHA, SS-Obergruppenführer Ernst Kaltenbrunner, eingebaut. Den Weg entlang standen noch einmal Doppelposten mit Maschinenpistolen. Mir erschien das einfach verrückt, denn in unserem Zustand war ein Fluchtversuch unmöglich, noch dazu war eine ganze Reihe von uns gefesselt.

Voran gingen in der Regel Canaris und Oster, neben mir war Goerdeler, dann folgten Generaloberst Halder und die Generäle Thomas und Wagner. Ich habe das Erscheinen von Halder mit einem Anflug von Ironie zur Kenntnis genommen, denn wenn der ehemalige Generalstabschef sonst an meiner Zelle vorbeigeführt worden ist, haben die Wachen die sonst immer offenstehende Tür schnell zugehauen, so als ob ich Halder nicht sehen sollte. Aber bei Alarm ging er dann direkt hinter mir.

Obwohl ich selbst nie einen Namen preisgegeben habe, kann ich doch verstehen, daß der eine oder andere Mitgefangene die Nerven verlor. Das ständige Hungergefühl, die Fesselung Tag und Nacht, das Licht, das so eingestellt war, daß es nachts direkt in das Gesicht des Häftlings strahlte, sorgten für einen ständigen Druck, der durch die stundenlangen Verhöre und die Furcht vor direkten körperlichen Mißhandlungen noch gesteigert wurde. Selbstverständlich haben die SD-Leute nach dem Krieg weitgehend abgestritten, jemals »gefoltert« zu haben, doch ich habe schon bald nach meiner Einlieferung in das Kellergefängnis des RSHA den zerschundenen Rücken von Julius Leber gesehen. Auch bei einem der Generäle sah ich im Waschraum Striemen am Rücken ...

Das bitterste Gefühl in der Zelle ist das einer großen Verlassenheit, und manch einer meiner Mitgefangenen ist allein schon aus diesem Grund schwach geworden und zusammengebrochen. Auch ich habe mich bisweilen gefragt, ob ich noch durchhalten kann, ob ich noch so stark bin, daß ich nicht zu schwätzen anfange. Schon im Militärgefängnis habe ich jeden Tag gebetet, nicht nur für meine toten Eltern und Verwandten, sondern auch für alle, die mir Gutes oder Böses getan haben, für alle, an denen ich mich vielleicht versündigt habe. Und am Schluß habe ich noch hinzugefügt: »Herr, gib mir die ewige Ruhe«, also das Gebet, das gesprochen wird für jemanden, der schon gestorben ist. Damit habe ich mich innerlich mit dem Tod befreundet, denn ich hatte das Empfinden, wenn ich ihm entgegentrete, dann weicht er mir aus. Am 2. Februar wurden Carl Goerdeler und der ehemalige preußische Finanzminister Johannes Popitz abgeholt zur Hinrichtung. Natürlich wußten wir nicht genau, was mit beiden Männern geschehen werde, aber aus dem Benehmen der Wärter ließ sich einiges schließen. Sie haben sich gleichsam selbst übertönt: »Kommen Sie! Kommen Sie!« brüllten sie in diesen und allen ähnlichen Fällen.

Tags darauf war wieder ein schwerer Luftangriff auf Berlin, Bomben fielen auch auf das Gewölbe des Reichssicherheitshauptamtes und beschädigten es schwer. Deshalb wurde ich aus der Zelle geholt, um den Flur zu säubern – zusammen mit Admiral Canaris und dem Hauptmann Gehre. Während wir den durch die Bombenexplosion verursachten Dreck zusammenkehrten, höhnte einer der Bewacher: »Na, kleiner Matrose, das hättest du dir auch nicht träumen lassen, daß du einmal den Gang fegen mußt, was?«

Canaris hat nicht weiter darauf reagiert, sondern mir zugeflüstert: »Wenn der wüßte, welchen Gefallen er uns tut!« Man muß dabei ja berücksichtigen, daß streng darauf geachtet wurde, daß keine Unterhaltungen stattfanden. Und dann fragte er hastig: »Hat Dohnanyi mich belastet?«

»Ich kann es nicht sagen«, antwortete ich, »hat man Ihnen die Dokumente vorgehalten?«

»Sag auch Du«, flüsterte er zurück, »in dieser Hölle fällt die alte Reserviertheit weg. Wir sagen jetzt beide Du!«

Während der Bewacher hinter uns seine dummen Sprüche aufsagte – er hat in einem fort geschwafelt – fragte ich Canaris: »Bist du aus der Wehrmacht ausgestoßen?« Er hatte jedoch nie etwas davon gehört, und ich redete ihm deshalb beruhigend zu: »Da kannst du eigentlich zufrieden sein, du kommst nicht vor den Volksgerichtshof und gewinnst damit Zeit!« (An die Möglichkeit, daß ihn Hitler in letzter Minute vor ein sogenanntes Standgericht stellen würde, dachte damals noch kein Mensch.)

Nach dem schweren Luftangriff vom 3. Februar, als wir wieder einmal über den Hof in den Bunker gehen mußten – das Aufgebot an Wächtern war wie immer, im Verhältnis zur Zahl der Gefangenen, lächerlich groß – sahen wir zum ersten Mal alte Männer und ganz junge Burschen, die ich früher als Pimpfe bezeichnet hätte. Wie ich später aus den Gesprächen der Wachen heraushörte, war dies der »Volkssturm«, Hitlers letztes Aufgebot, für das nicht einmal mehr Uniformen zur Verfügung standen.

An einem der nächsten Tage bat ich einen meiner Wächter – wir nannten ihn alle nur den Dicken –, er möge mich austreten lassen. Die Toiletten im Hause waren durch Bomben zerstört, deshalb war im Hof eine Latrine errichtet worden. Dort traf ich General Hans Oster und Herbert Göring, einen Verwandten des Reichsmarschalls. Von seiner Existenz hatte ich bereits gehört, als er eingeliefert worden war. Die Wachen nämlich empfanden das als ein besonderes Vergnügen, daß jemand aus der Familie des Reichsmarschalls unter ihre Gewalt gestellt wurde. Zusätzlich amüsierten sie sich darüber, weil Herbert Göring es nicht glauben wollte, daß er wie jeder andere behandelt und sogar gefesselt wurde.

Als wir zu dritt auf der Latrine saßen, berichtete Göring, wir würden bald frei werden, die Russen wären bereits in der Nähe von Berlin. »Mach dir keine Illusionen«, sagte ich, »der Dicke hat mir eben erzählt, sie hätten Panzerfäuste holen müssen. Würde die Prinz-Albrecht-Straße überraschend in Feindnähe kommen, dann müßten sie diese Panzerfäuste in unsere Zellen hinein abfeuern. Freu dich nicht auf die Russen«, sagte ich Göring, »denn das würde unseren sichern Tod bedeuten.«

Die Befürchtungen der Häftlinge, daß ihre Bewacher sie ermorden würden, waren nur zu berechtigt. Dies zeigte auch die Erschießung von Häftlingen aus dem Gestapo-Gefängnis in der Lehrter Straße unmittelbar vor Ende der Kriegshandlungen. Josef Müller kam allerdings – zusammen mit anderen Gefangenen – nach der Beschädigung der Gestapo-Zentrale durch einen Luftangriff am 7. Februar in das KZ Buchenwald, später in die Konzentrationslager Flossenbürg und Dachau, wo er befreit wurde. Nach dem Krieg gehörte er zu den Mitbegründern der CSU, war deren Vorsitzender von 1946 bis 1949 und stellvertretender bayerischer Ministerpräsident von 1947 bis 1950. Seit den sechziger Jahren war er wieder als Rechtsanwalt in München tätig. Er starb am 12. September 1979.

Georg
Thomas

(Oktober 1944)

Georg Thomas (geb. 1890) war Chef des Wehrwirtschafts- und Rüstungsamts im Oberkommando der Wehrmacht (OKW). Seine Tätigkeit endete Anfang 1943, nachdem das von Albert Speer übernommene Reichsministerium für Bewaffnung und Munition immer mehr Kompetenzen an sich gezogen hatte. Thomas kam aufgrund seiner genauen Kenntnisse der militärischen Möglichkeiten Deutschlands und ihrer wirtschaftlich bedingten Grenzen zur Opposition und war besonders 1939/40 an den Überlegungen des militärischen Widerstands beteiligt. Obwohl er nach seinem Ausscheiden aus dem Amt Anfang 1943 nur noch lose mit der Opposition verbunden war, wurde er nach dem 20. Juli 1944 verhaftet, da mehrere ihn belastende Dokumente aus den Jahren 1939/40 gefunden wurden. Über seine Gestapo-Haft vom 11. Oktober an berichtete Thomas[43] in einer nach Kriegsende verfaßten Aufzeichnung:

Meine ganze Sorge galt in diesen Tagen meiner Familie. Die Gedanken, daß meine schwerkranke tapfere Frau und meine Kinder und Verwandten durch mein Todesurteil nicht nur um ihren Ernährer, sondern auch um ihren letzten Besitz gebracht werden könnten und daß meine gute Frau über diesem Gram zugrundegehen würde, waren mir fürchterlich. Ich klappte einige Zeit mit dem Herzen und mit den Nerven zusammen. Glücklicherweise erhielt ich zu diesem Zeitpunkt Nachricht über die Dinge an der Front, und von nun an ließ mich der Gedanke nicht mehr los, daß mich die Feinde befreien könnten. Ich schlug jetzt eine neue Taktik in meiner Verteidigung ein. Ich schrieb an Himmler und wies darauf hin, daß der Krieg sich genauso entwickelte, wie ich es vorausgesagt hätte. Ich wäre der einzige im OKW, der seinem Vaterlande durch klare Erkenntnis der Dinge und durch offene Darlegung der Gefahren wirklich gedient hätte, ich sei also kein Hoch- und Landesverräter, sondern ein Mann, der für das deutsche Volk und das Vaterland sein Bestes gegeben hätte. Ich forderte daher Entlassung aus meiner Haft und ein Kommando an der Front, um auch in der letzten und höchsten Not meinem Vaterlande dienen zu können. Hierbei hatte ich natürlich nur den einen Gedanken, aus den Händen der Gestapo zu kommen und nach der Schweiz zu entweichen, um von dort den Kampf gegen diese Verbrecherregierung fortzusetzen.

Mich haben damals drei Momente hochgehalten:

1. Der Glaube, daß das Schicksal wenigstens einen Mann übrig lassen würde, der in der Lage war, die Entwicklung der Dinge klarzulegen und als Ankläger gegen dieses verbrecherische System aufzutreten.
2. Der Wille, am Leben zu bleiben, um meine über alles geliebte Frau und meine guten Kinder vor dem Schlimmsten zu schützen. Und endlich
3. Mein christlicher Glaube und besonders mein immer vor mir stehender Konfirmationsspruch: »Kämpfe den guten Kampf des Glaubens, ergreife das ewige Leben, dazu auch du bekannt hast ein gut Bekenntnis vor vielen Zeugen.«

Von Ende Dezember 1944 ab bin ich dann nicht mehr vernommen worden. Alle meine Versuche, eine Erklärung über mein Schicksal zu erlangen, wurden nicht beantwortet. Huppenkothen gab mir auf schriftliche Fragen überhaupt keinen Bescheid. Wenn ich Unterbeamte fragte, hörte ich stets nur die gleichen Worte: »Warten Sie ab, der Führer wird entscheiden, ob Sie vor den Volksgerichtshof kommen oder anders abgeurteilt werden« ...

Die Unterbringung erfolgte in einer Kellerzelle in Einzelhaft. Das Bett mußte am Tage hochgeschlagen sein, nur mittags von 12.30-13.30 Uhr durfte es tagsüber benutzt werden. Die übrige Einrichtung bestand aus einem Stuhl und einem Tischchen. Weder Schrank noch sonstwie Unterbringungsmöglichkeiten waren vorhanden. Koffer, Lesestoff, Medikamente usw. waren mir weggenommen worden. Die Verpflegung war mittags den Verhältnissen entsprechend leidlich, aber sehr knapp, früh und abends gab es ein Töpfchen Kaffee und 2 Scheiben Brot mit Margarine oder Marmelade bekratzt. Nur durch die hervorragenden Sendungen meiner Frau, die mir in der Masse ausgeliefert wurden, habe ich die Zeit gut durchgestanden. Die Behandlung durch Huppenkothen war bis Mitte Dezember einwandfrei, von dann ab hat er mich wie nicht vorhanden behandelt. Die Unterbeamten, die zur besonderen Bewachung der politischen Häftlinge befohlen waren, waren sehr verschieden. Einige benahmen sich sehr korrekt und schimpften selbst auf das System. Andere waren ausgesprochene Sadisten und Menschenquäler. Besonders mit Kleinigkeiten wurde man in übelster Weise schikaniert. Vor allem kam es ihnen darauf an, uns möglichst würdelos zu behandeln. Alle, die bereits zum Tode verurteilt waren, waren Tag und Nacht gefesselt, ebenso ein Teil der Häftlinge, die noch im Verhör standen. Ich bin nur in der Nacht gefesselt worden, als das Gebäude infolge des Luftangriffs brannte. Bei Luftangriffen kamen die »interessanten Häftlinge« in den Bunker, andere wurden in den Zellen an Händen und Füßen gefesselt, eingeschlossen, andere wieder wurden in einen großen Kellerraum eingesperrt. Eine »Freistunde«, um mal Luft zu schnappen, gab es bei der Gestapo nicht. Folterungen waren an der Tagesordnung. Auch Planck ist gefoltert worden, um von ihm eine Aussage über mich zu erzwingen. Der Rechtsanwalt Dr. von Schlabrendorff wurde mehrfach bewußtlos von den Folterungen in die Zelle zurückgebracht. Auch Essenentziehung und derartige Strafen kamen mehrfach vor. Ich habe in diesen Monaten so gut wie keinen Schlaf gefunden, wenn ich viel schlief, waren es 1-2 Stunden am Tag. Von bekannten Persönlichkeiten saßen mit mir in den Kellerzellen in Haft Dr. Schacht, Minister Popitz, Dr. Goerdeler, Generaloberst Halder, Generaloberst Fromm, Staatssekretär Dr. Planck, Botschafter von der Schulenburg, Admiral Canaris, General Oster, Gauleiter Wagner, Ministerialdirektor Sack, Herbert Göring, Dr. Löser, Dr. Josef Müller, München, Dr. Strünk, Doktor von Schlabrendorff, der Sohn des Generals Lindemann, und zahlreiche andere, die einem steten Wechsel unterzogen waren. Schacht wurde Anfang Dezember in ein anderes Lager gebracht. Ebenso Gauleiter Wagner. Planck wurde Mitte Januar nach Tegel überführt, um dort den Entscheid über sein Gnadengesuch abzuwarten. Goerdeler und Popitz wurden am 2. Februar abgeholt, ob zur Hinrichtung, weiß ich nicht.

Fromm sprach ich noch am 6. Februar 1945. Er war als einziger von uns sehr optimistisch und glaubte, daß er in kürzester Zeit freigelassen würde. Er ist Ende Februar wegen Feigheit erschossen worden, nachdem der Volksgerichtshof ihn zum Tode verurteilt hatte. Am 3. Februar erfolgte der große Luftangriff, der das Gebäude der Gestapo stark beschädigte. Ein schwerer Volltreffer traf unseren Bunker. Er hielt, wir lagen bis zum 7. Februar ohne Licht, Wasser, Fenster und Heizung in unseren zerstörten Zellen und froren fürchterlich.

Am 7. Februar 5 Uhr vormittags wurde mir erklärt, daß ich »verlegt« würde. Ob das Ermordung oder örtliche Verlegung bedeutete, wußte man nie. Unter schwerster Bewachung wurden Halder, Canaris, Oster, Strünk, Sack und ich in einen Omnibus verladen, dazu kamen Schacht und das Ehepaar von Schuschnigg aus anderen Lagern, und wir wurden in 14-stündiger Fahrt in das Konzentrationslager Flossenbürg im Bayerischen Wald ostwärts Weiden gebracht. Was ich empfunden habe, als ich an jenem Morgen dicht an meiner Wohnung vorbei durch den Grunewald fuhr, können nur die ermessen, die mein Verhältnis zu Frau und Kind genauer gekannt haben. Ebenso erinnerte mich auf der Autobahn Berlin-Nürnberg jeder Ort an vergangene schöne Stunden mit meinen Lieben.

Georg Thomas und andere Gefangene wurden später nach Dachau, anschließend nach Südtirol gebracht. Amerikanische Truppen befreiten sie dort Ende April 1945. Am 29. Oktober 1946 starb Georg Thomas in amerikanischer Gefangenschaft.

Dietrich Bonhoeffer
(Oktober 1944)

Nach dem Studium der evangelischen Theologie führten weitere Studien und praktische seelsorgerische Tätigkeit Dietrich Bonhoeffer (geb. 1905) mehrfach für längere Zeit ins Ausland. Zwei Jahre lang war er als Vikar an der deutschen Kirche in Barcelona tätig; 1933 ging er, bereits habilitiert, für zwei Jahre nach England, wo er schließlich das Amt des Pastors der deutschen evangelischen Gemeinde übernahm. Hier erreichte ihn 1935, mitten in den Vorbereitungen zu einer Indienreise, der Ruf, die Leitung des Predigerseminars der Bekennenden Kirche in Finkenwalde/Pommern zu übernehmen. Bonhoeffer gehörte bald zu den führenden Persönlichkeiten der Bekennenden Kirche. Noch vor Kriegsbeginn entschloß er sich zum Schritt in den politischen Widerstand. Als ihm im Sommer 1939 während einer Vortragsreise durch die Vereinigten Staaten eine Professur angeboten wurde, lehnte er ab und entschied sich, nach Deutschland zurückzukehren und den eingeschlagenen Weg hier fortzusetzen.

Durch seinen Bruder Klaus und seinen Schwager Hans von Dohnanyi bekam Bonhoeffer bereits in den ersten Kriegsjahren Kontakt zu militärischen Widerstandsgruppen um Canaris und Beck. Mit Hilfe der Abwehr erörterte er in Italien und Schweden Möglichkeiten zur Beendigung des Krieges mit Vertretern der Kirche. Das väterliche Haus in der Marienburger Allee 11 in Charlottenburg wurde ein geistiges Zentrum des Widerstandes. In diesem Haus verhaftete die Gestapo Bonhoeffer am 5. April 1943 – gleichzeitig mit Hans von Dohnanyi und Josef Müller – und lieferte ihn ins Tegeler Militärgefängnis ein. Bei dem großen Aktenfund von Zossen nach dem 20. Juli 1944 gerieten viele Unterlagen auch über die Beteiligung Bonhoeffers in die Hände der Gestapo. Seine Haftbedingungen wurden schlechter. Am 8. Oktober kam er in die Zelle 19 des Gestapo-Gefängnisses, später in die Zelle 25. Aus der Haft[44] schreibt er:

28. Dezember 1944

Liebe Mama!
Eben habe ich zu meiner ganz großen Freude die Erlaubnis bekommen, Dir zum Geburtstag zu schreiben. Ich muß es etwas in Eile tun, da der Brief gleich noch fort soll. Eigentlich habe ich nur einen einzigen Wunsch, nämlich Dir in diesen für Euch so trüben Tagen irgendeine Freude machen zu können. Liebe Mama, Du mußt wissen, daß ich jeden Tag unzählige Male an Dich und Papa denke und daß ich Gott danke, daß Ihr da seid für mich und für die ganze Familie. Ich weiß, daß Du immer nur für uns gelebt hast und daß es für Dich

ein eigenes Leben nicht gegeben hat. Daher kommt es, daß ich alles, was ich erlebe, auch nur mit Euch zusammen erleben kann. ... Ich danke Dir für alle Liebe, die im vergangenen Jahr von Dir zu mir in meine Zelle gekommen ist und mir jeden Tag hat leichter werden lassen. Ich glaube, daß diese schweren Jahre uns noch enger miteinander verbunden haben als es je war. Ich wünsche Dir und Papa ... und uns allen, daß das neue Jahr uns doch wenigstens hier und da einen Lichtblick bringt und daß wir uns doch noch einmal zusammen freuen können. Gott erhalte Euch gesund! Es grüßt Dich, liebe Mama, und denkt an Dich an Deinem Geburtstag von ganzem Herzen

Euer dankbarer Dietrich

Anfang 1945 war immer noch kein förmliches Gerichtsverfahren eröffnet, da die Gestapo ihre Vernehmungen fortsetzen wollte, um vielleicht doch noch nähere Einzelheiten aus Bonhoeffer und den anderen Beschuldigten herauszubekommen. Am 7. Februar – vier Tage nach dem Luftangriff, der auch das Gebäude in der Prinz-Albrecht-Straße 8 schwer beschädigt hatte – kam Bonhoeffer in das Konzentrationslager Flossenbürg. Dort wurde er am Morgen des 9. April 1945 nach einem »Standgerichtsverfahren«, dessen Ausgang von vornherein durch Hitler angeordnet war, zusammen mit Wilhelm Canaris, Hans Oster und dem Heeresrichter Karl Sack gehängt.

Von guten Mächten

Von guten Mächten treu und still umgeben,
behütet und getröstet wunderbar,
so will ich diese Tage mit euch leben
und mit euch gehen in ein neues Jahr.

Noch will das alte unsre Herzen quälen,
noch drückt uns böser Tage schwere Last,
ach, Herr, gib unsern aufgescheuchten Seelen
das Heil, für das Du uns bereitet hast.

Und reichst Du uns den schweren Kelch, den bittern
des Leids, gefüllt bis an den höchsten Rand,
so nehmen wir ihn dankbar ohne Zittern
aus Deiner guten und geliebten Hand.

Doch willst du uns noch einmal Freude schenken
an dieser Welt und ihrer Sonne Glanz,
dann wolln wir des Vergangenen gedenken,
und dann gehört Dir unser Leben ganz.

Laß warm und still die Kerzen heute flammen,
die Du in unsre Dunkelheit gebracht,
führ, wenn es sein kann, wieder uns zusammen.
Wir wissen es, Dein Licht scheint in der Nacht.

Wenn sich die Stille nun tief um uns breitet,
so laß uns hören jenen vollen Klang
der Welt, die unsichtbar sich um uns weitet,
all Deiner Kinder hohen Lobgesang.

Von guten Mächten wunderbar geborgen
erwarten wir getrost, was kommen mag.
Gott ist mit uns am Abend und am Morgen
und ganz gewiß an jedem neuen Tag.

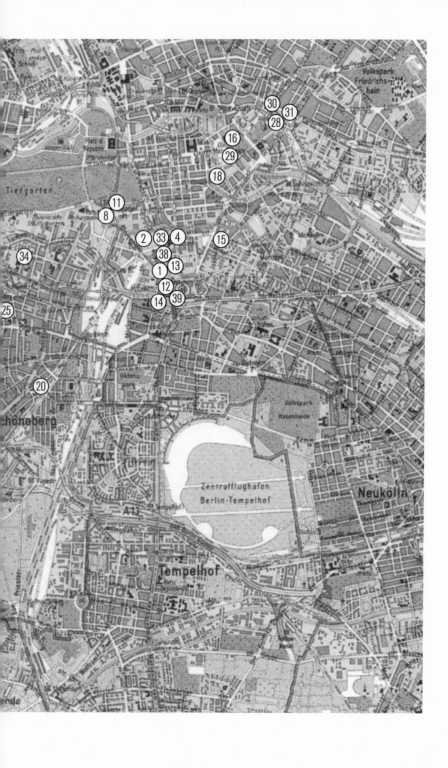

Dienststellen des Reichssicherheitshauptamtes
in Berlin um 1943/44

Amt I: Personal
Amt II: Organisation und Recht
Amt III: Deutsche Lebensgebiete (SD-Inland)
Amt IV: Gegnererforschung und -bekämpfung
            (Geheime Staatspolizei)
Amt V: Verbrechensbekämpfung (Kripo)
Amt VI: SD-Ausland
Amt VII: Weltanschauliche Forschung und Auswertung

Die einzelnen Ämter waren in Gruppen und Referate eingeteilt; eine Gruppe
umfaßte mehrere Referate

① Wilhelmstraße 102 (Prinz-Albrecht-Palais)
   – Chef der Sicherheitspolizei und des SD
   – Attachégruppe
   – Amtschef I (Personal)
   – Adjutant Amtschef I, Geschäftsstelle Amt I
   – Referate I Org, I A 4, I A 5 (V-Stelle)
   Wilhelmstraße 106
   – Gruppe III A (Fragen der Rechtsordnung und des Reichsaufbaus) mit den
     Referaten III A 2, III A 4, III A 5, III A 6
   – Gruppe III D (Wirtschaft) mit den Referaten III D 1, III D 2, III D 3, III D 4,
     III D 5, III D West, III D Ost

② Prinz-Albrecht-Straße 8
   (ehem. Kunstgewerbschule)
   – Amtschef IV
   – Adjutant Amtschef IV, Geschäftsstelle Amt IV
   – Nachrichtensammelstelle Amt IV (IV N)
   – Gruppe IV A (Gegner, Sabotage und Schutzdienst) mit den Referaten IV A 1
     (Kommunismus, Marxismus usw.), IV A 4 (Schutzdienst, Attentate, Über-
     wachungen usw.) und IV D ausl. Arb. (Ausländische Arbeiter)

③ Kurfürstendamm 140
   – Referate IV A 2 (Sabotageabwehr, Sabotagebekämpfung) und IV F 1 (Grenz-
     polizei)
   – Gruppe IV E (Abwehr) mit den Referaten IV E 1 (Allgemeine Abwehrangele-
     genheiten usw.), IV E 3 (Abwehr West), IV E 4 (Abwehr Nord), IV E 5
     (Abwehr Ost) und IV E 6 (Abwehr Süd)

④ Zimmerstraße 16-18
   – Referate IV A 3 (Reaktion, Opposition) und IV D 5 (Besetzte Ostgebiete)
   – Gruppe IV C (Personenkartei, Personenaktenverwaltung, Schutzhaft, Presse
     und Partei) mit dem Referat IV C 1 (Auswertung, Hauptkartei, Personenak-
     tenverwaltung, Auskunftstelle Ausländerüberwachung) und Verbindungs-
     stelle zum Referat IV C 2 (Schutzhaft)

⑤ Meinekestraße 10
- Gruppe IV B (Politische Kirche, Sekten und Juden) mit den Referaten IV B 1 (Politischer Katholizismus), IV B 2 (Politischer Protestantismus, Sekten), IV B 3 (Sonstige Kirchen, Freimaurerei)
- Referate IV C 3 (Presseangelegenheiten) und IV C 4 (Angelegenheiten der Partei und ihrer Gliederungen, Sonderfälle)

⑥ Kurfürstenstraße 115/116
- Referat IV B 4 (Judenangelegenheiten, Räumungsangelegenheiten, Einziehung volks- und staatsfeindlichen Vermögens, Aberkennung der deutschen Reichsangehörigkeit)

⑦ Wrangelstraße 6/7
- Gruppe IV D (Großdeutsche Einflußgebiete) mit den Referaten IV D 1 (Protektoratsangelegenheiten, Slowakei, Serbien, Kroatien, Griechenland usw.), IV D 2 (Polen), IV D 3 (Vertrauensstellen, Staatsfeindliche Ausländer)

⑧ Hermann-Göring-Straße 8
- Referat I Org. (Organisation)
- Gruppe IV F (Paßwesen und Ausländerpolizei) mit den Referaten IV F 2 (Paßwesen), IV F 3 (Ausweiswesen und Kennkarten), IV F 4 (Ausländerpolizei, grundsätzliche Grenzangelegenheiten)

⑨ Berliner Straße 120 (Berlin-Pankow)*
- Referat IV F 5 (Zentrale Sichtvermerksstelle)

⑩ Schloßstraße 1 (Berlin-Charlottenburg)
- Führerschule der Sicherheitspolizei
- Gruppe I B (Erziehung, Ausbildung und Schulung) mit den Referaten I B 1 bis 5

⑪ Hermann-Göring-Straße 5
- Verbindungssetelle zum Referat I A 1;
- Referat I A 6

⑫ Wilhelmstraße 20
- Referate I A 2, I A 3, III D 2

⑬ Kochstraße 64
- Gruppe II A (Organisation und Recht) mit den Referaten II A 1, II A 2
- Referate II B 2, II B 3, II B 4

⑭ Hedemannstraße 14
- Referat II A 3
Hedemannstraße 22
- Gruppe III B (Volkstum) mit den Referaten III B 1 bis III B 5 und III C, S und R

⑮ Lindenstraße 51-53
- Kasse und Rechnungsamt des RSHA

⑯ Burgstraße 26
- Gruppe II C mit den Referaten II C 2, II C 3, II C 5 und II A 3

(17) Wielandstraße 42
- Referat II C 1

(18) Werderscher Markt 5/6
- Amtschef V (Kriminalpolizei)
- Gruppe V A (Kriminalpolizei und Vorbeugung) mit den Referaten V A 1, V A 4, V B 3, V D 2, V D W

(19) Wörthstraße 20*
- Gruppe V B (Einsatz) mit den Referaten V B 1 und V B 2

(20) Hauptstraße 144
- Gruppe V C (Erkennungsdienst und Fahndung) mit dem Referat V C 1

(21) Berkaer Straße 32
- Amtschef VI (SD-Ausland)
- Geschäftsstelle VI
- Gruppen VI A, B, C, D mit den Referaten VI C 4 bis VI C 13, VI G, VI Wi und VI Kult

(22) Am Großen Wannsee 71*
- Referate VI C 1, VI C 2, VI C 3

(23) Am Großen Wannsee 56/58 (»Wannsee-Villa«)*
- Gästehaus des SD

(24) Delbrückstraße 6a
- Gruppe VI F

(25) Eisenacher Straße 12
- Geschäftsstelle Amt VII

(26) Emser Straße 12
- Gruppe VII C mit den Referaten VII C 1 und 2

Dem Reichssicherheitshauptamt unterstehende wichtige Dienststellen in Berlin 1943/44

(27) Koenigsallee 11a
Der Höhere SS- und Polizeiführer Berlin

(28) Grunerstraße 12
Gestapo-Leitstelle Berlin

(29) Burgstraße 28
Gestapo-Leitstelle Berlin (u.a. Judenreferat)

(30) Kaiser-Wilhelm-Straße 22
SD-Leitabschnitt Berlin

(31) Alexanderstr. 2, 10, 18
Polizeipräsidium

Wichtige Dienststellen der SS in Berlin 1943/44

㉜ Dohnenstieg 10
Privatwohnung Himmler

㉝ Prinz-Albrecht-Straße 9
Reichsführer SS,
Persönlicher Stab

㉞ Lützowstraße 48/49
SS-Hauptamt

㉟ Kaiserallee 188
SS-Führungshauptamt

㊱ Wilmersdorfer Straße 98/99
SS-Personalhauptamt

㊲ Unter den Eichen 126-135
SS-Wirtschafts- und Verwaltungshauptamt

㊳ Wilhelmstraße 100
Chef des SS-Fernmeldewesens

㊴ Hedemannstraße 24
SS-Rasse- und Siedlungshauptamt

㊵ Kurfürstendamm 142/143
Stabshauptamt im Reichskommissariat für die Festigung deutschen Volkstums

㊶ Keithstraße 25
Hauptamt Volksdeutsche Mittelstelle

㊷ Knesebeckstraße 43
Reichsarzt-SS und Polizei

㊸ Am Großen Wannsee 43*
SS-Funkstelle

Diese Aufstellung ist unvollständig. Sie wurde nach verschiedenen Archivalien in BA, R 58 und BA, NS 3 und NS 6 zusammengestellt und gibt den ungefähren Stand von 1943/44 wieder. Genannt wurden nur die wichtigsten Gruppen und Referate des Geheimen Staatspolizeiamtes. Einige Orte (Berlin-Neukölln, Jägerstraße 1/2 u.a.) konnten nicht mehr identifiziert werden. »V-Stelle« = Verbindungsstelle zu den bereits aus Berlin ausgelagerten Referaten. »« = Anschriften außerhalb des Kartenausschnittes.*

Chronologische Übersicht

30.1.1933	Reichspräsident von Hindenburg ernennt Adolf Hitler zum Reichskanzler. Hermann Göring wird kommissarischer preußischer Innenminister und erhält so den Befehl über die gesamte preußische Polizei.
4.2.1933	»Verordnung zum Schutze des deutschen Volkes«: Die Polizei kann ohne Begründung Versammlungen auflösen und Flugblätter, Zeitungen und Zeitschriften verbieten.
22.2.1933	»Hilfspolizei« aus SA (50 %), SS (30 %) und Stahlhelm (20 %), die in den folgenden Wochen in Preußen rund 50.000 Mann umfaßt.
22.2.1933	Göring ernennt den Oberregierungsrat Rudolf Diels aus dem preußischen Innenministerium zum »Leiter der Politischen Polizei im Polizeipräsidium Berlin«. Die Herauslösung der Politischen Polizei aus der Innenverwaltung beginnt.
März 1933	Nach dem Reichstagsbrand am 27. Februar werden in Berlin mehrere hundert, in Preußen mehrere tausend Menschen verhaftet. Rechtsgrundlage ist die von Hindenburg am 28.2.1933 unterzeichnete »Verordnung zum Schutz von Volk und Staat«. Politische Grundrechte, Freiheit der Person, Versammlungsfreiheit, Meinungs- und Pressefreiheit, Brief- und Telefongeheimnis usw. werden aufgehoben.
9.3.1933	Umzug der »neugegründeten Abteilung zur Bekämpfung des Bolschewismus« in die einen Tag zuvor besetzte Parteizentrale der KPD im Karl-Liebknecht-Haus, das nun »Horst-Wessel-Haus« heißt.
26.4.1933	Gesetz über die Errichtung eines Geheimen Staatspolizeiamtes (Gestapa) für Preußen mit unmittelbarer Unterstellung unter den Innenminister Göring. Diels wird Leiter des Gestapa; vorläufiger Dienstsitz: Alexanderstraße 5-6.
Mai 1933	Einzug des Gestapa in die Prinz-Albrecht-Straße 8.
19.6.1933	Erster Geschäftsverteilungsplan des Gestapa mit 10 Dezernaten.
7.7.1933	Aktion der SA-Ärzte in Berlin gegen jüdische Ärzte; die Teilnehmer versammeln sich im Hof des Gebäudes Prinz-Albrecht-Straße 8.
19.9.1933	Ali Höhler, 1930 wegen Tötung von Horst Wessel zu sechs Jahren Zuchthaus verurteilt, wird in das Hausgefängnis Prinz-Albrecht-Straße 8 gebracht und kurz darauf beim Rücktransport in das Breslauer Zuchthaus der SA ausgeliefert; diese ermordet ihn bestialisch.
30.11.1933	Zweites preußisches Gesetz über die Geheime Staatspolizei: Die Gestapo wird ein eigener Zweig der inneren Verwaltung.
Winter 1933/34	Der Bayerische Politische Polizeikommandeur und Reichsführer-SS, Heinrich Himmler, bietet Hitler mit der Politischen Polizei, die den Gegner erkennen und überwachen soll, und den Konzentrationslagern, in denen die SS politische Gegner isoliert, ein geschlossenes Konzept der innenpolitischen Unterdrückung an. Er wird mit Zustimmung Hitlers in allen Ländern außer Preußen und Schaumburg-Lippe zum Kommandeur der Politischen Polizei.

Februar 1934	Ermordung von John Schehr und drei weiteren kommunistischen Funktionären bei einem angeblichen Fluchtversuch.
20.4.1934	Im Vorfeld der Ausschaltung der SA versetzt Göring Rudolf Diels als Regierungspräsidenten nach Köln, ernennt Heinrich Himmler zum Inspekteur der preußischen Gestapo und dessen Mitarbeiter Reinhard Heydrich zum Leiter des Gestapa.
Sommer 1934	Himmler und Heydrich organisieren das Geheime Staatspolizeiamt neu. Sie werden dabei unterstützt von Münchner Polizeibeamten wie Heinrich Müller und Franz Josef Meisinger, die später hohe Posten im Gestapo bekleiden. Unter dem Briefkopf »Der Politische Polizeikommandeur der Länder« wird das Geheime Staatspolizeiamt, trotz seiner formal auf Preußen begrenzten Kompetenzen, zur Koordinationsstelle für das Reich.
30.6.1934	Während der Aktion gegen die SA wird im Keller des Gestapa Gregor Straßer, ehemaliger NS-Reichsorganisationsleiter, ermordet.
Sommer 1934	Mit Ausnahme von Esterwegen und Lichtenburg werden die staatlichen preußischen Konzentrationslager aufgelöst. Sie unterstehen dem SS-Gruppenführer Theodor Eicke, der seinen Sitz im Dezember 1934 im Gestapa erhält und Himmler direkt unterstellt ist.
Mai 1935	Entscheidungen der Gestapo sind nicht mehr im Verwaltungsgerichtsverfahren anfechtbar, sondern nur noch mit einer Dienstaufsichtsbeschwerde, über die der Inspekteur Himmler entscheidet.
10.2.1936	Drittes preußisches Gesetz über die Gestapo. Das Gestapa kann nun faktisch auch den Regierungspräsidenten Anweisungen erteilen.
17.6.1936	Nach einer langen Auseinandersetzung mit Reichsinnenminister Wilhelm Frick ernennt Hitler Himmler zum »Reichsführer-SS und Chef der Deutschen Polizei im Reichsministerium des Innern«. Formal unterstand Himmler damit Frick »direkt und unmittelbar«, tatsächlich besaß er volle ministerielle Entscheidungsgewalt.
26.6.1936	Neuorganisation der deutschen Polizei: Kurt Daluege leitet als Chef der Ordnungspolizei das »Hauptamt Ordnungspolizei« (Schutzpolizei, Gendarmerie, Gemeindepolizei). Reinhard Heydrich leitet als Chef der Sicherheitspolizei das »Hauptamt Sicherheitspolizei« mit Kriminalpolizei und Gestapo. Beide Hauptämter besitzen auch ministerielle Funktionen.
1936-1939	Neuorientierung der Gestapo: Verschärfte Überwachungsmaßnahmen sollen jederzeit den Zugriff auf die tatsächliche oder vermeintliche Opposition sichern. Politische und weltanschauliche Gegner, aber auch Homosexuelle, Arbeitsschwache und psychisch Kranke, werden willkürlich ins Konzentrationslager gebracht.
9.11.1938	Nach dem Attentat auf Ernst vom Rath in Paris initiiert Reichspropagandaminister Goebbels Pogrome im gesamten Reich. Die Gestapo ordnet danach die Verhaftung von über 20.000 Juden an.
1.9.1939	Nach dem deutschen Überfall auf Polen verschärft sich die Unterdrückung wirklicher oder vermeintlicher politischer Gegner auf allen Gebieten.

Durch »Sonderbehandlung« können auf Anordnung Himmlers Menschen ohne jedes Gerichtsverfahren hingerichtet werden.

27.9.1939	Himmler faßt die Polizei und die Parteinachrichtenorganisation »Sicherheitsdienst des Reichsführers-SS« (SD) im »Reichssicherheitshauptamt« (RSHA) zusammen. Dies ist ein organisatorisches Dach für unterschiedlichste Funktionen. 1939 gliedert sich das RSHA in sechs Ämter:

I	Organisation, Verwaltung, Recht	(Dr. Best)
II	Gegnerforschung	(Dr. Six)
III	SD-Inland	(Ohlendorf)
IV	Gegnerbekämpfung (Gestapo)	(Müller)
V	Kriminalpolizei	(Nebe)
VI	SD-Ausland	(Jost)

1939/40	»Unternehmen Tannenberg«: Einsatzgruppen und Einsatzkommandos der Sicherheitspolizei und des SD folgen den deutschen Truppen. Sie ermorden Zehntausende von polnischen Intellektuellen und Juden.
22.6.1941	Mit dem Überfall auf die UdSSR erhalten Einsatzgruppen, die sich aus Mitarbeitern aller RSHA-Ämter zusammensetzen, einen umfassenden Liquidierungsbefehl gegen Kommunisten und Juden. In den folgenden Monaten ermorden sie Hunderttausende.
31.7.1941	Göring beauftragt Heydrich, »alle erforderlichen Vorbereitungen … zu treffen für eine Gesamtlösung der Judenfrage …«
14.10.1941	Beginn der Deportationen aus dem Reichsgebiet in das Ghetto Theresienstadt und in die Vernichtungslager im besetzten Polen.
20.1.1942	Auf der »Wannsee-Konferenz« informiert Heydrich Vertreter aller Reichsbehörden über die Gesamtplanung der »Endlösung«.
27.5.1942	Attentat in Prag auf Heydrich, inzwischen stellvertretender »Reichsprotektor« in Böhmen und Mähren. Nach Heydrichs Tod am 4.6.1942 übernimmt Heinrich Himmler wieder die Leitung des RSHA, das mittlerweile folgende Struktur aufweist:

Amt I:	Personal
Amt II:	Organisation, Verwaltung und Recht
Amt III:	Deutsche Lebensgebiete (SD-Inland)
Amt IV:	Gegnererforschung und Bekämpfung (Gestapo)
Amt V:	Verbrechensbekämpfung (Kripo)
Amt VI:	SD-Ausland
Amt VII:	Weltanschauliche Forschung und Auswertung

Herbst 1942	Die Gestapo zerschlägt die Harnack/Schulze-Boysen-Widerstandsorganisation und andere Gruppen der »Roten Kapelle«; sie verhaftet allein in Berlin über 130 Personen. Ihre Aktivitäten richten sich jedoch nicht nur gegen die deutsche Opposition, sondern verstärkt gegen die im Reich eingesetzten Zwangsarbeiter und vor allem gegen die Widerstandsgruppen in den besetzten Gebieten.
Januar 1943	Ernst Kaltenbrunner übernimmt die Leitung des RSHA.
Herbst 1943	Nach seiner Ernennung zum Reichsinnenminister überträgt Himmler dem RSHA zunehmend Aufgaben aus der Innenverwaltung.

Juli 1944	Nach dem Attentat vom 20. Juli 1944 nimmt eine mehrere hundert Mann starke Sonderkommission die Arbeit auf. Neben der Fahndung nach den Verschwörern führt die Gestapo mit der »Aktion Gewitter« einen letzten großen Schlag gegen politische Gegner: Mehr als 5.000 Politiker aus der Weimarer Zeit werden verhaftet und in Konzentrationslager gebracht.
3.2.1945	Bei einem Bombenangriff wird das Gebäude in der Prinz-Albrecht-Straße 8 schwer beschädigt. In diesen Wochen sind die Beamten der Gestapo vor allem mit der Vernichtung von Akten beschäftigt. Viele tauchen mit falschen Papieren unter.
April/Mai 1945	Gestapo-Chef Heinrich Müller stirbt bei dem Versuch, Berlin zu verlassen. Ernst Kaltenbrunner wird von den Alliierten verhaftet und am 16. Oktober 1946 in Nürnberg gehängt. Heinrich Himmler begeht bei der Verhaftung Selbstmord. Rund 50.000 Angehörige des RSHA fallen unter die Kategorie des »Automatic Arrest«.

Verzeichnis der Abkürzungen

BA	Bundesarchiv
BDC	Berlin Document Center
BPP	Bayerische Politische Polizei
Gestapa	Geheimes Staatspolizeiamt
Gestapo	Geheime Staatspolizei
GS	Preußisches Gesetzblatt
GSTA	Geheimes Staatsarchiv der Stiftung Preußischer Kulturbesitz
HSTAD	Nordrhein-Westfälisches Hauptstaatsarchiv, Düsseldorf
IfZ	Institut für Zeitgeschichte, München
IKL	Inspekteur der Konzentrationslager
IMT	Internationaler Prozeß gegen die Hauptkriegsverbrecher, Nürnberg 1945/46
KJVD	Kommunistischer Jugendverband Deutschlands
KL	Konzentrationslager
KPD	Kommunistische Partei Deutschlands
KZ	Konzentrationslager
LA	Landesarchiv
MBliV	Ministerialblatt für die innere Verwaltung
MdI	Ministerium des Innern
MdR	Mitglied des Reichstages
NSDAP	Nationalsozialistische Deutsche Arbeiterpartei
RFSS	Reichsführer-SS
RGBl	Reichsgesetzblatt
RSHA	Reichssicherheitshauptamt
SA	Sturm-Abteilung
SD	Sicherheitsdienst des Reichsführers-SS
Sipo	Sicherheitspolizei
SOPADE	Sozialdemokratische Partei Deutschlands
SS	Schutzstaffel
WVHA	SS-Wirtschafts-Verwaltungshauptamt
VO	Verordnung

Anmerkungen

Kapitel I

1 Die Baugeschichte der Prinz-Albrecht-Straße und des nördlich anschließenden Viertels ist eingehend beschrieben in Andreas Bekiers/Karl-Robert Schütze, Zwischen Leipziger Platz und Wilhelmstraße.

2 Ebenda, S. 31.

3 Annemarie Lange, Berlin zur Zeit Bebels und Bismarcks, S. 229.

4 Julius Posener, Berlin auf dem Weg zu einer neuen Architektur, führt zahlreiche Beispiele für moderne Geschäftsarchitektur in den umliegenden Vierteln auf.

5 Wie der Name schon bezeugt, waren die Reichsämter keine Ministerien im staatsrechtlichen Sinn; sie unterstanden dem Reichskanzler und wurden in seinem Namen von Staatssekretären geleitet.

6 Paul Göhre, Das Warenhaus, in: Schriftenreihe »Die Gesellschaft«, hrsg. von Martin Buber, Frankfurt a. M. 1907, S. 100.

7 Julius Posener, Berlin auf dem Weg zu einer modernen Architektur, vor allem S. 369 ff. und S. 475 ff.

8 Erich Achterberg, Berliner Hochfinanz, S. 43-46.

9 Exerzierfeld der Moderne, S. 129.

10 L. Friedländer (1898) in: Johann Jacob Hässlin, Berlin, München 1955.

11 Hierzu: Peter de Mendelssohn, Zeitungsstadt Berlin.

12 Meyers Konversationslexikon, 6. Auflage, Leipzig/Wien 1903, Stichwort »Berlin«.

13 Das Gebäude wurde 1911/12 nach Entwürfen des Architekten Franz Schwechten als »Haus Potsdam« gebaut. In ihm befand sich das »Café Piccadilly«, ein bombastisches Großcafé. 1914 erhielt das Gebäude den Namen »Haus Vaterland«, das Café nannte sich nun »Café Vaterland«.

14 Vgl. hierzu Gisela Moeller, Die preußischen Kunstgewerbeschulen, in: Kulturpolitik und Kulturförderung, S. 113-129.

15 Barbara Mundt, Die Deutschen Kunstgewerbeschulen, S. 115 ff.

16 Ebenda.

17 Gisela Moeller, Die preußischen Kunstgewerbeschulen, S. 124 ff. Jan S. Kunstreich, Hermann Muthesius und die Reform der preußischen Kunstgewerbeschulen, in: Nordelbingen, Beiträge zur Kunst- und Kulturgeschichte, Bd. 47 (1978), S. 128-140.

18 Zentralblatt der Bauverwaltung 1906, S. 314.

19 Vossische Zeitung, 2. Oktober 1905.

20 Zentralblatt der Bauverwaltung 1906, S. 296-298, S. 311-314.

21 Kunstgewerbliche Rundschau 1906, S. 121-123.

22 Zum Beispiel das Amtsgericht Schöneberg in der Grunewaldstraße und das Gebäude des ehemaligen Preußischen Oberverwaltungsgerichts (heute Bundesverwaltungsgericht) in der Hardenbergstraße.

23 Zentralblatt der Bauverwaltung 1906, S. 297.

24 Bruno Paul (1874-1968): Architekt, Maler und Karikaturist.

25 Sonja Günther, in: Berlin um 1900, S. 244.

26 Alfred Grenander (1863-1931): Architekt, vor allem bei der Gestaltung der Berliner U-Bahnhöfe tätig.
Emil Orlik (1870-1932): Maler, Grafiker, Bühnenbildner.
Otto Eckmann (1865-1902): Schriftkünstler. Schöpfer der Eckmann-Schrift.
Emil Rudolf Weiß (1875-1942): Maler, Buch- und Schriftkünstler; verheiratet mit Renée Sintenis (siehe Anmerkung 27).

Karl Bloßfeldt (1865–1932): Fotograf, entwickelte aus der für den Jugendstil typischen Lehrveranstaltung »Modellieren nach lebenden Pflanzen« eine umfangreiche Sammlung von Pflanzenfotografien. Ihre erste Publikation unter dem Titel »Urformen der Kunst« (1928) machte ihn auf einen Schlag berühmt.

27 George Grosz (1893–1959): Maler und Zeichner. Zu seiner Ausbildungszeit in Berlin siehe seine Autobiographie »Ein kleines Ja und ein großes Nein« (Hamburg 1955).
Karl Hubbuch (1891–1979): Maler und Zeichner. Siehe Helmut Goettl/Wolfgang Hartmann/Michael Schwarz (Hrsg.), Karl Hubbuch, besonders den Aufsatz von Wolfgang Hartmann, Karl Hubbuch, Leben und Werk, S. 10 ff.
Peter Kollwitz (1896–1914): Vgl. Käthe Kollwitz, Bekenntnisse, hrsg. von Volker Frank (Frankfurt 1982).
Renée Sintenis (1888–1965): Bildhauerin, bekannt durch ihre Kleinplastiken.

28 Kunstgewerbliche Rundschau 1906, S. 123.

29 Julius Hay, Geboren 1900, Erinnerungen eines Revolutionärs, S. 90 f.

Kapitel II

1 LA, Pr. Br. Rep. 42/2276.
2 Ebenda.
3 Ebenda.
4 Ebenda.
5 LA, Pr. Br. Rep. 42/2275.
6 Ebenda.
7 Ebenda.
8 Ebenda.
9 LA, Pr. Br. Rep. 42/2276.
10 Ebenda.

Kapitel III

1 Vgl. die entsprechenden Stichworte im Handwörterbuch der Preußischen Verwaltung, Band 1 (3. Auflage 1928) und Band 2 (3. Auflage 1931). Die Unterscheidung der drei Polizeizweige hatte über die im Text dargestellten Fragen hinaus praktische Bedeutung, so etwa für Laufbahnen, für die Aufteilung der Ortspolizei zwischen staatlichen und kommunalen Polizeibehörden, für die Mitwirkung des Gemeindevorstandes etc. Siehe hierzu auch Handwörterbuch, S. 295 f. Trotzdem überrascht es, mit welchem Perfektionsdrang das preußische Innenministerium die Dreiteilung durchzusetzen versuchte, bis hin zu Vorschriften über spezifische Kennfarben für »Wegweisermappen, Aktenrücken, Ordnungsblätter usw.« in den drei Polizeizweigen (Runderlaß vom 12. Dezember 1928 [MBliV 1928], Sp. 1191).

2 Staatslexikon, Band 4, 5. Auflage, Freiburg 1931, S. 282 ff.

3 Vgl. preußisches Schutzpolizeibeamtengesetz vom 16. August 1922 (GS 1922, S. 251) und preußisches Polizeibeamtengesetz vom 31. Juli 1927 (GS 1927, S. 251); Hue des Grais, Handbuch der Verfassung und Verwaltung, S. 408 f.

4 Hagen Schulze, Otto Braun, S. 464 ff.

5 Hue de Grais, Handbuch der Verfassung und Verwaltung, S. 414 f.

6 Christoph Graf, Politische Polizei, S. 314 ff.

7 Siehe Hsi-huey Liang, Die Berliner Polizei in der Weimarer Republik, S. 9 ff.

8 Hue de Grais, Handbuch der Verfassung und Verwaltung, S. 105.

9 Hsi-huey Liang, Die Berliner Polizei in der Weimarer Republik, S. 9 ff.
10 Zur Geschichte der politischen Polizei vor dem Ersten Weltkrieg vgl. Christoph Graf, Politische Polizei, S. 5-7; Feigell, Die Entwicklung des königlichen Polizei-Präsidiums zu Berlin in der Zeit von 1809-1909; Werner Pöls, Staat und Sozialdemokratie im Bismarckreich, Die Tätigkeit der politischen Polizei beim Polizeipräsidenten in Berlin in der Zeit des Sozialistengesetzes 1878-1890, in: Jahrbuch für die Geschichte Mittel- und Ostdeutschlands, Bd. XIII/XIV (1965), S. 200 ff.
11 Zur Entwicklung bis 1918 vgl. Christoph Graf, Politische Polizei, S. 88 ff.
12 Die Regelungen sind in zwei Erlassen vom 12. Dezember 1928 enthalten: »Runderlaß zur einheitlichen Gliederung und Geschäftsverteilung der staatlichen Polizeiverwaltungen« (MBliV 1928, Sp. 1190 ff.) und »Runderlaß zur Organisation der politischen Polizei« (MBliV 1928, Sp. 1198 ff.).
13 Gesetz zum Schutze der Republik vom 21. Juli 1922 (RGBl 1922, Teil I, S. 585).
14 Gesetz zum Schutze der Republik vom 27. März 1930 (RGBl 1930, Teil I, S. 91.
15 Staatsschutzverordnungen in den Jahren 1931 und 1932

Titel	Datum	Fundstelle im RGBl. I Seite
Notverordnungen des Reichspräsidenten		
1. Verordnung zur Bekämpfung politischer Ausschreitungen	28.03.1931	79-81
2. Verordnung zur Bekämpfung politischer Ausschreitungen	17.07.1931	371
3. Verordnung zur Bekämpfung politischer Ausschreitungen	06.10.1931	537, 566-568
Verordnung zum Schutz des inneren Friedens	17.03.1932	133
1. Verordnung zur Sicherung der Staatsautorität (= SA- und SS-Verbot)	13.04.1932	175
2. Verordnung zur Sicherung der Staatsautorität	03.05.1932	185
Verordnung über die Auflösung der kommunistischen Gottlosenorganisationen	03.05.1932	185/186
1. Verordn. gegen pol. Ausschreitungen (hierin enthalten Aufhebung des SA- und SS-Verbots)	14.06.1932	297-300
2. Verord. gegen pol. Ausschreitungen	28.06.1932	339
Verordnung betreffend die Wiederherstellung der öffentlichen Sicherheit und Ordnung in Gebieten des Landes Preußen	20.07.1932	377
Verordnung betreffend die Wiederherstellung der öffentlichen Sicherheit und Ordnung in Groß-Berlin und die Provinz Brandenburg (Aufhebungsverordnung)	20.07.1932	377/78
1. Verordn. zur Sicherung des inneren Friedens	26.07.1932	387
Verordnung gegen politischen Terror	29.07.1932	389
2. Verordn. zur Sicherung des inneren Friedens	09.08.1932	403/04
3. Verordn. zur Sicherung des inneren Friedens	09.08.1932	407
4. Verordn. zur Sicherung des inneren Friedens	02.11.1932	517
	03.11.1932	519

Notverordnung des Reichsinnenministers
bzw. der Reichsregierung

1. Verordn. über Versammlungen und Aufzüge	28.06.1932	339/40
2. Verordn. über Versammlungen und Aufzüge	18.07.1932	355
3. Verordn. über Versammlungen und Aufzüge	22.07.1932	385
Verordn. über die Bildung von Sondergerichten	09.08.1932	

16 Gotthard Jaspeer, Der Schutz der Republik, S. 132.

17 Ebenda, S. 192 ff. Filme konnten übrigens nicht von der Polizei verboten werden. Sie mußten nach dem Reichs-Lichtspielgesetz vom 12. Mai 1920 (RGBl 1920, Teil I, S. 953) von besonderen Prüfstellen zugelassen werden, über die das Reichsinnenministerium die Aufsicht führte. Das spektakuläre Verbot des Filmes »Im Westen nichts Neues« im Dezember 1930 war keine Maßnahme der preußischen Polizei, sondern der Widerruf einer vorläufigen Zulassung, der auf Antrag mehrerer Länder und nach hartnäckigem Drängen des Auswärtigen Amtes und des Reichsinnenministeriums zustande kam.

18 Der Wortlaut wird erstmals in der Notverordnung vom 11. Januar 1920 (RGBl 1920, Teil I, S. 41) verwendet und dann in entsprechenden Verordnungen des gleichen Jahres sowie 1923 und 1932 unverändert wiederholt. Auch § 1 der Verordnung vom 28. Februar 1933 benützt exakt die gleiche Fassung. In drei Verordnungen des Jahres 1920 taucht allerdings statt der Wendung »bis auf weiteres« der Ausdruck »vorübergehend« auf; er gibt die zeitliche Beschränkung des Art. 48 Abs. 2 der Reichsverfassung sicher korrekter wieder.

19 »Verordnung des Reichspräsidenten, betreffend die Wiederherstellung der öffentlichen Sicherheit und Ordnung im Gebiete des Landes Preußen« mit der Ermächtigung des Reichskanzlers, als Reichskommissar die preußische Staatsregierung ihres Amtes zu entheben, selbst die Dienstgeschäfte des preußischen Ministerpräsidenten zu übernehmen und andere Personen mit der Führung der preußischen Ministerien zu betrauen, und die »Verordnung des Reichspräsidenten, betreffend die Wiederherstellung der öffentlichen Sicherheit und Ordnung in Groß-Berlin und der Provinz Brandenburg« mit dem Übergang der vollziehenden Gewalt auf den Reichswehrminister, der sie auf Militärbefehlshaber übertragen konnte (RGBl 1932, Teil I, S. 377).

20 Verordnung vom 26. Juli 1932 (RGBl 1932, Teil I, S. 387). Verhaftungen hielten sich offenbar in engen Grenzen. Horkenbach, 1932, S. 250 ff., erwähnt nur sechs Fälle; fünf Verhaftete wurden bereits nach einigen Stunden wieder freigelassen.

21 Christoph Graf, Politische Polizei, S. 25. Beim Berliner »Blutmai« 1929 wurden innerhalb von wenigen Tagen 1.228 Personen verhaftet. Siehe dazu Thomas Kurz, Arbeitermörder und Putschisten, in: IWK 22 (1986), S. 304.

22 Vgl. Helmut Roewer, Trennung von Polizei und Verfassungsschutzbehörden, in: Deutsches Verwaltungsblatt 1986, S. 205 ff.

23 Christoph Graf, Politische Polizei, S. 34 ff.

24 Ferdinand Friedensburg, Lebenserinnerungen, S. 160.

25 So der in Anmerkung 12 zitierte Runderlaß.

26 So entfielen von der Gesamtbevölkerungszahl des Deutschen Reiches von 62 545 435 (Juni 1925) 38 203 211 auf Preußen, 7 379 594 auf Bayern und 4 970 301 auf Sachsen. An letzter Stelle rangierten Mecklenburg-Strelitz mit 111 831 und Schaumburg-Lippe mit 48 661 Einwohnern.

27 Hue des Grais, Handbuch der Verfassung und Verwaltung, S. 94 ff., S. 388 ff.

28 Ebenda, S. 394; preußisches Polizeiverwaltungsgesetz vom 1. Juni 1931 (GS, S. 77) §§ 2 und 9.

29 Handwörterbuch der preußischen Verwaltung, Bd. 2, S. 318.

30 Eine umfassende Auseinandersetzung mit dieser Frage findet sich bei Carl Herz, Selbstverwaltung und Polizei, in: Die Gemeinde 1 (1924), S. 66 ff., S. 79 ff., S. 178 ff.

31 Vgl. hierzu Rüdiger Breuer, Expansion der Städte, S. 231 ff.

32 Vgl. Hagen Schulze, Otto Braun, S. 564 ff.; Hans-Peter Ehni, Bollwerk Preußen, S. 47 ff.

33 Horst Möller, Die preußischen Oberpräsidenten der Weimarer Republik als Verwaltungselite, in: Vierteljahrshefte für Zeitgeschichte 30 (1982), S. 1 ff.

34 Vgl. Hans-Peter Ehni, Bollwerk Preußen, S. 50 ff.

35 Runderlaß vom 20. Mai 1925 (MBliV 1925, Sp. 569).

36 Vgl. den in Anm. 12 genannten Erlaß vom 12. Dezember 1928.

37 Hsi-huey Liang, Die Berliner Polizei in der Weimarer Republik, S. 9 ff.

38 Eugen Ernst: 1909–1919 Vorsitzender der Berliner SPD, 1917–1919 Mitglied des Parteivorstandes der SPD, November 1918–Januar 1919 Minister ohne Geschäftsbereich in Preußen, Mitglied der Weimarer Nationalversammlung.

39 Ferdinand Friedensburg, Lebenserinnerungen, S. 160 ff.

40 Vgl. Dietz Bering, Von der Notwendigkeit politischer Beleidigungsprozesse. Der Beginn der Auseinandersetzung zwischen Polizeivizepräsident Bernhard Weiß und der NSDAP, in: Berlin in Geschichte und Gegenwart, Jahrbuch des Landesarchivs Berlin 1983, S. 87 ff.

41 Siehe dazu etwa die Polizeiberichterstattung in der »Roten Fahne« in den Jahren 1930–1932.

42 Vgl. die Regierungserklärung des Kabinetts Papen vom 3. Juni 1932 in Horkenbach, 1932, S. 169.

43 Vgl. hierzu Christoph Graf, Politische Polizei, S. 38 f.

44 Hier zitiert nach Christoph Graf, Politische Polizei, S. 406.

45 Siehe dazu ausführlich den in Anm. 40 genannten Aufsatz.

46 § 20 Abs. 2 Nr. 7 der Notverordnung des Reichspräsidenten gegen politische Ausschreitungen vom 14. Juni 1932 (RGBl 1932, Teil I, S. 297).

47 Horkenbach, 1932, S. 250.

48 Ebenda, S. 251.

49 Vgl. Amtliche Mitteilung über die Verhaftung des Polizeipräsidenten, des Polizeivizepräsidenten und des Polizeikommandeurs in Berlin vom 20. Juli 1932, in: Deutsche Allgemeine Zeitung, Nr. 337 vom 21. Juli 1932. Zu den personellen Veränderungen auf den unteren Ebenen vgl. Christoph Graf, Politische Polizei, S. 74 ff.

50 Vgl. ebenda.

51 Vgl. ebenda. Ein besonders wichtiges Beispiel stellt der 1934 von den Nationalsozialisten ermordete Leiter der Polizeiabteilung im preußischen Innenministerium, Erich Klausener, dar. Klausener wurde im Februar 1933 ins Reichsverkehrsministerium versetzt.

52 Den Beschluß des Staatsministeriums faßten von Papen und die übrigen kommissarisch amtierenden Minister. Vgl. Runderlaß des preußischen Innenministeriums vom 29. Juli 1932 (MBliV 1932, Sp. 773).

53 Christoph Graf, Politische Polizei, S. 93 f.

54 Ebenda, S. 410.

Kapitel IV

1 Gerhard Schulz, Die Anfänge des totalitären Maßnahmenstaates, S. 419, Anm. 235.

2 RGBl 1933, Teil I, S. 8.

3 MBliV 1933, Sp. 233 f.

4 Vossische Zeitung, 4. März 1933, Abend-Ausgabe.
5 Rudolf Diels, Lucifer, S. 182.
6 Vossische Zeitung, 24. Februar 1933, Morgen-Ausgabe.
7 Staatsarchiv Nürnberg, KV-Anklage, Interrogations, D 33. Nicht datiertes Exposé von Diels über seine Tätigkeit im Geheimen Staatspolizeiamt.
8 Vossische Zeitung, 9. März 1933, Morgen-Ausgabe.
9 GS 1933, S. 122 ff.
10 MBliV 1933, Sp. 503 ff.
11 GS 1933, S. 126 f.
12 MBliV 1933, Sp. 503 ff.
13 BA, R 58/240, fol. 2-6. Geschäftsverteilungsplan vom 19. Juni 1933.
   Shlomo Aronson, Reinhard Heydrich und die Frühgeschichte von Gestapo und SD, lag bei seiner Arbeit nur ein unvollständiger Geschäftsverteilungsplan vor, der bei Dietrich Hoffmann-Axthelm, Der stadtgeschichtliche Bestand, S. 59, ebenso verkürzt wiedergegeben wird. Da das Schutzhaftdezernat einen eigenen Dezernenten besaß, erscheint es mir im Gegensatz zu Christoph Graf, Politische Polizei, S. 139, gerechtfertigt, auch von zehn Dezernaten zu sprechen.
14 Rudolf Diels, Lucifer, S. 168.
15 Siehe dazu: Vossische Zeitung, 30. April 1933, Morgen-Ausgabe.
16 Diese und alle weiteren Angaben nach einer Aufstellung in BA, R 19/417, fol. 3 ff.
17 BDC, Diels.
18 Diels, Lucifer, S. 234.
19 Einige alternative Denkschriften aus den beteiligten Behörden in BA, R 18/5642.
20 GS 1933, S. 413.
21 Vgl. ebenda, § 3, Abs. 1.
22 So Diels in STA Nürnberg, KV-Anklage, Interrogations, D 33, S. 10.
23 Vgl. u. a. den Brief Dalueges an Röhm vom 23. Februar 1934 in BA, R 19/423. Als sich Paul Hinkler im Dezember 1933 bei Kurt Daluege über seine unwürdige Behandlung beschwerte, antwortete ihm dieser am 31. Dezember 1933: »Zum mindesten erscheint mir eins sicher, dass Göring sich mit Diels gegenüber der Stellung Himmlers keinerlei Unterstützung geschaffen hat« (BA, R 19/423).
24 BA, R 43 II/395, fol. 37 f. Das Geheime Staatspolizeiamt sollte sich auf sieben Abteilungen ausdehnen:
   I.   Organisation, Personalien, Verwaltung
   II.   Juristische Abteilung
   III. Taktische Abteilung, u. a. Beobachtung staatsgefährlicher Organisationen
   IV.   Spionage
   V.   Beobachtungen der Emigration und des Auslandes, Ausländer, Juden und Freimaurer
   VI.   Beobachtung der Presse
   VII. Wirtschaftliche Verwaltung der Konzentrationslager, Erfassung und Verwertung staatsfeindlichen Eigentums.
25 BA, R 58/840, fol. 7 ff. Für die Veröffentlichung gekürzt.
26 BA, R 18/5642, fol. 15 ff.
27 Christoph Graf, Politische Polizei, S. 398.
28 Friedrich Zipfel, Gestapo und SD in Berlin, in: Jahrbuch für die Geschichte Mittel- und Ostdeutschlands, Bd. IX/X. Tübingen 1961, S. 288.
29 Ebenda, S. 286 f. Bei zehn Inhabern entsprechender Stellen war ihm die Identifikation nicht möglich.
30 BA, R 58/840, fol. 24 ff.
31 Vgl. dazu Johannes Tuchel, Herrschaftssicherung und Terror. Zu Funktion und Wirkung nationalsozialistischer Konzentrationslager 1933 und 1934. Berlin 1983, S. 51 ff.

32 HSTAD RW 18/1. Weitergabe der Anordnung am 2. Juli 1934 durch den Landrat des Oberbergischen Kreises. Heinz Höhne, Mordsache Röhm, S. 23, bestreitet noch 1984 die Existenz dieser Anordnung und schreibt sie »der Fabulierkunst des Widerstands-Autors Hans Bernd Gisevius« zu. Die Weitergabe der Anordnung schon am 2. Juli »eigenhändig« an die Bürgermeister (als Ortspolizeibehörden) zeigt die Schnelligkeit, mit der Himmler seine Anordnungen traf.

33 ZSTL, Ordner Verschiedenes 196, Bild 255 ff.

34 BA, R 43 II/1203, fol. 9 und Rückseite.

35 GSTA, Rep. 90 P, Nr. 1.

36 BA, R 43 II/395, fol. 49.

37 ZSTL, Ordner Verschiedenes 204, Bild 28 ff.

38 Reichs- und preußisches Verwaltungsblatt 1935, S. 577.

39 BA, R 58/243, fol. 117.

40 GSTA, Rep. 90 P, Nr. 13, Heft 3.

41 BA, R 18/5627, fol. 247.

42 BA, NS 19/3581. Der Brief Fricks vom 21.9.1935 trägt auf der Vorderseite den Stempel »Führer vorgelegt« sowie in Himmlers Schrift das Datum »18.10.1935«.

43 BA, NS 19/2196.

44 BA, NS 19/1447, fol. 17.

45 BA, NS 19/3582. Aktennotiz vom 18.10.1935.

46 GS 1936, S. 21.

47 BA, R 58/243, fol. 115.

48 BA, R 19/395, fol. 95 ff.

49 RGBl 1936, Teil I, S. 487.

50 Siehe IfZ, Dc. 01.06.

51 BA, NS 19/1934.

52 Am 31.12.1937 umfaßte die Allgemeine SS 191.462 Mann, die Gesamt-SS 208.364 Mann. Vgl. IfZ, Dc. 01.06 und Dc. 01.07.

53 Die erste Aufstellung der Stabswache erfolgte am 17.3.1933 in der Bereitschafts-kaserne in der Friesenstraße (Berlin-Kreuzberg).

54 Vgl. IfZ, Dc. 01.07.

55 Siehe dazu vor allem: George C. Browder, Die Anfänge des SD des RFFS, in: Vierteljahrshefte für Zeitgeschichte 27 (1979), S. 299 ff.

56 Siehe dazu LA, Pr. Br. Rep. 57, Nr. 212 g. Die SD-Außenstellen in Berlin verteilten sich wie folgt:
   I: Berlin-Charlottenburg, Berliner Straße 81
   II: Berlin-Wilmersdorf, Güntzelstraße 54
   III: Berlin-Südende, Steglitzer Straße 25
   IV: Berlin NW 87, Flensburger Straße 9, Gths. II
   V: Berlin SW 68, Curthdamm 30, v. II
   VI: Berlin N 65, Müllerstraße 135
   VII: Berlin O 17, Brauner Weg 16
   VIII: Berlin-Weißensee, Berliner Allee 226
   IX: Berlin-Lichtenberg, Bürgerheimstraße 6-10
   X: Berlin-Neukölln, Anzengruberstraße 5

57 BA, R 58/239, fol. 115.

58 Werner Best, Die deutsche Polizei, S. 24.

59 Ebenda, S. 26 ff.

60 IMT, Bd. IV, S. 262.

61 IMT, Bd. XXVIII, Dokument 361-L.

62 BA, R 58/240, fol. 159 ff.

63 Das Standortverzeichnis der Dienststellen des RSHA vom 7. Dezember 1943 (BA, R 58/840, fol. 432ff.) zeigt, daß sich das RSHA inzwischen über die ganze Stadt ausgebreitet hatte. In der Prinz-Albrecht-Straße 8 waren neben dem Amtschef IV und der Geschäftsstelle noch die Gruppen IV A mit den Referaten IV A 1 (Kommunismus, Marxismus usw.) und IV A 4 (Schutzdienst, Attentate usw.) sowie andere Teile des Amtes IV untergebracht. Referat IV A 2 (Sabotageabwehr usw.) unter dem »bewährten« Hstuf. Kopkow saß am Kurfürstendamm 140; IV A 3 (Reaktion und bürgerliche Opposition) hatte ihren Sitz im ersten Stock der Zimmerstraße 16-18. Die Gruppe IV B war mit Ausnahme des »Judenreferats« IV B 4 (Kurfürstenstraße 116) weiterhin in der Meinekestraße 10 untergebracht, während die Gruppe IV C mit den Referaten IV C 1 (Hauptkartei u. a.) und IV C 2 (Schutzhaft) ebenfalls im ersten (und fünften) Stock der Zimmerstraße 16-18 untergebracht war. Kriterien für die Raumzuweisung lassen sich aus dem vorliegenden Standortplan nicht erkennen, denn die Referate IV C 3 (Presseangelegenheiten) und IV C 4 (Parteiangelegenheiten) hatten ihren Sitz wiederum in der Meinekestraße 10. Ebenfalls zersplittert war die Gruppe IV D (Besetzte Gebiete). Während die wichtigste Dienststelle IV D ausl. Arb., die sich mit den Fremdarbeitern in Deutschland befaßte, ihren Sitz in der Prinz-Albrecht-Straße 8 hatte, waren die Referate IV D 1 (Protektorat, Balkanländer), IV D 2 (Polen) und IV D 3 (Staatsfeindliche Ausländer, Emigranten) in der Steglitzer Wrangelstraße 6/7 untergebracht, das Referat IV D 4 (besetzte Westgebiete) in der Wilhelmstraße 34 und das für die besetzten Ostgebiete zuständige Referat IV D 5 im vierten Stock der Zimmerstraße 16-18. Die Abwehr war zum größten Teil am Kurfürstendamm 140 untergebracht, teils auch in der Lutherstraße 17.

64 BA, R 58/849.

65 Adolf Eichmann, Ich, Adolf Eichmann, S. 414f.

Kapitel V

1 Vgl. dazu neuerdings auch: Günther Wieland, Normative Grundlagen der Schutzhaft in Hitlerdeutschland, in: Jahrbuch für Geschichte, Bd. 26, Berlin (Ost) 1982, S. 75ff.

2 MBliV 1933, Sp. 233ff.

3 Alle Erlasse in BA, R 58/1083, fol. 19ff.

4 BA, R 58/1027, fol. 5ff.

5 Erlaßtext in BA, R 58/1027.

6 Briefkonzept vom Juni 1933 in BA, Sammlung Schumacher/271.

7 BA, R 43 II/398, fol. 91ff.

8 BA, R 58/264, fol. 1ff.

9 Siehe dazu vor allem das eindrucksvolle Buch von Karl Ibach, Kemna, Wuppertaler Konzentrationslager 1933–34, Wuppertal 1981.

10 BA, NS 31/256.

11 IML/ZPA, St 3/271.

12 Vgl. MBliV 1933, Sp. 504ff. Als Rechtsgrundlage dient eine preußische Verordnung vom 28. Februar 1933 (GS 1933, S. 127).

13 Mittelbach hatte am 5. März 1933 bereits den Haftbefehl für Ernst Thälmann unterschrieben. Vgl. Institut für Marxismus-Leninismus beim ZK der SED, Ernst Thälmann, Eine Biographie, S. 662.

14 GSTA, Rep. 77/31, fol. 78ff.

15 Ebenda, fol. 62. Der Bericht Mittelbachs ist jetzt auch auszugsweise bei Christoph Graf, Politische Polizei, S. 431, abgedruckt.

16 GSTA, Rep. 84 a/3715, fol. 218ff.

17 BA, R 43/395, fol. 30ff.
18 BA, R 58/264, fol. 50.
19 Siehe dazu die verschiedenen Schriftwechsel in BA, R 58 und GSTA, Rep. 90 P.
20 Vgl. Graf, Politische Polizei, S. 386.
21 BA, R 58/1027, fol. 131.
22 IMT, Bd. XXVI, S. 695, Dok. PS 1063.
23 BA, R 58/1027, fol. 205 f.
24 Die folgende Darstellung beruht auf der Auswertung von Restakten in den Beständen BA, NS 4; HSTAD, RW 58; IML/ZPA, St. 3.
25 Die in Anm. 24 genannten Akten zeigen ein übereinstimmendes Bild: Kam ein negativer Führungsbericht an das Schutzhaftreferat – mochte er noch so stereotyp und unglaubwürdig sein –, wurde die Schutzhaft bedenkenlos jeweils um drei Monate verlängert.
26 BA, R 58/459, fol. 294 ff.
27 BA, R 58/1027, fol. 323.
28 BA, Z 42 II/2582. Siehe dazu auch STA Nürnberg, KV-Anklage, Interrogations, B 62.
29 BA, R 58/248, fol. 30 f.
30 ZSTA Potsdam, Film 14355, zit. nach Klaus Drobisch, Über den Terror und seine Institutionen in Nazideutschland, S. 166.
31 HSTAD, RW 35/7, fol. 1.
32 HSTAD, RW 35/7, fol. 4 f.
33 BA, R 58/264, fol. 275 f.
34 BA, R 58/1027, fol. 44 ff.
35 HSTAD, RW 34/26, fol. 39 f.
36 HSTAD, RW 35/7, n. fol.
37 Ebenda.
38 Ebenda.
39 HSTAD, RW 34/26, fol. 65 ff.
40 BA, NS 4 Buchenwald/142.
41 BA, R 58/243, fol. 202 f.
42 BA, R 58/243, fol. 209.
43 BA, R 58/243, fol. 210.
44 BA, R 58/243, fol. 213 RS.
45 Faksimile in Deutsche Volkszeitung, Jg. 1 vom 8.8.1945.
46 Rudolf Höß, Kommandant in Auschwitz, S. 71 ff.
47 BA, R 22/5019.
48 Ebenda. Zur Erschießung der »Teltower Bankräuber« siehe auch Bernd Schimmler, Recht ohne Gerechtigkeit, S. 120.
49 BA, R 22/5019.
50 Siehe dazu unterschiedliche Vorgänge in BA, NS 4 Groß-Rosen/1.

Kapitel VI

1 Rudolf Diels, Lucifer ante Portas, S. 306 f.
2 Christoph Graf, Politische Polizei, S. 202. Graf untersucht hier die Berichte in GSTA, Rep. 90 P/67, und arbeitet klar die Vertuschungsbemühungen von Diels heraus.
3 GSTA, Rep. 90 P/67; BA, R 22/131. Der Bericht an Göring ist in der einen Quelle auf den 23., in der anderen auf den 21. September 1933 datiert.
4 BA, R 22/131, fol. 49 f.

5 Zitiert nach Heinz Britsche, John Schehr, in: Helmut Bock (Hrsg.), Der Sturz ins Dritte Reich, Leipzig u. a. 1983, S. 313.

6 Stefan Szende, Zwischen Gewalt und Toleranz, Zeugnisse und Reflexionen eines Sozialisten, Köln 1977, S. 33 ff., datiert z. B. den Tod von John Schehr auf das Jahresende 1933. Da Szende bereits Anfang Januar 1934 nach Oranienburg verlegt wurde, ist seine sehr detaillierte Beschreibung zumindest als Indiz für eine Tarnaktion im Februar 1934 zu werten.

7 IML/ZPA, St. 3/271.

8 BA, R 58/264, fol. 142.

9 BA, R 58/380, fol. 132 ff.

10 BA, R 58/380, fol. 128 ff.

11 Siehe etwa HSTAD, RW 58/5755, 43283, 50952.

12 BA, R 58/264.

13 Vgl. hierzu Hans-Georg Stümke/Rudi Finkler, Rosa Winkel, Rosa Listen, S. 237 ff..

14 BA, NS 17 LSSAH/57.

15 Über die Zahlenangaben und die Umstände der Verfolgung Homosexueller unter dem Nationalsozialismus siehe neben dem Titel in Anmerkung 13 vor allem Rüdiger Lautmann, Seminar Gesellschaft und Homosexualität, S. 300 ff.

16 RGBl 1933, Teil I, S. 995.

17 Kurt Daluege, Nationalsozialistischer Kampf gegen das Verbrechertum, S. 36.

18 HSTAD, RW 18/23. In seiner Untersuchung über das Konzentrationslager Flossenbürg, das einen hohen Prozentsatz »asozialer« Gefangener verzeichnete, kommt Siegert zu dem Schluß: »Man gewinnt den Eindruck, daß die in den Akten fast durchweg gebrauchte Bezeichnung ›gefährlicher Gewohnheitsverbrecher‹ oder ›gemeingefährlicher Sittlichkeitsverbrecher‹ in vielen Fällen dem Tätertyp keineswegs gerecht wird. In einer beträchtlichen Zahl von Fällen handelt es sich um Leute aus der sozialen Unterschicht, die durch das soziale Milieu, familiäre Verhältnisse, körperliche oder geistige Schäden, an den Rand der Gesellschaft gedrängt worden waren und sich, oft arbeitslos, seit Jahren durch kleine Betrügereien über Wasser zu halten versucht hatten. Neben Betrug, Unterschlagung, Diebstahl figurierten verbotenes Betteln und Hausieren als häufig vermerkte Straftatbestände. Nicht selten setzten sich die Strafregisterauszüge aus einer Vielzahl kurzfristiger Haft- und Geldstrafen wegen Bagatelldelikten zusammen oder es waren längerfristige Haftstrafen vor allem deshalb verhängt worden, weil der Betreffende als mehrfacher Rückfalltäter von Mal zu Mal verschärft bestraft wurde«. (Toni Siegert, Das Konzentrationslager Flossenbürg, S. 440 f.)

19 Vertrauliche Erlaßsammlung über vorbeugende Verbrechensbekämpfung, Berlin 1941, S. 28.

20 FS HH, Ordner 3305.

21 Die Aktion wurde auf die Zeit zwischen dem 24. und 30. März 1938 verschoben (HSTAD, RW 18/23). Am 21. März teilten die Gestapo-Stellen ihren Außenstellen und den Landräten den Beginn der Aktion für den 24. März mit, und am 22. verschob sich die Aktion erneut. Nach der »Volksabstimmung« vom 10. April 1938, also im dritten Anlauf, wurden die Verhaftungsaktionen definitiv auf den 21. April 1938 gelegt (HSTAD, RW 18/23).

22 BA, Sammlung Schumacher/399.

23 Ebenda.

24 BA, NS 4 Buchenwald/142.

Kapitel VII

1 Zu den Höheren SS- und Polizeiführern siehe jetzt Ruth Bettina Birn, Die Höheren SS- und Polizeiführer. Zu den in diesem Abschnitt behandelten Themen siehe vor allem auch Martin Broszat u. a., Anatomie des SS-Staates, 2 Bde.; Wolfgang Scheffler, Judenverfolgung im Dritten Reich; Gerald Reitlinger, Die Endlösung; Lucy S. Dawidowicz, Der Krieg gegen die Juden 1933–1945; Gerhard Schoenberner, Der gelbe Stern; Ders., Wir haben es gesehen.

2 Helmut Krausnick/Hans-Heinrich Wilhelm, Die Truppe des Weltanschauungskrieges, S. 33 ff.

3 Zitiert nach: Kasimierz Leszczynski, Security Police Einsatzgruppen in Action on Polish Territories in 1939, in: Biuletyn Głównej Komisji Badania Zbrodni Hitlerowskich w Polsce, Bd. XXII, Warschau 1971, S. 175 f.

4 BA, R 58/241, fol. 169 ff.

5 Zum Gesamtkomplex der »Endlösung« siehe neben den in Anmerkung 1 genannten Titeln vor allem: Wolfgang Scheffler, Judenverfolgung im Dritten Reich; Raul Hilberg, Die Vernichtung der europäischen Juden; Wolfgang Scheffler, Wege zur Endlösung. Eine Zusammenfassung des Diskussionsstandes über die Frage nach einem Befehl zur »Endlösung« bieten Eberhard Jäckel/Jürgen Rohwer, Der Mord an den Juden im Zweiten Weltkrieg, Entschlußbildung und Verwirklichung.

6 STA Nürnberg, PS 3051.

7 Neben den genannten Publikationen von Scheffler und Hilberg siehe zu den Vernichtungsaktionen auch Ino Arndt/Wolfgang Scheffler, Organisierter Massenmord an Juden in nationalsozialistischen Vernichtungslagern, in: Vierteljahreshefte für Zeitgeschichte 24 (1976), S. 105 ff. sowie Eugen Kogon u. a. (Hrsg.), Nationalsozialistische Massentötungen durch Giftgas; Gerald Fleming, Hitler und die Endlösung.

8 Siehe dazu Wolfgang Scheffler, Wege zur Endlösung, S. 203 ff.

Anmerkungen zur Einleitung des Zweiten Teils

1 GSTA, Rep. 90 P, Nr. 13. Angaben zum Hausgefängnis finden sich im Bundesarchiv, Bestand R 58, im Geheimen Staatsarchiv, Bestand Rep. 90 P sowie im Landesarchiv Berlin, Bestand Pr. Br. Rep. 42 sowie in Restakten beim Landeskonservator in Berlin.

2 Staatsarchiv Nürnberg, KV-Anklage, Interrogations, D 33, S. 5.

3 GSTA, Rep. 90 P.

4 BA, NS 17, LSSAH.

5 GSTA, Rep. 90 P, Nr. 13. Die abweichende Zellenzahl ergibt sich aus Bauänderungen. Zu der Unterbringung von Häftlingen im Luftschutzraum siehe auch die Berichte von Schlabrendorff und Müller. Angaben zu den Baukosten finden sich auch in GSTA, Rep. 151, Nr. 404, Schreiben von Dr. Werner Best (Gestapa) vom 7.2.1935 an den preußischen Finanzminister.

6 BA, R 58/1176.

7 BA, R 58/264, fol. 125.

8 BA, R 58/243, fol. 337.

9 BA, R 58/264, fol. 261 f.

10 BA, NS 4/Flossenbürg 28.

11 So Christabel Bielenberg, Als ich Deutsche war, S. 248 ff.

12 GSTA, Rep. 90 P, Nr. 66, Heft 3.

Anmerkungen zu den Häftlingsberichten

1 Bericht von Gerhard Hinze, in: Hans Otto, Gedenkbuch für einen Schauspieler und Kämpfer, S. 83 ff.

2 Mündlicher Bericht von Edith Walz 1983 (Auszüge). Abschrift im August-Bebel-Institut, Berlin.

3 Undatierter schriftlicher Bericht von Willi Gleitze (Auszüge). Abschrift im August-Bebel-Institut, Berlin.

4 Rundfunkinterview von Jürgen Vietig mit Franz Neumann 1974 (Auszüge). Abschrift im Franz-Neumann-Archiv, Berlin.

5 Mündlicher Bericht von Walter Höppner 1983 (Auszüge). Abschrift im August-Bebel-Institut, Berlin.

6 Der Vorsitzende der KPD, Ernst Thälmann, war im Januar 1934 für einige Zeit im Hausgefängnis der Prinz-Albrecht-Straße 8. Auch wenn die bisher vorliegenden Quellen seine Einlieferung auf den 9. Januar 1934 datieren, kann sein Wagen schon vorher im Hof der Prinz-Albrecht-Straße 8 gestanden haben, da das Dezernat II zu dieser Zeit bereits auch für Beschlagnahmungen »staatsfeindlichen Eigentums« zuständig war.

7 Niederschrift Ernst Thälmanns, in: IML/ZPA, NL 3/18. Hier zitiert nach: Autorenkollektiv: Ernst Thälmann. Eine Biographie, hrsg. vom Institut für Marxismus-Leninismus beim Zentralkomitee der SED, S. 647 f.

8 BA, NS 19 neu/1447, fol. 161 f.

9 Brief Georgi Dimitroffs. Hier zitiert nach: Reichstagsbrandprozeß. Dokumente, Briefe, Aufzeichnungen von Georgi Dimitroff, S. 164 f.

10 Fritz-Günther von Tschirschky: Erinnerungen eines Hochverräters, S. 193 ff.

11 Edgar J. Jung wurde bald darauf, vermutlich noch am 30. Juni 1934, von der SS ermordet. Siehe dazu auch: Edmund Forschbach: Edgar J. Jung. Ein konservativer Revolutionär, Pfullingen 1984.

12 Zum Mord an Gregor Straßer siehe auch: Udo Kissenkoetter: Gregor Straßer und die NSDAP, Stuttgart 1978.

13 Elisabeth von Gustedt: KZ Moringen. Unveröffentlichtes Manuskript in: BA, NL Elisabeth von Gustedt/vorl. 5. Ein Gestapo-Kommissar Hemprich konnte bisher nicht identifiziert werden; der SA-Sturmführer Walter Bintz und der Schriftsteller Dr. Edgar von Schmidt-Pauli saßen nach einer um den 3. August 1934 erstellten Verhaftetenliste beide im Hausgefängnis des Geheimen Staatspolizeiamtes ein. Siehe dazu: Zentrale Stelle der Landesjustizverwaltungen, Ordner Verschiedenes Nr. 196, Bild 255 ff.

14 Kurt Heyd: Begegnungen. Ein Erinnerungsblatt, in: Walter Hammer (Hrsg.): Theodor Haubach zum Gedächtnis, S. 13 f.

15 Ferdinand Friedensburg: Lebenserinnerungen, S. 245 ff.

16 Berthold Jacob: Begegnungen mit Heydrich, Nicolai und Patschowsky, in: Pariser Tageszeitung, 24. und 25. Juni 1936 (Auszüge). Zu Berthold Jacob siehe: Jost Nikolaus Willi: Der Fall Jacob-Wesemann. Ein Beitrag zur Geschichte der Schweiz in der Zwischenkriegszeit, Bern und Frankfurt 1972.

17 Jost Nikolaus Willi, ebenda, S. 49 ff.

18 Erlebnisbericht Werner Pünders, in: Vierteljahrshefte für Zeitgeschichte 19 (1971), S. 404 ff., hier S. 424 ff. (Auszüge).

19 Bericht von Hans Reichmann über ein Gespräch mit Leo Baeck am 31. August 1956 (Auszüge). Abschrift im August-Bebel-Institut, Berlin.

20 Akten der Watch Tower Society, in: Jehovas Zeugen in Gottes Vorhaben, Wiesbaden 1960, S. 165.

21 Der schriftliche, undatierte Bericht Werner Peukes (Auszüge) wurde von Karl Elgaß, Berlin, zur Verfügung gestellt. Kopie im August-Bebel-Institut, Berlin.

22 Auszug aus einem Protokoll von Maurice Disch. Undatiertes Arbeitspapier »Verleumdungen gegen Dr. Schumacher«, Archiv der Sozialen Demokratie, Bonn.

23 Friedrich Wesemann: Kurt Schumacher. Ein Leben für Deutschland, S. 48.

24 Hartmut Soell: Fritz Erler, S. 50 f.

25 Bericht im Archiv des Diakonischen Werkes der EKD (Auszüge), Bestand Centralausschuß der deutschen evangelischen Kirche, ohne Nummer.

26 Brief von Tony Breitscheid vom 24. April 1941 aus Arles. Archiv der Sozialen Demokratie, Bonn, Bestand SOPADE 23.

27 Interview von Jan Foitzik, Universität Mannheim, mit Kurt Lehmann (Auszüge). Kopie im August-Bebel-Institut, Berlin.

28 Julius Alpari: Führender ungarischer Kommunist. Leitender Mitarbeiter der Komintern und Organisator der »Internationalen Pressekorrespondenz« INPREKORR.

29 Mündlicher Bericht von Dr. Falk Harnack, 1983. Abschrift im August-Bebel-Institut, Berlin.

30 Original im Besitz von Dr. Falk Harnack, Berlin.

31 Faksimile in: Karl Heinz Biernat/Luise Kraushaar: Die Schulze-Boysen/Harnack-Organisation im antifaschistischen Kampf, Berlin (Ost) 1970, zwischen S. 144 und S. 145.

32 Der Fall Schulze-Boysen. Bericht von Johannes Haas-Heye vom 25.11.1944 (Auszüge). Kopie im Otto-Suhr-Institut der FU Berlin, Signatur Gh 623.

33 Adolf Grimme: Briefe, hrsg. von Dieter Sauberzweig, S. 113. Für ergänzende Hinweise und ein Foto von Adolf Grimme danken wir Frau Josefine Grimme, Brannenburg.

34 Greta Kuckhoff: Vom Rosenkranz zur Roten Kapelle, S. 338 ff.

35 Adolf Grimme: Briefe, S. 66.

36 Kassiber von Kurt Schumacher. Hier zitiert nach: Karl Heinz Biernat/Luise Kraushaar: Die Schulze-Boysen/Harnack-Organisation im antifaschistischen Kampf, S. 157.

37 Mündlicher Bericht von Marianne Reiff 1984 (Auszüge). Abschrift im August-Bebel-Institut, Berlin.

38 Haftbrief (Auszüge). Zit. nach: Max Josef Metzger: Für Frieden und Einheit. Briefe aus der Gefangenschaft, S. 74 ff.

39 Ebenda.

40 Robert Havemann: Ein deutscher Kommunist, S. 54 ff.

41 Fabian von Schlabrendorff: Offiziere gegen Hitler, S. 132 ff.

42 Josef Müller: Bis zur letzten Konsequenz, S. 210 ff.

43 Georg Thomas: Gedanken und Ereignisse, in: Schweizerische Monatshefte 1945, S. 537 ff. (Auszüge). Der Abdruck hier erfolgt nach einer Abschrift in BA, Nachlaß Pünder/217, fol. 88 ff.

44 Dietrich Bonhoeffer: Widerstand und Ergebung. Briefe und Aufzeichnungen aus der Haft, S. 274 ff.

Quellen- und Literaturverzeichnis

Unveröffentlichte Quellen

Archiv des Diakonischen Werkes der EKD, Berlin:
Bestand Centralausschuß der deutschen evangelischen Kirche, ohne Nummer.
August-Bebel-Institut, Berlin:
Sammlung von Häftlingsberichten.
Bezirksamt Kreuzberg von Berlin, Bauverwaltung:
Schadensbescheid vom 9. Juni 1952, Az. 060008-42/i.
Bundesarchiv, Koblenz (BA):
Diverse Akten aus den Beständen
NS 3   SS-Wirtschafts-Verwaltungshauptamt
NS 4   Konzentrationslager
NS 19   Persönlicher Stab Reichsführer SS
NS 17   Leibstandarte SS Adolf Hitler
NS 31   SS-Hauptamt
R 18   Reichsministerium des Innern
R 19   Ordnungspolizei
R 22   Reichsjustizministerium
R 43 II Reichskanzlei
R 58   Reichssicherheitshauptamt
Nachlaß Elisabeth von Gustedt
Nachlaß Hermann Pünder
Sammlung Schumacher
Forschungsstelle für die Geschichte des Nationalsozialismus in Hamburg (FSHH):
Ordner 3305
Franz-Neumann-Archiv, Berlin:
Rundfunkinterview mit Franz Neumann, o. D.
Geheimes Staatsarchiv der Stiftung Preußischer Kulturbesitz (GSTA):
Diverse Akten aus den Beständen
Rep. 77   Preußisches Innenministerium
Rep. 84 a   Preußisches Justizministerium
Rep. 90 P   Staatsministerium, Polizeiabteilung
Rep. 151   Preußisches Finanzministerium
Institut für Marxismus-Leninismus beim Zentralkomitee der Sozialistischen Einheitspartei Deutschlands/Zentrales Parteiarchiv, Berlin (Ost) (IML/ZPA):
Diverse Akten aus dem Bestand St. 3 Reichssicherheitshauptamt, Amt IV
Institut für Zeitgeschichte, München (IfZ):
Dc. 01.06
Dc. 01.07
Internationaler Suchdienst des Roten Kreuzes, Arolsen (ITS):
Ordner Sachsenburg 2
Nordrhein-Westfälisches Hauptstaatsarchiv, Düsseldorf (HSTAD):
Diverse Akten aus den Beständen
RW 18   Staatspolizei(leit)stelle Düsseldorf
RW 34   Staatspolizeistelle Köln
RW 35   Staatspolizeistelle Aachen
RW 58   Personenakten

Landesarchiv Berlin:
Diverse Akten aus den Beständen
Pr. Br. Rep. 42 Preußisches Hochbauamt
Pr. Br. Rep. 57 Stadtpräsident
Mikrofilmarchiv des Fachbereichs Politische Wissenschaft der FU Berlin:
Diverse Jahrgänge
Vossische Zeitung
Deutsche Allgemeine Zeitung
Völkischer Beobachter
Deutsche Volkszeitung
Staatsarchiv Nürnberg:
Diverse Akten aus dem Bestand KV-Anklage, Interrogations
Zentrale Stelle der Landesjustizverwaltungen, Ludwigsburg:
Diverse Akten
Mündliche Berichte von:
Karl Elgaß (verstorben)
Dr. Falk Harnack
Walter Höppner (verstorben)
Marianne Reiff
Edith Walz
Schriftliche Berichte von:
Willi Gleitze
Werner Peuke

Veröffentlichte Quellen

Adreßbuch der Stadt Berlin, diverse Bände.

Berichte des SD und der Gestapo über Kirchen und Kirchenvolk in Deutschland 1934–1944. Hrsg. von Heinz Boberach, Mainz 1971.

Berlin und seine Bauten, Teil I. Berlin 1877.

Best, Werner: Die deutsche Polizei. Darmstadt 1941.

Biernat, Karl Heinz/Kraushaar, Luise: Die Schulze-Boysen/Harnack-Organisation im antifaschistischen Kampf. Berlin (Ost) 1970.

Bonhoeffer, Dietrich: Widerstand und Ergebung. Briefe und Aufzeichnungen aus der Haft. Hrsg. von Eberhard Bethge. München 1954.

Daluege, Kurt: Nationalsozialistischer Kampf gegen das Verbrechertum. Berlin 1936.

Diels, Rudolf: Lucifer ante Portas. Stuttgart 1950.

Engelbrechten, J. K. von / Hans Volz: Wir wandern durch das nationalsozialistische Berlin. München 1937.

Engelbrechten, J. K. von: Eine braune Armee entsteht. Die Geschichte der Berlin-Brandenburger SA. Berlin und München 1937.

Friedensburg, Ferdinand: Lebenserinnerungen. Stuttgart 1963.

Grimme, Adolf: Briefe. Hrsg. von Dieter Sauberzweig. Darmstadt 1967.

Hammer, Walter: Theodor Haubach zum Gedächtnis. Frankfurt 1955.

Havemann, Robert: Ein deutscher Kommunist. Rückblicke und Perspektiven aus der Isolation. Reinbek bei Hamburg 1978.

Hay, Julius: Geboren 1900. Die Erinnerungen eines Revolutionärs. München und Wien 1977.

Horkenbach, Cuno: 1932. Berlin 1933.

Institut für Marxismus-Leninismus beim Zentralkomitee der Sozialistischen Einheitspartei Deutschlands (Hrsg.): Ernst Thälmann. Eine Biographie. Berlin (Ost) 1981.

Jessen, Peter: Die staatliche Kunstbibliothek (vormals Bibliothek des Kunstgewerbe-museums) in Berlin. Ein Abschiedswort. Berlin 1924.

Konzentrationslager. Ein Appell an das Gewissen der Welt. Karlsbad 1934.

Kuckhoff, Armin G.: Hans Otto. Gedenkbuch für einen Schauspieler und Kämpfer. Berlin 1948.

Kuckhoff, Greta: Vom Rosenkranz zur Roten Kapelle. Berlin (Ost) 1977.

Kunstgewerbe. Diverse Jahrgänge.

Meldungen aus dem Reich. Auswahl aus den Geheimen Lageberichten des Sicherheits-dienstes der SS 1939–1944. Hrsg. von Heinz Boberach. Neuwied 1965.

Meldungen aus dem Reich 1938–1945. Die geheimen Lageberichte des Sicherheitsdien-stes der SS. Hrsg. und eingeleitet von Heinz Boberach. 20 Bände. Herrsching 1984.

Metzger, Max Josef: Für Frieden und Einheit. Briefe aus der Gefangenschaft. Hrsg. und eingeleitet von den Meitinger Christkönigsschwestern. Meitingen bei Augsburg 1964.

Ministerialblatt für die innere Verwaltung (MBliV). Diverse Jahrgänge.

Müller, Josef: Bis zur letzten Konsequenz. Ein Leben für Frieden und Freiheit. München 1972.

Preußische Gesetzessammlung (GS). Diverse Jahrgänge.

Der Prozeß gegen die Hauptkriegsverbrecher vor dem Internationalen Militärgerichtshof. Nürnberg 1947 ff. 42 Bände.

Reichsgesetzblatt, Teil I. Diverse Jahrgänge.

Reichstagsbrandprozeß. Dokumente, Briefe und Aufzeichnungen von Georgi Dimitroff. Moskau 1942.

Schlabrendorff, Fabian von: Offiziere gegen Hitler. Berlin 1984.

Soell, Hartmut: Fritz Erler. Eine politische Biographie. Berlin/Bonn-Bad Godesberg 1976.

Tschirschky, Fritz-Günther von: Erinnerungen eines Hochverräters. Stuttgart 1972.

Wesemann, Friedrich: Kurt Schumacher. Ein Leben für Deutschland. Frankfurt 1952.

Zentralblatt der Bauverwaltung. Diverse Jahrgänge.

Literatur

Achterberg, Erich: Berliner Hochfinanz. Kaiser, Fürsten, Millionäre um 1900. Frankfurt a. M. 1965.

Aktives Museum Faschismus und Widerstand in Berlin e.V. (Hrsg.): Beiträge zur Kon-zeption. Berlin 1984.

Aktives Museum Faschismus und Widerstand in Berlin e.V. (Hrsg.): Zum Umgang mit einem Erbe. Berlin 1985.

Anatomie des SS-Staates. Hrsg. von Hans Buchheim u. a. 2 Bände. München 1967.

Arendt, Hannah: Die Geheimpolizei. Ihre Rolle im totalitären Herrschaftsapparat, in: Der Monat 4 (1952), S. 370 ff.

Arndt, Ino/Wolfgang Scheffler: Organisierter Massenmord an Juden in nationalsozialisti-schen Vernichtungslagern, in: Vierteljahrshefte für Zeitgeschichte 24 (1976), S. 105 ff.

Aronson, Shlomo: Reinhard Heydrich und die Frühgeschichte von Gestapo und SD. Stuttgart 1971.

Aronson, Shlomo: The Beginnings of the Gestapo System. The Bavarian Model in 1933. Jerusalem 1969.

Artzt, Heinz: Mörder in Uniform. Organisationen, die zu Vollstreckern nationalsozialisti-scher Gewaltverbrechen wurden. München 1979.

Bekiers, Andreas/Karl-Robert Schütze: Zwischen Leipziger Platz und Wilhelmstraße. Berlin 1981.

Berlinische Galerie (Hrsg.): Berlin um 1900. Berlin 1984.

Birn, Ruth Bettina: Die Höheren SS- und Polizeiführer. Himmlers Vertreter im Reich und in den besetzten Gebieten. Düsseldorf 1986.

Boberach, Heinz (Hrsg.): Findbuch Bestand R 58 (Reichssicherheitshauptamt) im Bundesarchiv. Koblenz 1982.

Bock, Helmut (Hrsg.): Der Sturz ins Dritte Reich. Leipzig 1983.

Bramstedt, E. K.: Dictatorship and political police. The technique of control by fear. New York 1945.

Breuer, Rüdiger: Expansion der Städte: Stadtplanung und Baurecht, in: Ekkehard Mai/Hans Pohl/Stephan Waetzold (Hrsg.): Kunstpolitik und Kunstförderung im Kaiserreich. Berlin 1982.

Browder, George C.: Die Anfänge des SD. Dokumente aus der Organisationsgeschichte des SD des RFSS, in: Vierteljahrshefte für Zeitgeschichte 27 (1979), S. 299 ff.

Buttlar, Florian von/Stefanie Endlich: Synopse zum Umgang mit dem Gestapo-Gelände. Im Auftrag der Akademie der Künste. MS, Berlin 1986.

Calic, Edouard: Reinhard Heydrich. Schlüsselfigur des Dritten Reiches. Düsseldorf 1982.

Crankshaw, Edward: Die Gestapo. Berlin 1959.

Dawidowicz, Lucy S.: Der Krieg gegen die Juden. München 1979.

Delarue, Jacques: Geschichte der Gestapo. Düsseldorf 1964.

Demps, Laurenz: Konzentrationslager in Berlin, in: Jahrbuch des Märkischen Museums 3 (1977), S. 1 ff.

Demps, Laurenz: Der Übergang der Abteilung I (Politische Polizei) des Berliner Polizeipräsidiums in das Geheime Staatspolizeiamt 1933/34. Dissertation B, Humboldt-Universität Berlin (Ost), 1983.

Drobisch, Klaus: Über den Terror und seine Institutionen in Nazi-Deutschland, in: Faschismus-Forschung. Positionen, Probleme, Polemik. Berlin (Ost) und Köln 1980, S. 157 ff.

Ehni, Hans-Peter: Bollwerk Preußen? Bonn-Bad Godesberg 1975.

Exerzierfeld der Moderne. Industriekultur in Berlin im 19. Jahrhundert. Hrsg. von Jochen Boberg, Tilmann Fichter und Eckhart Gillen. München 1984.

Feigell: Die Entwicklung des königlichen Polizei-Präsidiums zu Berlin in der Zeit von 1809–1909. Berlin 1909.

Fleming, Gerald: Hitler und die Endlösung. Wiesbaden 1982.

Georg, Enno: Die wirtschaftlichen Unternehmungen der SS. Stuttgart 1963.

Gisevius, Hans-Bernd: Wo ist Nebe? Erinnerungen an Hitlers Reichskriminaldirektor. Zürich 1966.

Graf, Christoph: Politische Polizei zwischen Demokratie und Diktatur. Die Entwicklung der preußischen Politischen Polizei vom Staatsschutzorgan der Weimarer Republik zum Geheimen Staatspolizeiamt des Dritten Reiches. Berlin 1983.

Grais, Hue de: Handbuch der Verfassung und Verwaltung in Preußen und dem Deutschen Reich. Berlin o.J.

Höhne, Heinz: Der Orden unter dem Totenkopf. Die Geschichte der SS. Gütersloh 1967.

Hoffmann-Axthelm, Dietrich: Der stadtgeschichtliche Bestand, in: Internationale Bauausstellung Berlin GmbH (Hrsg.): Dokumentation zum Gelände des ehemaligen Prinz-Albrecht-Palais und seine (!) Umgebung. Berlin 1983.

Ibach, Karl: Kemna. Wuppertaler Konzentrationslager 1933–1934. Wuppertal 1981.

Institut für Marxismus-Leninismus beim Zentralkomitee der Sozialistischen Einheitspartei Deutschlands (Hrsg.): Ernst Thälmann. Eine Biographie. Berlin (Ost) 1981.

Internationale Bauausstellung Berlin GmbH (Hrsg.): Wettbewerbsausschreibung mit

Dokumentation zum Gelände des ehemaligen Prinz-Albrecht-Palais und seine (!) Umgebung. Berlin 1983.

Internationales Design Zentrum (Hrsg.): Im Gehen Preußen verstehen. Berlin 1981.

Jäckel, Eberhard / Rohwer, Jürgen (Hrsg.): Der Mord an den Juden im Zweiten Weltkrieg. Entschlußbildung und Verwirklichung. Stuttgart 1985.

Kammler, Jörg: Nationalsozialistische Machtergreifung und Gestapo – am Beispiel der Staatspolizeistelle für den Regierungsbezirk Kassel, in: Hessen in der NS-Zeit, Frankfurt 1984, S. 506 ff.

Kemper, Robert M.W.: SS im Kreuzverhör. München 1964.

Kiersch, Gerhard u. a.: Berliner Alltag im Dritten Reich. Düsseldorf 1981.

Klee, Ernst: »Euthanasie« im NS-Staat. Die Vernichtung »lebensunwerten Lebens«. Frankfurt 1983.

Klein, Thomas (Hrsg.): Die Lageberichte der Geheimen Staatspolizei über die Provinz Hessen-Nassau 1933–1936. 2 Bände. Köln und Wien 1986.

Kogon, Eugen u. a. (Hrsg.): Nationalsozialistische Massentötungen durch Giftgas. Frankfurt a. M. 1983.

Krausnick, Helmut / Hans-Heinrich Wilhelm: Die Truppe des Weltanschauungskrieges. Die Einsatzgruppen der Sicherheitspolizei und des SD 1938–1942. Stuttgart 1981.

Lang, Jochen von: Das Eichmann-Protokoll. Berlin 1982.

Lange, Annemarie: Berlin zur Zeit Bebels und Bismarcks. Berlin (Ost) 1972.

Lautmann, Rüdiger: Seminar Gesellschaft und Homosexualität. Frankfurt 1977.

Leszczynski, Kasimierz: Security Police Einsatzgruppen in Action on Polish Territories in 1939, in: Biuletyn Głównej Komisji Badania Zbrodni Hitlerowskich w Polsce, Bd. XXII. Warschau 1971.

Liang, Hsi-huey: Die Berliner Polizei in der Weimarer Republik. Berlin und New York 1977.

Manvell, Roger: Die Herrschaft der Gestapo. Rastatt 1983.

Mendelssohn, Peter de: Zeitungsstadt Berlin. Frankfurt a. M. 1982.

Moeller, Gisela: Die preußischen Kunstgewerbeschulen, in: Ekkehard Mai / Hans Pohl / Stephan Waetzold (Hrsg.): Kulturpolitik und Kulturförderung im Kaiserreich. Berlin 1982, S. 113 ff.

Mundt, Barbara: Die Deutschen Kunstgewerbeschulen im 19. Jahrhundert. München 1974.

Pikarski, Margot / Elke Warning: Über den antifaschistischen Widerstandskampf der KPD. Aus Gestapo-Akten. Sechs Folgen in: Beiträge zur Geschichte der Arbeiterbewegung 25 (1983).

Posener, Julius: Berlin auf dem Weg zu einer neuen Architektur. München 1979.

Ramme, Alwin: Der Sicherheitsdienst der SS. Zu seiner Funktion im faschistischen Machtapparat und im Besatzungsregime des sogenannten Generalgouvernements. Berlin (Ost) 1970.

Reitlinger, Gerald: Die Endlösung. Berlin 1961.

Scheffler, Wolfgang: Zur Entstehungsgeschichte der »Endlösung«, in: Aus Politik und Zeitgeschichte. Beilage zur Wochenzeitung DAS PARLAMENT, B 43/82, S. 3 ff.

Scheffler, Wolfgang: Judenverfolgung im Dritten Reich. Berlin 1960.

Scheffler, Wolfgang: Wege zur Endlösung, in: Herbert A. Strauss / Norbert Kampe (Hrsg.): Antisemitismus. Von der Judenfeindschaft zum Holocaust. Bonn 1984.

Schnabel, Reimund: Macht ohne Moral. Eine Dokumentation über die SS. Frankfurt 1957.

Schoenberner, Gerhard (Hrsg.): Wir haben es gesehen. Augenzeugenberichte über Terror und Judenverfolgung im Dritten Reich. Wiesbaden 1981.

Schulz, Gerhard: Die Anfänge des totalitären Maßnahmenstaates. Frankfurt, Berlin, Wien 1974.

Schulze, Hagen: Otto Braun oder Preußens demokratische Sendung. Frankfurt u. a. 1977.

Siegert, Toni: Das Konzentrationslager Flossenbürg, in: Martin Broszat u. a. (Hrsg.): Bayern in der NS-Zeit, Band II. München 1979.

Steinbach, Peter: Nationalsozialistische Gewaltverbrechen. Die Diskussion in der deutschen Öffentlichkeit nach 1945. Berlin 1981.

Streim, Alfred: Die Behandlung sowjetischer Kriegsgefangener im »Fall Barbarossa«. Heidelberg und Karlsruhe 1981.

Stümke, Hans-Georg/Rudi Finkler: Rosa Winkel, Rosa Listen. Reinbek 1981.

Szende, Stefan: Zwischen Gewalt und Toleranz. Zeugnisse und Reflexionen eines Sozialisten. Köln 1977.

Thévoz, Robert/Hans Branig/Cécile Lowenthal-Hensel (Hrsg.): Pommern 1934/35 im Spiegel von Gestapo-Lageberichten und Sachakten. 2 Bände. Köln und Berlin 1974.

Tuchel, Johannes (Hrsg.): Kein Recht auf Leben. Beiträge und Dokumente zur Entrechtung und Vernichtung »lebensunwerten Lebens« im Nationalsozialismus. Berlin 1984.

Tuchel, Johannes: Herrschaftssicherung und Terror. Zu Funktion und Wirkung nationalsozialistischer Konzentrationslager 1933/34. Berlin 1983.

Voß, Karl: Reiseführer für Literaturfreunde. Vom Alex bis zum Kudamm. Berlin u. a. 1980.

Wieland, Günther: Normative Grundlagen der Schutzhaft in Hitlerdeutschland, in: Jahrbuch für Geschichte, Bd. 26, Berlin (Ost) 1982, S. 75 ff.

Wolters, Rudolf: Stadtmitte Berlin. Tübingen 1978.

Zipfel, Friedrich: Gestapo und SD in Berlin, in: Jahrbuch für die Geschichte Mittel- und Ostdeutschlands, Bd. IX/X, Tübingen 1961, S. 263 ff.

Zipfel, Friedrich: Gestapo und SD. Berlin 1960.

Abbildungsnachweis

Archive und Leihgeber
Archiv der KZ-Gedenkstätte Dachau: 83, 99. Archiv für soziale Demokratie: 192, 199, 207, 213, 226, 228, 231. Bildarchiv Preußischer Kulturbesitz: 102. Bundesarchiv: 105, 123, 127, 135, 136, 137, 157, 167, 168, 169, 172, 177, 178, 179, 257, 258. Bundesarchiv, Bildarchiv: 43, 46, 90, 116, 138. Christine Fischer-Defoy: 251. Jan Foitzik: 234. Gedenkstätte Deutscher Widerstand: 223. Josefine Grimme: 254. Brigitte Häntsch/Peter Arnke: 25, 164, 171. Dr. Falk Harnack (Berlin): 162, 185, 238, 244. Walter Höppner (†): 194. Institut für Zeitgeschichte, NL Hammer: 182. Landesarchiv Berlin: 17, 35, 93, 158, 159. Landesbildstelle Berlin: 19, 107, 196, 209, 285. National Archives Washington: 147, 152, 153. Otto-Suhr-Institut, Mikrofilmarchiv: 68, 70, 140. Albrecht Pünder: 217. Marianne Reiff: 256. Ullstein Bilderdienst: 8, 31, 39, 54, 62, 73 links, 248, 252, 253, 261, 270. Edith Walz: 187. Zentrale Stelle der Landesjustizverwaltungen: 181.

Bücher, Zeitschriften und Zeitungen
Berta Braune, Hoffnung gegen die Not, Wuppertal 1982: 249. Ernst Thälmann – Anschauungsmaterial, Berlin (Ost) 1977: 197. Deutsches Kriminalpolizeiblatt, Jahrgang 1933, 1.3.1933: 142. Erich Gritzbach, Hermann Göring, München 1937: 81. Illustrierter Beobachter, 1935: 115. Kunstgewerbeblatt, Jahrgang 1906: 29. Josef Müller, Bis zur letzten Konsequenz, München 1972: 277. Preußische Gesetzessammlung, 1933: 75. Gerd Rühle, Das Dritte Reich, Band 1933: 73 rechts, 111. Stimme des Freidenkers 25 (1983): 264. Terror und Widerstand 1933-1945, Berlin 1966: 219. Georg Thomas, Geschichte der deutschen Wehr- und Rüstungswirtschaft (1918-1943/45), Boppard 1966: 282. Georg Usadel, Zeitgeschichte in Wort und Bild, Band 1933: 65, 67. Zentralblatt für die Bauverwaltung, Jahrgang 1906: 14, 26, 28. Karl Heinz Biernat/Luise Kraushaar, Die Schulze-Boysen/Harnack-Organisation im antifaschistischen Kampf, Berlin (Ost) 1970: 246, 255.